# TOEFL® iBT Vocabulary

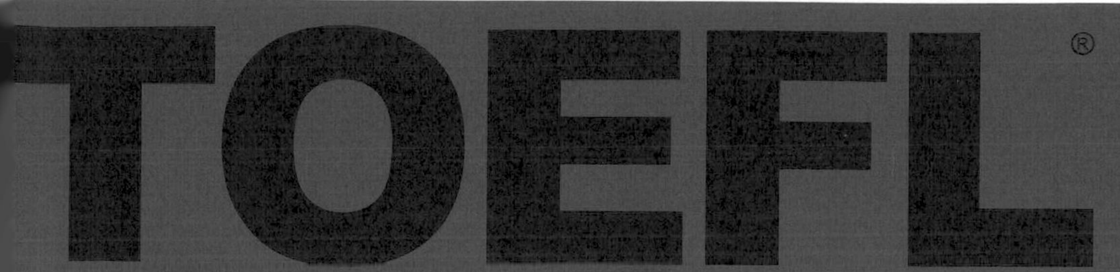

OVERALL CRUDE OREMOST CCOMPANY FACTION MONETARY STUMP HANDY MMENSE APPRECIATION EMIT ACCLAIM NTRIGUING MEDIUM RUSTY BULLETIN DAYDREAM APPRECIATE DIGESTIVE TOXIC WEATHERING

FORBID ASTONISHING DETERGENT CORRUPT ACCUSE COSMIC TRANSPARENT HARD SUCCESSIVE TIMID IMPRISONMENT PATENT AMIABLE TRANSPLANT PREGNANT MOLECULE VEHICLE VARSITY MISCELLANEOUS IMBIBE EMBED LABYRINTH AFFLUENT CONSOLE MARSH AVALANCHE ALLOY VISCOSITY MALLEABLE PRESERVATIVE ACCELERATE EXPEL HARDY CEREAL CONSPIRACY TRACE ACCESS PORTEND FUSION COMPROMISE TURBULENT INDIGESTION MURKY PRIOR SEVERE STRINGENT CEMENT INCLINE MINUTE COMMUTE ATLAS PREDOMINANTLY

MAMMAL RAGE TEMPERATE POISONOUS FUND AMPLE TROPICAL UNIVERSALLY ASSIGN OVERWHELM GENRE TEMPERATURE REPRESENT SIMULTANEOUSLY RENOVATE NUTRIENT ANTHROPOLOGY REIGN CONTRIBUTION BROCHURE INFLUX PHOTOSYNTHESIS CONTINUUM SPINAL FEATURE VAULT DOMESTIC APPARATUS DISTRIBUTION ELUSIVE

林 功 著 鄭襄憶・高靖敏 譯

眾文圖書股份有限公司

# 作者序

以 TOEFL iBT 的 Writing 為例，筆者在課堂上總是告訴學生：「想在 TOEFL iBT 的 Writing 上拿高分，即想很快地說服閱卷老師的話，就必須在一開始就詳細敘述自己的看法，而不是先表達反對立場，再表達自己的看法。」舉例來說，下筆時建議不要寫成「那個人不錯，就是太小氣了」，而應該在一開始就直接表達「那個人太小氣了」。若按照上述規則，那麼本書為「以 MP3 為主」的字彙書，與一般標示「附 MP3」的字彙書不同。本書強調讀者必須善用 MP3 學習 TOEFL 字彙，亦即以「聲音」記憶單字和同義字。下面針對此方式做詳細的說明。

筆者認為 TOEFL 字彙書不該只是一本羅列單字的書，而應該是一本更容易記憶、更具實用性的字彙書，所以在 2001 年出版了《TOEFL 托福分類字彙》。這本書出版之後，常常有學生或讀者反應說「《TOEFL 托福分類字彙》是一本極佳的單字實力養成書，但仍希望有一本更簡單易讀的字彙書。」由於 TOEFL 已變成網路化測驗 (Internet-based Test) 的形式，不但新增了 Speaking 測驗項目，而且 Writing 測驗項目的題目和分數也都增加為兩倍。為了讓讀者能順利且從容地應付 TOEFL iBT 的考試，所以筆者著手寫了《TOEFL iBT 托福關鍵字彙》這本書。

如果讀者已經考過 TOEFL iBT，或是曾做過相關的考古題，那麼就會注意到 Listening 和 Reading 常常考有關同義字的選擇題。要應付這類題型的不二法則，就是多多記憶同義字。即使是 Writing，在進行詳細論述時，除了用 in other words 或 more specifically 外，也要能善用其他同義字，否則閱卷老師就可能會因為 repetitive（重複）太多而不給予高分。此外，TOEFL iBT 新增的 Speaking 有 Independent Task（獨立題）和 Integrated Task（整合題）兩種題型，而 Writing 除了 Independent Task 外，也新增了 Integrated Task，這些全都在測驗考生的「單字・同義字」替換能力。特別是 Speaking 及 Writing 中的摘要題型，更是在考驗考生的同義字替換能力，亦即不能過度重複使用題目中的單字或用法。

《TOEFL iBT 托福關鍵字彙》就是因應上述測試讀者的英語聽、說、讀、寫能力而誕生的。希望讀者能反覆聽 MP3，直到不用看書就能把單字唸出來，並能直覺說出單字的同義字。另一方面，讀者若也能藉由 MP3 熟悉單字的發音，並透過聽英文例句來增強文意理解的功力，筆者將感到十分欣慰。

林　功

# Contents

# 本書使用說明

考量到單字在 TOEFL iBT 中的出現頻率與難易度各有不同，所以本書分成了 Part A「基礎單字」、Part B「頻考單字」、Part C「進階單字」三個部分。單字除了附有源自 TOEFL 考題的英文例句外，也列出 TOEFL 考試中經常出現的同義字。此外，每個單字都進行個別解析，說明出題方式、常和哪些字一起出現等，也適時提供重要的搭配用法、衍生字、其他重要字義等。至於 MP3，則收錄標題單字、第一個同義字和英文例句。

## 單字的分類

### Part A TOEFL 基礎單字

較基礎且在高中教科書中常見的單字。這個部分的單字應是讀者可以輕鬆掌握的字群。

### Part B TOEFL 頻考單字

在 Reading 和 Listening 的 Lecture 等中常常出現。如果要了解內容、問題和答案的意思，這部分通常是最容易成為關鍵字的字群。應試前如果所剩時間不多，那麼複習這個部分的單字是最理想的應試對策。

### Part C TOEFL 進階單字

收錄了具有難度的單字。記得先將這個部分的單字瀏覽過一遍，然後將常常看到或十分在意的單字標記起來。當然，想拿到高分，或是日後還要參加 GRE 或 GMAT 的讀者，最好也能熟記這部分的單字。

## 有效的記憶法——徹底活用 MP3

本書的主要特徵在於耳朵、眼睛、嘴巴並用，其中特重以聲音記憶單字和同義字。然而，依 TOEFL iBT 的出題特性，要準備測試英語綜合能力的整合題 (Integrated Task) 時，不可忽略下面兩點：

◎ 不論是 Listening 或是 Reading，答案幾乎都是題目中出現的說法，或是單字的同義字或同義說法。Listening 和 Reading 之間的差別僅在於有無聲音。

◎ Writing 和 Speaking 時都要盡量避免重複，此時你所擁有的同義字字庫就能發揮最大的效用。為了不讓閱卷老師評為 repetitive，務必要將字詞多加替換。

分析試題之後，筆者確認了一件事，就是 TOEFL iBT 的應試者必須立即增強字彙能力。也因此，MP3 與書本同等重要，甚至超過書本的重要性。有了 MP3，無論是在通勤中、車上，甚至在健身中心等不方便看書的場合，都可以利用 MP3 聆聽單字、同義字和例句，提升字彙能力。

## 具體有效的使用方式

### 1. 對聽力感到苦惱的人，「絕不仰賴文字」

如果對於自己所擁有的字彙量感到自豪，但是聽力卻相對薄弱，那麼就先放下書本，從 MP3 開始聽起，並試著跟隨 MP3 的節奏將單字和同義字大聲唸出來。若將 MP3 的內容下載到 iPod 等工具中，則在通勤時也可加以練習，其學習效果必定比只看書背單字和同義字更佳。

### 2. 用即時應答鍛鍊反射神經

等到單字和同義字都唸熟之後，如果進一步希望能為 Writing 和 Speaking 訓練出更快想起同義字的能力，則在聽 MP3 時可於複述單字後，在間隔時間內比錄音員更快說出同義字。若能持續這項練習，成效必然顯著。此練習亦可在通勤時進行。

### 3.「已經知道的就不用記了」的原則

此為筆者的背誦原則，讀者在製作自己的單字本時，也不要忘記這個原則。已經知道的同義字和字義就無須寫在本子上，也不用花時間記憶。舉例來說，assume（假定，推測）應該是大多數 TOEFL iBT 的應試者都已經知道的單字，因此就不用再花時間記憶了。製作單字本時，記下 assume（承擔；假裝）才是高明的讀書方法。依此原則，將本書中已經知道的單字和同義字去掉後，再將剩下的內容製作成自己專用的單字本，那麼本書的單字和同義字也就可以全部記住了。

---

### ★本書特色

讀者使用本書時可能會產生「咦，怎麼又出現相同的單字？」的疑問。然而雖然單字相同，但是字義不同，而且筆者認為「重要的單字就應該反覆出現」，因此特意讓單字再次出現。

| 詞性的標記方式 | | | |
|---|---|---|---|
| 動 | 動詞 | 連 | 連接詞 |
| 名 | 名詞 | 介 | 介系詞 |
| 形 | 形容詞 | 嘆 | 感嘆詞 |
| 副 | 副詞 | | |

# TOEFL iBT 測驗簡介

TOEFL iBT 的測驗項目共分為閱讀、聽力、口說、寫作四項。其測驗方式是利用電腦、耳機和麥克風透過網路作答，全程約需 4 小時。每個項目的總分各為 30 分，滿分為 120 分。下表整理出各個項目的測驗內容與作答時間。每個項目的作答時間依題數有所不同。與 TOEFL PBT 和 CBT 不同的是，iBT 所有的測驗項目都可以做筆記，至於 Writing 部分則不可用手書寫，而必須在電腦上打字。

## 測驗內容

| 測驗項目 | 題　　數 | 作答時間・分數 |
|---|---|---|
| Reading<br>閱讀 | 題型：3~4 篇長篇文章（每篇約 700 字）<br>問題數：每篇各有 12~14 題<br>注意：新增 2 個特殊功能<br>◎ Glossary 鍵提供簡單的單字解說。<br>◎ Review 鍵可顯示先前已填寫的答案表，方便進行檢視或修改。 | 時間：60~80 分鐘<br>總分：30 分 |
| Listening<br>聽力 | 題型：分學術演講和情境對話兩種題型<br>◎ 4~6 題 3~5 分鐘的學術演講，各有 6 個問題（每題為 500~800 字）。<br>◎ 2~3 題約 3 分鐘的情境對話，各有 5 個問題。 | 時間：60~90 分鐘<br>總分：30 分 |
| 中場休息 | | 10 分鐘 |
| Speaking<br>口說 | 題型：分獨立題和整合題兩種題型，共 6 題<br>◎ 獨立題 2 題<br>聽完一段對話或演說後發表自己的看法。<br>準備時間 15 秒　　發言時間 45 秒 | 時間：20 分鐘<br>總分：30 分 |

| | | |
|---|---|---|
| | ◎ 整合題 2 題<br>先讀一篇文章，再聽與該文章相關的課堂討論，最後依據所聽到的內容回答問題。<br>準備時間 30 秒　　發言時間 60 秒<br>◎ 整合題 2 題<br>聽完對話或簡短的課堂討論後回答問題。<br>準備時間 20 秒　　發言時間 60 秒 | |
| Writing<br>寫作 | 題型：分整合題和獨立題兩種題型，共 2 題<br>◎ 整合題：先讀一篇文章，再聽一段說明或對話，最後再寫一篇相關的文章。寫作時間限制 20 分鐘。<br>◎ 獨立題：針對一個題目就個人的知識或經驗寫一篇文章。寫作時間限制 30 分鐘。 | 時間：50 分鐘<br>總分：30 分 |

### 測驗費

測驗費為 165 美元（2013 年 12 月），限用信用卡 (credit card) 或用現金卡 (debit card) 繳費。

### 報名方式

1. 網路報名：http://www.ets.org/toefl

   首先先在 ETS 官方網站的 My TOEFL iBT® Account 網頁上面 (https://toefl-registration.ets.org/TOEFLWeb/extISERLogonPrompt.do) 點進 New User 中的 Sign Up，接著在 Contact Information 中依序填入姓名、居住地、帳號、密碼等必備資料，之後就會進入 My Home Page，接著再點選 Register for a Test/Order Score Reports，然後依螢幕上的指示進行報名手續。

※ 注意：由於不發放准考證，所以必須將報名編號 (Registration Number)、測驗日期、集合時間、測驗場地列印下來，好好保存。

2. 電話報名：603-7628-3333　馬來西亞報名中心

電話報名前，請先在網路上閱覽 TOEFL Internet-based Test (iBT) Registration Form 或先準備好一份紙本，以便聽取電話中所說明的填寫事項。可於 http://www.ets.org/Media/Tests/TOEFL/pdf/4677_TOEFL_Reg_Guide.pdf 下載 pdf。

※ 注意：由於不發放准考證，所以電話報名時會告知報名編號 (Registration Number)、測驗日期、集合時間、測驗場地，請務必牢記。

## 報名截止時間

早報名 (Early Registration)：測驗日期前 7 天（不含考試當天）完成報名手續

遲報名 (Late Registration)：測驗日期前 3~7 天（不含考試當天）完成報名手續

※ 注意：遲報名 (Late Registration) 除了測驗費 165 美元外，還必須額外加收 35 美元，所以全部費用為 200 美元。

# TOEFL iBT 美國應試經驗談

## 場地與考生

我的考試地點在 THOMSON&PROMETRIC 一間小小的辦公室中，距離拉斯維加斯的飯店約有 15 分鐘的車程，是一個人煙稀少的地方。考場裡有兩名工作人員及大約 10 名考生，其中大概只有我是亞洲人。

## 關於考試

由於是利用網路進行測驗，所以 9 點一到就開始考試。與 CBT 不同的是，並沒有指導人員解說注意事項，只能閱讀螢幕上的注意事項。各大題型都有語音說明，但由於缺少指導人員的解說，所以建議考試前先了解考試形式較為妥當。

## 實施與內容

考試前我對拿到滿分 120 分信心滿滿，但是開始做 Reading 的第一道題目時就讓我不得不改變想法。首先是一篇關於古代雕刻的長篇文章，作答時間是 20 分鐘，我在考前一直想著 Speaking 的部分，結果正式應試時就誤以為是 Speaking。我以為有 20 分鐘的時間可以閱讀文章，也做了筆記，心想真是太輕鬆了，而有些恍神。結果 20 分鐘一到就換下一題，也是一篇長篇文章，我頓時陷入一片混亂之中，沒看完題目就結束了。

事實上這個時候我整個鬥志都沒有了，但一想到不斷鼓勵我應試的老師和朋友，就趕緊提振精神閱讀下一篇文章。我觀察一下題目後發現，第三篇文章大約是一行 13 個字，共 50 行，約有 10 個問題，同樣要在 20 分鐘內作答完成。同義字題型考的是 intrigue, pose, brittle, excavate，和林功語言進修學校在課堂上所教的一模一樣，讓我很驚訝。長篇文章的難度和 TOEFL CBT 類似或偏難一些，只是 iBT 的文章真的很長。地質學方面的考題大致仍不出地層、恐龍、隕石這一類的內容，做不做筆記皆可，無須太過於執著。

考 Listening 時，我寫完後還有時間，所以難易度應該和 CBT 一樣。Reading 和 Listening 的題型和以往的題型不同，不過並沒有太明顯的改變。但要注意的是，Listening 中說話者所表現出來的微妙語氣很容易讓人弄錯。此項目可以做筆記，不過也無須太過執著。換個角度想，做筆記或許是一種可以讓精神集中的方式。

接下來是 Speaking。和我想的一樣，Speaking 對我來說是一個大挑戰，在限定的時間內把已整理好的想法表達出來真的很不容易。我常發生時間快到了才作答完畢，甚至有幾題根本無法完整作答的情形。我想對於一名考生來說，如果應試前沒有充分準備的話，那麼要加快解讀文章的速度或是掌握單字的替換說法，都會感到很吃力。

Writing 有兩道寫作題，必須依指示作答。記分方式先分成 0~5 級，再換算成 0~30 的總分。第一題的題目是「關於國家公園遊客衆多的摘要」，第二題是「如果要找一位好老師，那麼應該重視的是師生間的關係或是老師的學術地位？」針對第一題，字數最少需要 150 個字，第二題最少需要 300 個字，我分別寫了大約長度的文章，不論得分如何，都可以作為今後寫 Writing 的參考。

## 其他

考試時所用的電腦為 Compaq 電腦，而鍵盤用美式鍵盤，和日本一般所用的鍵盤不同。舉例來說，美式鍵盤的 Backspace 鍵只用 ← 箭頭表示，讓我有點小困擾。此外，apostrophe (') 鍵在 P 鍵的右下方，我在找的時候也花了一點時間。而 Tab 鍵的位置則和日本鍵盤的位置相同。另外，語音講解員的聲音很好聽，和 TOEFL PBT 是同一個人。

註：台灣使用美式鍵盤，與日本所使用的鍵盤不同。

**感想**

考完後我算了一下考試時間，花了將近 4 個小時。整體來說，我的應試心得是，參加考試前必須好好準備 Speaking，否則考試時就會很辛苦。而 Reading 的文章偏長，理解上比較困難。

以上是我簡短的報告，希望我的應試經驗能帶給讀者一些幫助，這將會是我莫大的榮幸。

前「林功語言進修學校」的學生

# TOEFL iBT 日本應試經驗談

日本最初舉辦 TOEFL iBT 考試的日期是 2006 年 7 月 15 日，上午 8:30 前必須進入考場。慎重起見我提早在 8:20 抵達了考場。到的時候，包括我在內的考生只有 3 個人，工作人員約 10 人。可能是日本初次舉辦 iBT 考試，工作人員都還不太熟悉整個流程，例如在進行 Reservation number 及引導考生到應試間時，工作人員似乎都有些遲疑。

我 8:30 被帶到應試間的隔間後就開始考試。工作人員會提供每位考生一支鉛筆和 5 頁左右的筆記本。如果覺得四周太吵雜，可以戴上耳塞。應試間內大約有 19 個隔間，硬體設備為 Compaq 電腦和美式鍵盤。

接著就準備考試。在麥克風測試、測驗解說之後，就開始了 Reading Section。sociology, animal behavlor 等的長篇文章都將近一頁，總共有 5 篇。大部分都是字彙測驗，中途可以同去修改前面問題的答案。

當我將 Reading 的試題大約完成一半的時候，還有考生陸陸續續進來。全部考生都到齊時已超過 9 點。我在聽得到的範圍內聽了一下，考生幾乎都是日本人，其中可能有一、兩位是國際學校的學生或是歸國日人的子女。

Reading 之後是 Listening，包括會話、說明等題型，總共 6 題。雖然我會邊聽邊做筆記，不過題目並沒有想像中那麼長，所以幾乎沒做到什麼筆記就結束了。有幾個問題會重複個一、兩次，所以還蠻容易回答的。問題中有很多是要回答 Isn't that right?（不是嗎？）、You can say that again!（我同意你的說法。）等句子事實上意指什麼，這讓我十分高興，因為在林功語言進修學校的課堂上都教過了。

Listening 結束後會休息 10 分鐘，考生可自由選擇留在應試間或到外面去。休息時間結束後，工作人員會開始操作電腦，進行下半場的考試。

下半場一開始是 Speaking，總共有 6 題。開始測驗之前會先測試和調整麥克風的音量，所以會請考生用一分鐘的時間 Describe the city you live in.（介紹你所居住的城市。）雖然戴著耳機，但是仔細聽的話還是可以聽到其他考生的回答。接著我將 Speaking 所出現的考題列在下面：

1. **Question**：Pick a city you visited before. What did you like most about it?（選擇一個你曾去過的城市，說明你最喜歡該城市的理由。）

2. **Question**：有人在閒暇時喜歡看電視或看電影，有人則喜歡看書或看雜誌。你喜歡哪種方式呢？請具體說明理由並舉出例子。

3. **Passage**：應學生的要求，學校投入資金購買了健身器材。

   **Listening**：有一男一女在對話，女方表示學校不應該浪費錢購買健身器材，反而應該把錢用在更重要的地方。男方一開始不贊同女方的論點，但到最後卻同意女方的論點。

   **Question**：學校方面所宣布的內容為何？對此宣布，女方的反應為何？

4. 與科學有關的考題，但是實際上考什麼內容，怎麼想都想不起來。

5. **Listening**：有兩位理工科老師在說明選課情形。由於許多一年級學生加選了進階生物課，讓原本必須加選這門課的高年級學生反而無法加選。這兩位老師為此提出了兩項建議，一是增開進階生物課，二是不接受一年級學生的加選。

   **Question**：Identify the problem and the suggestions. What is your opinion about this subject?（請確定問題點和建議事項，並敘述你對此議題的看法。）

6. **Listening**：在文學創作課上，教授介紹了兩種可寫出衝擊性對話的方式，一是誇張的表現方式，二是較為收斂的表現方式。接下來教授舉了各種例子做說明。

   **Question**：Summarize the lecture. Be sure to include the main examples used by the professor.（將上課內容做成摘要，需舉出教授所舉的重要例子。）

Speaking 結束後是 Writing，各有一題整合題和獨立題，作答時間分別為 20 分鐘和 30 分鐘。考題如下：

1. **Passage**：改良後的高科技汽車不但強化了安全性，還能降低塞車困擾並節省費用，大大便利了人們的生活。

   **Listening**：講者舉出三個反證來加以駁斥。

   **Question**：What evidence does the lecturer use to refute the passage? Do not give your own opinion.（為了反駁 Passage 的內容，講者舉出什麼樣的證據？請勿加上個人意見。）

   注意！考題附有「文章內容必須介於 150~250 字之間」的但書。

2. 針對是否贊成「絕不應該獨自一人下重大決定 (Important decisions should never be made alone.)」寫出一篇大約 300 字的文章。

考試結束時是 12:30，但是有些考生卻還在寫 Writing 部分，而動作慢的考生才剛做完 Speaking 部分而已。整體而言，比平常練習的題目還要簡單，尤其是 Speaking 的前面兩題，不管程度是中等還是初階，只要充分準備，都可以輕鬆作答。雖然在 Listening 時不做筆記沒關係，但是在 Speaking 測驗中，聽力部分最好要做筆記。

「林功語言進修學校」Speaking 課程的講師

（Speaking 測驗拿到滿分 30 分）

# Part A
# 基礎單字

| 單字 | 解釋 | 同義字 |
|---|---|---|
| ☐ **abandon** [ə`bændən] | 動 **放棄，遺棄**<br>◆ 請確實記住 abandon 和它的同義詞 give up。 | **give up**<br>**resign** |
| ☐ **radius** [`redɪəs] | 名 **半徑；範圍**<br>◆ diameter 是「直徑」之意。 | |
| ☐ **auction** [`ɔkʃən] | 名 **拍賣（會）** | **bidding** |
| ☐ **retail** [`ritel] | 名 動 **零售** | **peddle** |
| ☐ **differentiate** [ˏdɪfə`rɛnʃɪˏet] | 動 **使有區別，區別…的不同** | **distinguish** |
| ☐ **cater** [`ketɚ] | 動 **迎合（需要等）**<br>◆ cater 另有「承辦宴席」的意思。catering（外送膳食）也是從 cater 而來的。 | **serve** |
| ☐ **persist** [pɚ`sɪst] | 動 **持續存在；執意**<br>◆ persist in... 有「對…執著」的意思。 | **adhere**<br>**continue** |
| ☐ **rate** [ret] | 名 **比率；費用；速度**<br>◆ 常常在 TOEFL iBT 的考題中出現，特別要注意「速度」之意。 | **ratio** |
| ☐ **collect** [kə`lɛkt] | 動 **集聚；收集**<br>◆ 像右頁例句中的主動用法很常考。 | **gather**<br>**concentrate**<br>**assemble** |
| ☐ **artificial** [ˏɑrtə`fɪʃəl] | 形 **人工的；矯揉造作的**<br>◆ 反義字一般為 natural（天然的）、genuine（真實的）。但若與人的態度有關時，反義字為 sincere（誠摯的）。 | **unnatural** |

| | |
|---|---|
| Emily Dickinson frequently **abandoned** exact rhymes for approximate ones. | 艾蜜莉・狄金生經常**捨棄**精確的押韻而用近似韻。 |
| Farmers from within a 24 or more kilometer **radius** brought their products to the townspeople for direct sale. | 半徑 24 公里內外的農民將自己的農作物帶來直接販賣給鎮民。 |
| **Auctions** were another popular form of occasional trade. | **拍賣**是另一種廣受歡迎的臨時交易形式。 |
| Because of competition, **retail** merchants opposed these auctions as well as the fairs. | 由於競爭的關係，**零售**商既反對商品展覽會也反對拍賣會。 |
| Export merchants can be **differentiated** from their importing counterparts. | 出口商可能與進口商**有所不同**。 |
| Philadelphia's merchants **catered** not only to the governor and his circle, but also to citizens from all over the colony. | 費城的商人不僅滿足了總督與其社交圈的需求，還**迎合**了從殖民地境內各處來的公民。 |
| Despite governmental efforts, fairs and auctions have **persisted** throughout the century. | 儘管政府盡了努力，商品展覽會和拍賣會仍**持續存在**了整個世紀。 |
| Aviculturists continue to look for better ways to increase egg production and to improve chick survival **rates**. | 養鳥專家持續尋找更好的辦法來增加蛋的產量及提升雛鳥的存活**率**。 |
| As the water that **collects** in the bottom of the nest evaporates, the water vapors rise and are heated by the incubating bird. | 當**集聚**於巢底的水開始蒸發，水蒸氣就會上升，並由孵蛋的鳥加以加熱。 |
| In **artificial** incubation programs, aviculturists remove eggs from the nests of parrots and incubate them under laboratory conditions. | 在**人工**孵蛋計畫裡，養鳥專家將鸚鵡蛋移出鳥巢，讓它們在實驗室的環境下孵化。 |

| | | |
|---|---|---|
| ▢ **fatal** [`fetl̩] | 形 **致命的**<br>◆ 也會以 incurable（不能治癒的）的同義字出現在考題中。 | **deadly** |
| ▢ **secure** [sɪ`kjʊr] | 形 **安全的**<br>◆ 同義字 safe（安全的）和其名詞 safety（安全）經常會混用，要注意使用上的差別。 | **safe** |
| ▢ **particle** [`partɪkl̩] | 名 **微粒，粒子** | **grain**<br>**molecule** |
| ▢ **clue** [klu] | 名 **線索**<br>◆ 在 Listening 時，有學生會把 clue 聽成 crew（工作人員），要小心！ | **key**<br>**hint**<br>**information** |
| ▢ **evidence** [`ɛvədəns] | 動 **證明，作為…的證據** | **prove** |
| ▢ **frontier** [frʌn`tɪr] | 名 **邊界，邊境**<br>◆ 還有「（知識等）未開拓的領域」的意思。 | **border** |
| ▢ **coincide** [ˌkoɪn`saɪd] | 動 **與（某事件）同時發生** | **harmonize** |
| ▢ **extracurricular** [ˌɛkstrəkə`rɪkjələ] | 形 **課外的**<br>◆ 在大學的入學申請書上經常可以看到 extracurricular 這個字。 | **after-school** |

| | |
|---|---|
| High temperatures are **fatal** to growing embryos. | 高溫對成長中的胚胎而言**有致命性**。 |
| Nesting material should be added in sufficient amounts to assure that the eggs have a soft and **secure** place to rest. | 必須添加充足的築巢材料，以確保蛋有個柔軟且**安全無虞的**落腳之處。 |
| The most abundant **particles**, such as sand, silt, and clay, are the focus of examination in studies of soil texture. | 在土壤質地的研究中，含量最高的**微粒**，如沙粒、坋粒和黏粒，都是重點檢測對象。 |
| The voice gives psychological **clues** to a person's self-image, perception of others, and emotional health. | 說話聲給人心理**線索**去了解一個人的自我形象、對他人的觀感和情緒健康。 |
| Emotional health is **evidenced** in the voice by free and melodious sounds of happy people. | 快樂者的說話聲裡帶著無拘無束且音樂般的聲調，**證明**其情緒健康。 |
| By 1910 most Americans lived in towns and cities, being that the **frontier** had mostly disappeared. | 到了 1910 年大多數的美國人都住在城鎮和都市裡，因為美國**邊境**幾乎消失殆盡。 |
| The arrival of a great wave of European immigrants at the turn of the century **coincided** with and contributed to an enormous expansion of formal schooling. | 世紀末歐洲移民潮大規模湧入，導致**同時期發生**了正規學校教育大幅擴展。 |
| Kindergartens, summer schools, **extracurricular** activities, and vocational education and counseling have extended the influence of public schools over the lives of students. | 幼稚園、暑期學校、**課外**活動和職業教育與輔導，擴展了公立學校對學生生活的影響。 |

| | | |
|---|---|---|
| □ **suit**<br>[sut] | 動 **滿足…的需要；適合**<br>◆ 應徵時可能會聽到：We have an opening for someone to shelve books four afternoons a week, for a total of 16 hours. Will that suit you?（我們正在找工讀生來整理書架，一週來四個下午，總共 16 小時。您可以勝任嗎？） | **fit**<br>**satisfy** |
| □ **definition**<br>[ˌdɛfəˋnɪʃən] | 名 **定義** | **fixed meaning** |
| □ **fellowship**<br>[ˋfɛloˌʃɪp] | 名 **研究生獎學金** | **scholarship**<br>**award**<br>**grant** |
| □ **stack**<br>[stæk] | 名 **大量，堆積如山；（疊放整齊的）堆**<br>◆ 在對話考題中也常出現像 this stack of papers（這堆文件）這樣的字詞。 | **pile**<br>**heap** |
| □ **flu**<br>[flu] | 名 **流行性感冒**<br>◆ flu 的前面通常會加上定冠詞 the。 | **influenza** |
| □ **evolve**<br>[ɪˋvɑlv] | 動 **（動植物）進化；（使）逐漸發展** | **develop** |
| □ **acute**<br>[əˋkjut] | 形 **敏銳的；尖銳的** | **sharp**<br>**keen** |
| □ **acquire**<br>[əˋkwaɪr] | 動 **獲得；習得；養成**<br>◆ AIDS（後天性免疫不全症候群）俗稱「愛滋」，它的英文全稱是 Acquired Immunodeficiency Syndrome，第一個字母 A 就是指 acquired。 | **obtain**<br>**learn** |

| | |
|---|---|
| Reformers early in the twentieth century suggested that educational programs should **suit** the needs of specific populations. | 20 世紀早期的改革運動者提議，教育計畫應滿足特定族群的需求。 |
| Although looking after the house and family was familiar to immigrant women, American education gave homemaking a new **definition**. | 儘管外來的移民女性熟知如何照顧家庭和家人，美國教育給予了家政一個新定義。 |
| Alice Walker's poems, short stories, and novels have won her many awards and **fellowships**. | 愛麗絲・華克的詩、短篇故事和小說為她贏得了許多獎項和獎學金。 |
| That writer just gave her a **stack** of his books. | 那個作家只給了她一大堆他的書。 |
| When he was sick with the **flu**, I took him a sack full of oranges. | 在他感染流行性感冒的時候，我帶了一整袋的柳橙給他。 |
| Human vision, like that of other primates, has **evolved** in an arboreal environment. | 與其他靈長類動物一樣，人類的視覺是在叢林環境中進化而來的。 |
| In the dense, complex world of tropical forests, it is more important to see well than to develop an **acute** sense of smell. | 在熱帶森林這個濃密且複雜的世界中，看得清楚比發展出敏銳的嗅覺還要重要。 |
| In the course of their evolution, members of the primate line have **acquired** large eyes, while the snout has shrunk to give the eye an unimpeded view. | 在演化的過程中，靈長類家族的成員獲得了一雙大眼，而鼻子則縮小，好給予眼睛無阻的視線。 |

| Word | Meaning | Synonyms |
| --- | --- | --- |
| □ **invisible** [ɪn`vɪzəbl̩] | 形 看不見的 | unclear |
| □ **pottery** [`patərɪ] | 名 陶器；陶匠的作品 | porcelain<br>china |
| □ **functional** [`fʌŋkʃənl̩] | 形 實用的；有特殊用途的 | useful<br>convenient |
| □ **plain** [plen] | 形 普通的，平凡的<br>◆ 別忘了 plain 作名詞時是「平原，原野」的意思。 | simple |
| □ **summarize** [`sʌmə͵raɪz] | 動 總結，扼要地說 | digest<br>abstract<br>abridge |
| □ **marked** [markt] | 形 顯著的 | distinct<br>noticeable |
| □ **sin** [sɪn] | 名（宗教或道德上的）罪<br>◆ sin 是指「宗教、道德上的罪」，而 crime 是指「法律上的罪行」。 | crime<br>offense |
| □ **widow** [`wɪdo] | 名 寡婦<br>◆「鰥夫」是 widower。 | |
| □ **fossil** [`fasl̩] | 名 化石 | remains |
| □ **specifically** [spɪ`sɪfɪkəlɪ] | 副 具體地；確切地<br>◆ 在 Writing 時也可能會用到 more specifically（更具體而言）這樣的說法。 | particularly |
| □ **diameter** [daɪ`æmətɚ] | 名 直徑<br>◆ 3 miles in diameter = 3 miles across = 3 miles wide（直徑三英里）<br>◆ 反義字是 radius（半徑）。 | |

| | |
|---|---|
| Ultraviolet rays are **invisible** to humans, though ants and honeybees are sensitive to them. | 人類看不見紫外線，不過螞蟻和蜜蜂卻對紫外線相當敏感。 |
| Ancient people made **pottery** out of clay because they needed it for their survival. | 遠古人類製作黏土陶器，因為他們的生存仰賴於此。 |
| Those pieces by the artisans are beautiful as well as **functional**, transforming something ordinary into something special and unique. | 工匠們的那幾件作品既實用又美觀，讓平凡無奇的東西變得特別且獨一無二。 |
| **Plain** wire is used to cut away the finished pot from its base on the potter's wheel. | 普通的金屬線被用來將陶壺成品從陶輪的基座上切下來。 |
| The status of women in colonial North America has been well studied and described and can be briefly **summarized**. | 北美殖民時期女性的地位已被充分研究與描述，因而可做簡要的總結。 |
| Throughout the colonial period there was a **marked** shortage of women. | 整個殖民時期女性的總人數明顯不足。 |
| Puritans, the religious sect that dominated the early British colonies in North America, regarded idleness as a **sin**. | 身為早期英屬北美殖民地主要教派的清教徒視懶惰為罪惡。 |
| Puritan town councils expected **widows** and unattached women to be self-supporting. | 清教徒的鎮議會要求寡婦或未婚女性必須自食其力。 |
| Content analysis of the **fossils** has indicated that ocean floors spread around the Earth. | 化石的內容分析顯示海床擴張遍及整個地球。 |
| More **specifically**, the sea anemone is formed quite like the flower for which it is named. | 更確切地說，海葵長得相當像一種人類拿來為牠命名的花。 |
| Its **diameter** varies from about six millimeters in some species to more than ninety centimeters in the giant varieties of Australia. | 它的直徑大小不一，某些種類小至六公釐左右，澳洲巨型變種則大至 90 公分以上。 |

Part A 基礎單字

Part B 頻考單字

Part C 進階單字

Index 索引

| | | |
|---|---|---|
| □ **coral** [ˋkɔrəl] | 名 **珊瑚（蟲）** | |
| □ **capture** [ˋkæptʃɚ] | 動 **捕捉，奪取** | **catch**<br>**seize** |
| □ **prey** [pre] | 名 **獵物，捕獲物**<br>◆ 單字延伸記憶：predator（食肉動物）。 | **game**<br>**victim** |
| □ **integrated** [ˋɪntə͵gretɪd] | 形 **綜合的；完整的**<br>◆ TOEFL iBT 的特色是有 Integrated Tasks（整合題），所以就將這個字收進 Part A 中。 | **comprehensive**<br>**overall** |
| □ **transform** [trænsˋfɔrm] | 動 **轉變…的外觀或特性** | **change**<br>**alter** |
| □ **rectangular** [rɛkˋtæŋgjəlɚ] | 形 **長方形的**<br>◆ 單字延伸記憶：polygon（多邊形）、polyhedron（多面體）。 | **square**（正方形的） |
| □ **crew** [kru] | 名 **一起工作的一群人**<br>◆ Listening 時記得別與 clue（線索，提示）的發音搞混。 | **party**<br>**group**<br>**squad** |
| □ **Fahrenheit** [ˋfærən͵haɪt] | 名 **華氏**<br>◆ 反義字是 centigrade = Celsius（攝氏）。 | |
| □ **core** [kor] | 名 **核心；中心**<br>◆ 順帶一提，從地球表面開始依序是 crust（地殼）、mantle（地幔）、core（地核）。 | **center**<br>**heart** |

| | |
|---|---|
| Like **corals**, hydras, and jellyfish, sea anemones are coelenterates. | 海葵與**珊瑚蟲**、水螅、水母同樣都屬腔腸動物科。 |
| The upper end of the sea anemone has a mouth surrounded by tentacles that the animal uses to **capture** its food. | 海葵的口部位在頂端，周圍則環繞著用以**捕捉**食物的觸手。 |
| The tentacles drag this **prey** into the sea anemone's mouth. | 觸手將此**獵物**拖進海葵的口中。 |
| Another pest management technique, called **integrated** pest management, is being promoted as an alternative to chemical pest control. | 另一種名為「**綜合性**害蟲管理」的害蟲管理技術正在提倡中，被視為是化學性害蟲管控的另一項選擇。 |
| She brings with her cameras, lights, mirrors, and a crew of assistants to **transform** the site into her own abstract images. | 為了將該地點**轉化**成她個人的抽象影像，她帶了相機、照明設備、鏡子和助理團。 |
| She starts a studio construction with a simple problem, such as using several circular and **rectangular** mirrors. | 她以一個簡單的主題，例如運用數個圓形及**長方形**的鏡子，開始搭建攝影棚場景。 |
| Away from the studio, at architectural sites, the cost of **crew** and equipment rental means that she has to know in advance what she wants to do. | 在遠離攝影棚的建築物地點，**工作人員**的費用與器材租借費意味著她必須事先知道她想要做什麼。 |
| The temperature of the Sun is over 5,000 degrees **Fahrenheit** at the surface. | 太陽的表面溫度超過了**華氏**五千度。 |
| In the **core** of the Sun, the pressures are so great against the gases that, despite the high temperature, there may be a small solid core. | 太陽的**中心**壓力極高，不利於氣體的存在，以至於即使在這樣的高溫之下仍可能存在著小型的固體核心。 |

| | | |
|---|---|---|
| □ **arithmetic** [ə`rɪθmətɪk] | 名 算術 | **mathematics** **figure** |
| □ **discount** [`dɪskaʊnt] | 動 認為…無足輕重 | **disregard** **exclude** **count out** |
| □ **subtraction** [səb`trækʃən] | 名 減法 ◆ 反義字是 addition（加法）。 ◆ 單字延伸記憶：division（除法）、multiplication（乘法）。 | |
| □ **table** [`tebl̩] | 名 九九乘法表；表；目錄 | **list** |
| □ **bound** [baʊnd] | 形 注定的；有義務的 | **very likely** |
| □ **waste** [west] | 名 廢棄物 ◆ toxic waste（有毒廢棄物）和 toxic chemicals（有毒化學物質）也經常考。 | **rubbish** **refuse** **trash** |
| □ **advance** [əd`væns] | 動 提出（理論、建議等） ◆ 也會與 put forth（提出）出現在同義字的題型中。 | **propose** |
| □ **column** [`kɑləm] | 名 柱狀物；(報紙等的）一欄；一行數字 | **pillar** **pole** **post** |
| □ **tension** [`tɛnʃən] | 名 張力；繃緊；緊張 | **strain** **stress** |

| | |
|---|---|
| Many of the computing patterns used today in elementary **arithmetic** were developed as late as the fifteenth century. | 今日許多基礎**算術**所使用的運算模式都遲至 15 世紀才被發展出來。 |
| Mental difficulties must be somewhat **discounted** as one reason for the late development of computing patterns. | 就某種程度而言，智力困難不**可被視為**運算模式發展遲緩的原因。 |
| Addition and **subtraction** require only the ability to count each numerical symbol and then convert them to higher units. | 加**減法**僅需要有計算各種數字符號，然後轉換成較大單位的能力。 |
| If sufficient multiplication **tables** are memorized, then work can proceed much as we did it today. | 如果**九九乘法表**能充分背熟，那麼作業幾乎可以照著今天的做法完成。 |
| Without a plentiful and convenient supply of a suitable writing medium, an extended development of the arithmetic process was **bound** to be hampered. | 如果無法提供充足、方便又合適的書寫媒介，運算過程要得到長足的發展**注定**是阻礙重重。 |
| The ecosystems of the Earth manufacture and replenish soils, and recycle **wastes** and nutrients. | 地球的生態系統製造並添補土壤，同時回收**廢物**與養分。 |
| The theory was once **advanced** that the productivity of the land can be infinitely increased by the application of capital, labor, and science. | 曾經有理論**指出**，透過資本、勞力和科學的應用，土地的產能便能無限增加。 |
| Atmospheric pressure can support a **column** of water up to 10 meters high. | 大氣壓力所能支撐的水**柱**最高達十公尺。 |
| The same forces that create surface **tension** in water are responsible for the maintenance of the unbroken columns of water. | 造成水表面**張力**的力量同樣是維持水柱完整的原因。 |

| | | |
|---|---|---|
| □ **scarcely** [ˋskɛrslɪ] | 副 僅僅，幾乎不 | hardly |
| □ **afford** [əˋford] | 動 有足夠的錢或時間做…，力足以做…<br>◆ 注意也有 give（給予）的意思。Reading books affords us great pleasure.（閱讀帶給我們極大的喜悅。） | have enough money to do |
| ☑ **heed** [hid] | 名 注意，留心 | attention<br>notice |
| □ **purchase** [ˋpɝtʃəs] | 動 購買<br>◆ 要注意 Reading 中可能會出現美國歷史上的 Louisiana Purchase（路易斯安那購地案）。 | buy<br>get |
| □ **scatter** [ˋskætɚ] | 動 使分散；散播 | sprinkle<br>spread |
| □ **outstanding** [aʊtˋstændɪŋ] | 形 傑出的；顯著的；未償付的<br>◆ outstanding charge（未付的費用）常出現在會話題型中。 | striking<br>distinguished |
| □ **canal** [kəˋnæl] | 名（動植物體內的）管道；運河 | passage |
| □ **available** [əˋveləbl̩] | 形 可得到的；可利用的<br>◆ available 也可以用在以「人」為對象的對話中，如 Are you available tomorrow?（你明天有空嗎？） | obtainable<br>accessible |
| □ **composer** [kəmˋpozɚ] | 名 作曲家 | writer |

| | |
|---|---|
| In 1850, the borders of Boston lay **scarcely** two miles from the old business district. | 1850 年時波士頓的邊界距離舊商業區僅有兩英里之遙。 |
| Those who can **afford** it live far removed from the old city center and still commute there for work, shopping, and entertainment. | 那些**負擔得起**的人住得離舊市中心遠遠的，而且依舊通勤到那裡上班、購物、找樂子。 |
| Thousands of small investors paid little **heed** to coordinated land use or to future land users. | 數以千計的小額投資人幾乎不把土地整合利用或是未來的土地使用者**放在心上**。 |
| Those people **purchased** and prepared land for residential purposes. | 那些人**購買**土地準備作為住家用。 |
| Tinier, more delicate skeletons are usually **scattered** by scavengers or destroyed by weathering before they can be fossilized. | 這些極小、極脆弱的骨骸在得以變成化石之前，通常會遭到食腐動物**棄置**，或因風吹日晒而毀壞。 |
| The quality of preservation is **outstanding**. | 保存的品質**十分突出**。 |
| One specimen is even preserved in the birth **canal**. | 有一種標本甚至保存於產**道**之中。 |
| Their reports of the climate, animals and birds, trees and plants, and Native Americans, were made **available** to the scientists. | 關於氣候、動物和鳥類、樹木和植物，以及美洲原住民的研究報告，他們都開放給科學家**使用**。 |
| Many **composers** found the clavichord a sympathetic instrument for intimate chamber music. | 許多**作曲家**認為翼琴這種和諧的樂器很適合緊密交織的室內樂。 |

| | | |
|---|---|---|
| □ **degree** [dɪˋgri] | 名 **學位；度數；程度**<br>◆ 是個多義語，除了表示「學位」之外，多用於表示「度數；程度」之意。 | **doctorate**<br>**grade**<br>**measure** |
| □ **characterize** [ˋkærəktə,raɪz] | 動 **以…為特徵**<br>◆ 經常出現在從上下文中找出意思的同義字題型中。 | **distinguish**<br>**feature** |
| □ **insanity** [ɪnˋsænətɪ] | 名 **瘋狂** | **lunacy**<br>**madness** |
| □ **odd** [ɑd] | 形 **奇特的，古怪的**<br>◆ 在一般的同義字題型中常出現。 | **strange**<br>**weird**<br>**bizarre** |
| □ **squeeze** [skwiz] | 動 **擠，擠壓**<br>◆ 擠牙膏、擠檸檬汁時可以想一下這個單字。 | **press**<br>**compress** |
| □ **conservative** [kənˋsɝvətɪv] | 形 **保守的** | **conventional**<br>**modest** |
| □ **prevail** [prɪˋvel] | 動 **盛行，占優勢**<br>◆ 經常出現在從上下文中找出意思的同義字題型中。 | **overcome**<br>**get the better of**<br>**outdo** |
| □ **device** [dɪˋvaɪs] | 名 **器具，裝置**<br>◆ 在一般的同義字題型中常出現。 | **machine**<br>**system**<br>**measure**<br>**tool** |
| □ **faithful** [ˋfeθfəl] | 形 **虔誠的；忠實可靠的** | **pious**<br>**religious**<br>**loyal** |
| □ **replace** [rɪˋples] | 動 **取代，以…代替**<br>◆ 小心別和 take place（發生；舉行）的意思混淆了。 | **take the place of**<br>**supplant** |

| | |
|---|---|
| She received her master's **degree** from the University of Washington. | 她獲得了華盛頓大學的碩士學位。 |
| The period was **characterized** by the abandonment of traditional realism by famous authors. | 這個時期的**特色**在於，知名作家都捨棄了寫實主義傳統。 |
| Hers is a world of violence, **insanity**, fractured love, and hopeless loneliness. | 她的世界充斥著暴力、**瘋狂**、破碎的愛，以及絕望的孤寂感。 |
| No creature in the sea is **odder** than the common sea cucumber. | 海洋中沒有其他生物比常見的海參**更古怪的**了。 |
| Their shape, combined with great flexibility, enables the creatures to **squeeze** into crevices where they are safe from predators. | 外形加上柔軟性，使得該生物能夠**擠**進裂縫中，免受獵食者的威脅。 |
| A folk culture is a small, isolated, **conservative**, cohesive, and nearly self-sufficient group. | 民俗文化是一種小型、孤立、**保守**、有凝聚力且近乎自給自足的群體。 |
| In a folk culture, most goods are handmade, and a subsistence economy **prevails**. | 在民俗文化中大部分的商品都是手工製作，自給自足的經濟**大行其道**。 |
| In Amish areas, horse-drawn buggies still serve as a local transportation **device**. | 四輪馬車在門諾教派地區仍是當地的交通**工具**。 |
| The **faithful** among the Amish are not permitted to own automobiles. | 門諾教派的**虔誠**信徒不准許擁有汽車。 |
| The popular culture is **replacing** the folk in industrialized countries and in many developing nations. | 在許多工業化及發展中國家中，流行文化正逐漸**取代**民俗文化。 |

| | | |
|---|---|---|
| □ **prestige** [prɛs`tiʒ] | 名 威望，聲望 | credibility<br>dignity |
| □ **tornado** [tɔr`nedo] | 名 龍捲風 | twister |
| □ **conventional** [kən`vɛnʃənl̩] | 形 傳統的，依照慣例的<br>◆ 在一般的同義字題型中常出現。 | traditional<br>customary |
| □ **discern** [dɪ`sɝn] | 動 辨識出 | distinguish<br>tell<br>discriminate |
| □ **predict** [prɪ`dɪkt] | 動 預報，預言<br>◆ 也常以 make prediction（預報，預言）的形式出題。 | foresee<br>foretell<br>project<br>prophesy |
| □ **raw** [rɔ] | 形 未經分析或改正的<br>◆ 也有 uncooked（未煮過的）的意思。 | unprocessed |
| □ **instantaneously** [ˌɪnstən`tenɪəslɪ] | 副 立刻 | at once<br>immediately |
| □ **roughly** [`rʌflɪ] | 副 概略地<br>◆ 在同義字題型中，almost（幾乎）也會出現在選項當中。 | approximately |
| □ **orchid** [`ɔrkɪd] | 名 蘭花 | |
| □ **reproductive** [ˌriprə`dʌktɪv] | 形 生殖的；複製的；複寫的；多產的 | breeding |

| | |
|---|---|
| The popular item is more quickly or cheaply produced, is easier or more time saving to use, and lends more **prestige** to the owner. | 大衆化的東西製造起來較快、較便宜，使用起來較容易、較省時，而且為擁有者增添較大的**威信**。 |
| Total damages from the **tornado** exceeded $250 million, the highest ever for any Canadian storm. | **龍捲風**所造成的整體損失超過兩億五千萬美元，是加拿大歷次風暴之中最高的。 |
| **Conventional** computer models of the atmosphere have limited value in predicting short-lived local storms like the Edmonton tornado. | **傳統的**大氣電腦模型對預測像艾德蒙頓龍捲風這種歷時短暫的局部性風暴幫助有限。 |
| The available weather data are not detailed enough to allow computers to **discern** the subtle atmospheric changes that precede these storms. | 可用的氣象資料不夠詳盡，使得電腦無法**辨識出**風暴來臨前大氣的細微變化。 |
| With such limited data, conventional forecasting models do a good job **predicting** general conditions over large regions. | 儘管資料如此有限，傳統的預測模型在**預測**大範圍的整體情況時成效良好。 |
| The difficulties involved in rapidly collecting and processing the **raw** weather data from such a network were insurmountable. | 快速蒐集並處理來自這種網絡的**原始**氣象資料困難重重，無法克服。 |
| Communications satellites can transmit data around the world cheaply and **instantaneously**. | 通訊衛星能夠便宜且**即時地**傳送資料到世界各地。 |
| The population **roughly** doubled every generation during the nineteenth century. | 每個世代的人口數在 19 世紀的這段時間內**大約**都成長了一倍。 |
| **Orchids** are unique in that they have the most highly developed of all blossoms. | **蘭花**在百花之中以其高度進化而獨具特色。 |
| The usual male and female **reproductive** organs are fused in a single structure called the column. | 一般的雄性與雌性**生殖**器官合生在一起，形成一種稱作「蕊柱」的單一構造。 |

MP3 011

| | | |
|---|---|---|
| □ **petal** [ˋpɛtḷ] | 名 花瓣 | |
| □ **compound** [ˋkɑmpaʊnd] | 名 化合物，混合物，合成物 | mixture |
| □ **boom** [bum] | 名（人口、貿易等）突然增加<br>◆ a baby boomer 是指「在嬰兒潮時期出生的人」。 | sudden rise |
| □ **profession** [prəˋfɛʃən] | 名 職業<br>◆ by profession 和 by trade 都是「職業是…」的意思。 | occupation<br>vocation<br>trade |
| □ **accumulate** [əˋkjumjə͵let] | 動 積聚，累積<br>◆ 若還不知道這個單字，就趕緊連發音一起記下來。 | pile up<br>gather<br>stack up |
| □ **impractical** [ɪmˋpræktɪkḷ] | 形 不切實際的<br>◆ 常以形容詞 overambitious（期望過大的）的同義字出現在考題當中。 | unworkable<br>impracticable |
| □ **navigation** [͵nævəˋgeʃən] | 名 航行，航海 | voyage |
| □ **recipe** [ˋrɛsəpɪ] | 名 祕訣；處方；烹飪法 | secret<br>knack |
| □ **annually** [ˋænjʊəlɪ] | 副 每年，一年一次<br>◆ 在同義字題型中，也可能出現 every year（每年）。 | yearly<br>each year |
| □ **commodity** [kəˋmɑdətɪ] | 名 商品；日用品 | merchandise<br>product<br>goods |
| □ **workshop** [ˋwɝk͵ʃɑp] | 名 小工廠；專題討論會 | shop |

| | |
|---|---|
| Surrounding the column are three sepals and three **petals**. | 環繞於蕊柱周圍的是三片萼片與三片**花瓣**。 |
| At least 50 different aromatic **compounds** have been analyzed in the orchid family. | 蘭花家族中至少已經有 50 種不同的芳香族**化合物**被分析過了。 |
| The baby **boom** of the 1950s and 1960s had a great effect on the role of public education. | 1950 年代和 1960 年代的嬰兒潮對公眾教育的角色產生了巨大的影響。 |
| A large number of teachers left their **profession** for better-paying jobs elsewhere in the economy. | 為數眾多的老師為了經濟環境中其他更高薪的工作而捨棄教**職**。 |
| Steam was **accumulated** in a large, double-acting vertical cylinder. | 蒸氣被**聚集**到一個大型的立式雙作用汽缸之中。 |
| Before Evans, high-pressure engines were generally considered **impractical** and dangerous. | 在埃文斯之前，一般認為高壓引擎既**不實用**又危險。 |
| A heavy engine added to the problem of **navigation**. | 沈重的引擎增加了**航行**的困難度。 |
| The cave-making **recipe** calls for a steady emission of volcanic gas and heat. | 這種洞穴形成的**祕訣**需要火山氣體與高溫的穩定釋放。 |
| If too little heat is produced, the ice, replenished **annually** by winter snowstorms, will expand. | 如果熱能產生過少，冰雪將會因為冬季暴風雪的**年年**補添而擴大。 |
| In agriculture, the transformation was marked by the emergence of the grain elevator, the cotton press, the warehouse, and the **commodity** exchange. | 農業的轉型從穀物升降運送機、棉花打包機、倉庫及**商品**交換的出現可以一窺究竟。 |
| There were still small **workshops**, where skilled craftspeople manufactured products ranging from newspapers to cabinets to plumbing fixtures. | **小型工廠**仍然存在，技術熟練的技工在那裡製作各式產品，從報紙、儲藏櫃，到排水裝置，樣樣都有。 |

| | | |
|---|---|---|
| □ **depress** [dɪ`prɛs] | 動 使消沈，抑制（景氣、心情等） | devalue<br>discourage |
| □ **exceed** [ɪk`sid] | 動（數量）超過<br>◆ 這個單字的同義字群是最常出題的，務必記熟。 | surpass<br>transcend<br>excel<br>top |
| □ **fragile** [`frædʒəl] | 形 易碎的<br>◆ 同義字中，以 brittle 最常出題。 | frail<br>delicate<br>brittle |
| □ **contemporary** [kən`tɛmpə,rɛrɪ] | 形 現代的；同時代的 | modern |
| □ **restrict** [rɪ`strɪkt] | 動 限制 | limit |
| □ **interdependence** [,ɪntədɪ`pɛndəns] | 名 互相依賴 | dependence on each other |
| □ **distinguish** [dɪ`stɪŋgwɪʃ] | 動（特徵等）使…有別於；區別…的不同 | differentiate<br>discriminate |
| □ **consciously** [`kanʃəslɪ] | 副 有意識地<br>◆ 在一般的同義字題型中常出現。 | purposely<br>intentionally<br>deliberately |
| □ **property** [`prapətɪ] | 名（物質的）特性，特質；資產 | characteristic<br>feature |
| □ **weigh** [we] | 動 秤…重量；衡量，考慮<br>◆「衡量，考慮」也是命題重點。 | have a particular weight |

| | |
|---|---|
| Rent controls have artificially **depressed** the most important long-term determinant of profitability—rents. | 房租管控以人為的方式**抑制**了收益性最重要的長期決定因素——房租。 |
| In 1872, only two daily newspapers could claim a circulation of over 100,000, but by 1892, seven more newspapers **exceeded** that figure. | 1872 年只有兩家日報可宣稱其發行量超過了十萬份，但是到了 1892 年，又有七家報紙的發行量**超越**了該數字。 |
| Glass is lightweight, impermeable to liquids, readily cleaned and reused, durable yet **fragile**, and often very beautiful. | 玻璃器皿的重量輕、液體不能滲透、易清洗且可重複使用，耐久卻**易碎**，而且通常相當美觀。 |
| All of the detectable morphological features implied that the feet that left the footprints were of little difference from those of **contemporary** humans. | 所有可見的形態學特徵都顯示，留下足印的那雙腳幾乎和**現代人**一模一樣。 |
| The study of fossil footprints is not **restricted** to examples from such remote periods. | 足跡化石的研究並不**侷限**於來自那般久遠時期的樣本。 |
| This **interdependence** among various species is sometimes subtle, sometimes obvious. | 不同物種之間這種**相互依賴**的現象有時微而難察，有時顯而易見。 |
| Two characteristics **distinguish** jazz from other dance music. | 爵士樂以其兩個特點**有別**於其他舞蹈音樂。 |
| In playing hot, a musician **consciously** departs from strict meter to create a relaxed sense of phrasing. | 演奏「熱爵士樂」時，樂手會**有意地**跳脫出制式的節拍，塑造出一種隨性閒散的樂曲表情。 |
| No one had ever isolated phlogiston and experimentally determined its **properties**. | 沒有人曾將燃素獨立出來並以實驗測試其**特性**。 |
| The residue left after burning **weighed** more than the material before it was burned. | 燃燒過後的殘餘物**秤起來**比燃燒前的物質重。 |

| | | |
|---|---|---|
| □ **conceal**<br>[kən`sil] | 動 **隱藏**<br>◆ 經常出現在從上下文中找出意思的同義字題型中。 | **hide**<br>**cover** |
| □ **potential**<br>[pə`tɛnʃəl] | 名 **潛力** | **capacity**<br>**ability** |
| □ **span**<br>[spæn] | 名 **全幅，跨度；一段期間**<br>◆ 作動詞時是「跨越；延伸」之意。span 不論當名詞或當動詞，都常出現在考題中。 | **extent**<br>**stretch** |
| □ **impact**<br>[`ɪmpækt] | 名 **撞擊（力）；影響**<br>◆「影響」之意最常出題，要記住。 | **collision** |
| □ **limestone**<br>[`laɪm͵ston] | 名 **石灰岩** | |
| ☑ **backdrop**<br>[`bæk͵drɑp] | 名 **背景** | **background** |
| □ **land**<br>[lænd] | 動 **（使）著陸，（使）上岸** | **touch down** |
| □ **recover**<br>[rɪ`kʌvɚ] | 動 **尋獲（被盜、遺失之物）；恢復**<br>◆ 會出「找回」之意的題目。 | **collect** |
| □ **pioneer**<br>[͵paɪə`nɪr] | 動 **當先驅** | **originate**<br>**initiate** |
| □ **image**<br>[`ɪmɪdʒ] | 名 **影像** | **reflection**<br>**picture** |
| □ **puzzle**<br>[`pʌzl̩] | 動 **使困惑** | **perplex**<br>**confuse** |

| | |
|---|---|
| In spite of its strength and durability, the internal iron skeleton generally remained **concealed**. | 儘管強度及耐久性俱佳，內部鐵質骨架通常**隱而不露**。 |
| Designers of the railroad stations of the new age explored the **potential** of iron. | 新時代的火車站設計師探索了鐵的運用**潛力**。 |
| Iron can cover huge areas with **spans** that surpass the great vaults of medieval churches and cathedrals. | 鐵可以應用的**範圍**極大，甚至跨越到中世紀大小教堂的大型拱頂上。 |
| Due to their dense structure, iron meteorites have the best chance of surviving an **impact**. | 鐵隕石因為結構緊密，最經得起**撞擊**。 |
| The world's largest source of meteorites is the Nullarbor Plain, **an area of limestone**. | 世界最大的隕石出處是納拉伯平原，為一塊**石灰岩區**。 |
| The pale, smooth desert plain provides a perfect **backdrop** for spotting meteorites. | 黯淡且平坦的沙漠平原為隕石的發現提供了絕佳的**背景**。 |
| Since very little erosion takes place, the meteorites are well preserved and found just where they **landed**. | 由於鮮有侵蝕，所以隕石保存良好，而且在哪裡**著陸**就在哪裡被發現。 |
| Over 1,000 fragments from 150 meteorites that fell during the last 20,000 years have been **recovered**. | 過去兩萬年間墜落的 150 顆隕石中，有超過一千片的隕石碎片已被**尋獲**。 |
| A **pioneering** set of experiments has been important to the revolution of our understanding of animal behavior. | 有一組重要的實驗當**開路先鋒**，使我們對動物行為有了革命性的了解。 |
| It is known that a cat or a dog reacts to its own **image** in a mirror. | 貓狗對自己鏡中的**映像**有所反應是眾所周知的事。 |
| A cat or a dog treats its own image as if it were that of another individual whose behavior very soon becomes **puzzling** and boring. | 貓狗將自己的映像視為另一個個體，而且很快就會對這個個體的行為舉止感到**困惑**且無聊。 |

| | | |
|---|---|---|
| □ **realize** [ˋriə͵laɪz] | 動 **認識到；實現**<br>◆「實現」之意很容易被忽略。 | **understand**<br>**figure out**<br>**comprehend** |
| □ **awaken** [əˋwekən] | 動 **使意識到；喚醒；醒來** | **awake** |
| □ **species** [ˋspiʃiz] | 名 **物種**<br>◆ 單複數同形。 | **kind**<br>**group**<br>**variety** |
| □ **ecosystem** [ˋiko͵sɪstəm] | 名 **生態系** | **nature** |
| □ **affect** [əˋfɛkt] | 動 **影響**<br>◆ 要注意 affect 和名詞 effect（效果）很容易搞混。<br>◆ 同義的用法還有 have an influence on...（對…有影響力）。 | **influence**<br>**have an effect on**<br>**impact** |
| □ **dinosaur** [ˋdaɪnə͵sɔr] | 名 **恐龍**<br>◆ 小心，dinosaur 不容易拼得正確。 | **ancient reptile** |
| □ **chance** [tʃæns] | 名 **機運，偶然；機會**<br>◆ chance 作「機運，偶然」解釋時為不可數名詞。 | **accident** |
| □ **geology** [ʤɪˋɑləʤɪ] | 名 **地質情況；地質學** | |
| □ **vapor** [ˋvepɚ] | 名 **蒸氣** | **steam**<br>**damp** |
| □ **respective** [rɪˋspɛktɪv] | 形 **分別的**<br>◆ 由名詞 respect（著眼點；細則）衍生而來的單字。 | **each** |

| | |
|---|---|
| If the animal **realized** that the reflection was of itself, it would probably touch the spot on its own body. | 如果動物**領悟到**那是自己的映像，它可能就會觸碰自己身上的那塊斑點。 |
| The rapid destruction of tropical rain forests has **awakened** people to the importance and fragility of biological diversity. | 熱帶雨林急速毀滅，使人類**意識到**生物多樣性的重要與脆弱。 |
| The tropical rain forests are the ecosystems with the highest known **species** diversity on Earth. | 熱帶雨林是地球上所知**物種**多樣性最高的生態系。 |
| It is important to recognize the significance of biological diversity in all **ecosystems**. | 體認到各**生態系統**中生物多樣性的意義是很重要的。 |
| As the human population continues to expand, it will negatively **affect** one after another of the Earth's ecosystems. | 人口數量持續增加將對一個又一個地球生態系造成負面的**影響**。 |
| The extinction of the **dinosaurs** was caused by some physical event, either climatic or cosmic. | **恐龍**的滅絕肇因於某種物質環境的大事件，氣候上或外太空的事件都有可能。 |
| It was largely **chance** that determined which species survived and which died out. | 哪些物種存活，哪些物種滅絕，泰半是靠**運氣**決定。 |
| The **geology** of the Earth's surface is dominated by the particular properties of water. | 水獨有的特性決定了地表的**地質情況**。 |
| Evaporated from the oceans, water **vapor** forms clouds, some of which are transported by wind over the continents. | 從海洋蒸發後，水**蒸氣**形成雲，有些雲在風的吹送下越過一塊塊大陸。 |
| Their **respective** interactions and efficiency depend on different factors. | 它們**各自的**互動與效率取決於不同的因素。 |

| | | |
| --- | --- | --- |
| ▢ **bother**<br>[ˋbaðɚ] | 動 費心，添麻煩 | trouble |
| ▢ **peculiar**<br>[pɪˋkjuljɚ] | 形 獨特的；奇怪的<br>◆ 當「奇怪的」的意思時，同義字為 odd, strange。 | particular<br>special<br>specific |
| ▢ **whereas**<br>[hwɛrˋæz] | 連 卻，但是 | while<br>yet<br>but |
| ▢ **essential**<br>[ɪˋsɛnʃəl] | 形 不可或缺的；本質的<br>◆ 很容易拼錯，Writing 時要特別小心。 | fundamental |
| ▢ **migrate**<br>[ˋmaɪgret] | 動 移居，移動 | move<br>emigrate<br>immigrate |
| ▢ **chaos**<br>[ˋkeɑs] | 名 混亂；(宇宙形成前的)渾沌 | disorder<br>confusion<br>tumult |
| ▢ **utility**<br>[juˋtɪlətɪ] | 名 公用事業（如水、電、交通等）；功用<br>◆ 當「公用事業」的意思時常用複數形。 | public service |
| ▢ **civic**<br>[ˋsɪvɪk] | 形 市民的 | civilian |
| ▢ **occur**<br>[əˋkɝ] | 動 發生<br>◆ 字尾加上 -ed 或 -ing 之前，要先重複一次 r，如 occurred, occurring。 | happen<br>break out<br>take place |

| | |
|---|---|
| Kittiwakes do not **bother** to conceal their nests. | 三趾鷗不會**費心**去隱藏牠的鳥巢。 |
| Nesting on a narrow ledge has its own **peculiar** problems. | 在狹窄的岩石平台上築巢有其**獨特的**問題。 |
| The female kittiwake sits when mating, **whereas** other gulls stand, so that the pair will not overbalance and fall off the ledge. | 別種海鷗站著交配，母三趾鷗**卻是**坐著交配，如此一來三趾鷗才不會失去平衡而自岩石平台上跌落。 |
| This attitude prevailed even as the number of urban dwellers increased and cities became an **essential** feature of the national landscape. | 甚至當都市居民增加，而且城市成為國家風景中一種**不可或缺的**特色之際，這樣的態度仍舊普遍存在。 |
| When these people **migrated** from the countryside, they carried their fears and suspicions with them. | 這些人帶著恐懼與懷疑從鄉村**移居**至此。 |
| These new urbanites eagerly embraced the progressive reforms that promised to bring to the city order out of the **chaos**. | 這群新來的都市人熱切歡迎那些承諾會為**混亂**的城市帶來秩序的漸進式改革措施。 |
| One of many reforms came in the area of public **utilities**. | 眾多改革的其中一項在於**公用事業**。 |
| **Civic** leaders argued that cities should develop master plans to guide their future growth and development. | **市民**領袖主張，城市應該進行整體規畫以引導其未來的成長與發展。 |
| The rapid industrialization and urban growth of the late nineteenth century **occurred** without any consideration for order. | 19 世紀晚期快速的工業化和都市成長**發生**得混亂且毫無章法。 |

| | | |
| --- | --- | --- |
| □ **preserve**<br>[prɪ`zɜv] | 動 **保留；保存（食物）**<br>◆ 同義字很多，要小心。 | **set aside**<br>**save**<br>**keep**<br>**conserve** |
| □ **assume**<br>[ə`sjum] | 動 **承擔（責任等）；假定；假裝**<br>◆ 必須記住「假定」的意思，但也應該知道有「假裝」之意。 | **undertake**<br>**take on**<br>**accept** |
| □ **privilege**<br>[`prɪvəlɪdʒ] | 動 **賦予…的特權** | **franchise**<br>**give the prerogative of** |
| □ **strip**<br>[strɪp] | 動 **剝去**<br>◆ 用法為 strip A of B（從 A 中除去 B）。rob, deprive, clear, cure 也有類似的用法。 | **deprive**<br>**remove** |
| □ **grand**<br>[grænd] | 形 **宏偉壯觀的** | **magnificent**<br>**giant**<br>**towering** |
| □ **incessant**<br>[ɪn`sɛsənt] | 形 **持續不斷的**<br>◆ 在一般的同義字題型中常出現。 | **continuous**<br>**constant** |
| □ **weave**<br>[wiv] | 動 **編織** | **knit**<br>**plait** |
| □ **distinct**<br>[dɪ`stɪŋkt] | 形 **不同的；明顯的**<br>◆ 在一般的同義字題型中常出現。 | **different** |
| □ **sphere**<br>[sfɪr] | 名 **球體** | **ball**<br>**globe**<br>**bulb** |
| □ **coarse**<br>[kors] | 形 **粗顆粒的，粗糙的**<br>◆ 經常會在像例句那樣的句子中出現。 | **rough**<br>**harsh** |

| | |
|---|---|
| Certain parts of town were restricted to residential use, while others were **preserved** for industrial or commercial development. | 鎮上某些部分僅限於住宅使用，其他部分則保留做為工商業發展之用。 |
| In the mid-eighteenth century, painters were willing to **assume** such artisan-related tasks as varnishing and painting wheel carriages. | 18 世紀中葉，畫家樂於接下與工匠相關的差事，如粉刷、彩繪馬車等。 |
| The Hamiltons of Philadelphia introduced European art traditions to those colonists **privileged** enough to visit their galleries. | 費城的漢彌爾頓家族將歐洲藝術傳統介紹給那些被授予特權進入該家族藝廊的殖民地居民。 |
| The railroad simultaneously **stripped** the landscape of its natural resources. | 這條鐵路同時剝奪了自然地景資源。 |
| In the **grand** and impressive terminals and stations, architects recreated historic Roman temples and public baths. | 建築師將史上著名的羅馬神殿和公共浴池重現於一座座宏偉且深刻人心的航空站和車站。 |
| The **incessant** comings and goings occurred in the classification, or switching yards. | 調車場上火車不停地來來去去。 |
| The Pomo people made use of more **weaving** techniques than did their neighbors. | 和鄰近的部落相比，波莫族人使用了更多的編織技巧。 |
| Every Pomo basket weaver knew how to produce from fifteen to twenty **distinct** patterns. | 每個編織籃子的波莫族人都知道如何將籃子編織出 15 到 20 種不同的花樣。 |
| If the Earth began as a superheated **sphere** in space, all the rocks making up its crust may well have been igneous. | 如果地球生成的初始是太空中一顆過熱的球體，那麼所有構成地殼的岩石很有可能都曾是火成岩。 |
| Granite is a **coarse**-grained igneous rock. | 花崗岩是一種粗粒火成岩。 |

MP3 017

| | | |
|---|---|---|
| □ **timber** [ˋtɪmbɚ] | 名（做木材用的）樹木；木材 | wood<br>lumber |
| □ **attract** [əˋtrækt] | 動 引起…的興趣<br>◆ 經常出現在從上下文中找出意思的同義字題型中。 | fascinate<br>draw<br>charm |
| □ **pursue** [pɚˋsu] | 動 繼續從事；追求<br>◆ 名詞是 pursuit（追求；從事；嗜好）。 | quest<br>chase |
| □ **revise** [rɪˋvaɪz] | 動 改變（想法、計畫等）<br>◆ 在動詞 change（改變，更改）的同義字當中，以 revise 最常考。 | change<br>alter<br>rewrite |
| □ **score** [skor] | 名 許多；二十 | number<br>plenty |
| □ **isolate** [ˋaɪsə͵let] | 動 分離，隔離；使孤立<br>◆ 在一般的同義字題型中常出現。 | separate<br>insulate |
| □ **reduce** [rɪˋdjus] | 動 使（化合物）還原；減少<br>◆ 在一般的同義字題型中常出現。 | wind up<br>diminish |
| □ **unpredictable** [͵ʌnprɪˋdɪktəbl̩] | 形 無法預料的 | unforeseeable |
| □ **struggle** [ˋstrʌgl̩] | 名 鬥爭；努力<br>◆ struggle 也常常出現在同義字題型中。 | conflict<br>fight |
| □ **border** [ˋbɔrdɚ] | 動 與…接壤；在…的邊界上 | adjoin<br>form a boundary to |
| □ **context** [ˋkantɛkst] | 名 背景（因素）；上下文 | background<br>condition<br>situation |

| | |
| --- | --- |
| The land surrounding Boston was virtually stripped of all its **timber**. | 實際上波士頓周遭土地上的林木都被剷光了。 |
| The available farmland was occupied; there was little in the region beyond the city to **attract** immigrants. | 可用的農地已被占據，這個地區除了本市以外沒有什麼可**吸引**外來移民的地方了。 |
| A graduate might seek a position that offers specialized training, **pursue** an advanced degree, or travel abroad for a year. | 畢業生可以找一個提供專業訓練的工作，或**繼續**深造，或到國外旅行一年。 |
| Focusing on long-range goals, a graduating student might **revise** their plan. | 著眼於長期目標，畢業在即的學生可能**改變**其計畫。 |
| Hayden methodically screened and cultured **scores** of soil samples. | 海登有條不紊地檢視並培養了**許多**土壤樣本。 |
| Her partner prepared extracts, **isolated** and purified active agents, and shipped them back to New York. | 她的夥伴準備了萃取物、**分離**並淨化了活性劑，並將之運回紐約。 |
| After further research they eventually **reduced** their substance to a fine, yellow powder. | 進一步研究之後，他們終於把物質**還原**成精細的黃色粉末。 |
| Once in a while, **unpredictable** consequences can come from rather modest beginnings. | 有時候，**難以預料的**結果可能來自於不太起眼的開頭。 |
| The Hudson River School seems to have emerged in the 1870s as a direct result of the **struggle** between the old and new generations of artists. | 哈德遜畫派在 1870 年代的崛起似乎直接來自於新舊世代藝術家之間的**鬥爭**。 |
| Thomas Cole built a career out of painting the Catskill Mountain scenery **bordering** the Hudson River. | 托馬斯・科爾以描繪**依傍**在哈德遜河旁的卡茲奇山風光建立了他的事業。 |
| In 15 or 30 seconds, a speaker cannot establish the historical **context** that shaped the issue in question. | 演講者無法在 15 或 30 秒內建構出造成此問題的歷史**背景**。 |

| 單字 | 中文 | 同義字 |
|---|---|---|
| ☐ **reliance** [rɪˋlaɪəns] | 名 依賴<br>◆ 形容詞 reliant（依賴的）也是考試重點。 | dependence |
| ☐ **craft** [kræft] | 動 精巧地製作 | elaborate |
| ☐ **phenomenon** [fəˋnɑmə͵nɑn] | 名 現象 | event |
| ☐ **satellite** [ˋsætə͵laɪt] | 名 人造衛星；衛星 | moon |
| ☐ **picture** [ˋpɪktʃɚ] | 動 想像<br>◆ 當名詞時是「圖片，照片」之意，但是動詞用法也會出現在考題中。 | imagine<br>think<br>envision |
| ☐ **charge** [tʃɑrdʒ] | 動 帶電；充電 | load |
| ☐ **barrier** [ˋbærɪr] | 名 阻礙，障礙<br>◆ 在一般的同義字題型中常出現。 | obstacle<br>hindrance<br>difficulty |
| ☐ **bunch** [bʌntʃ] | 動 形成一串，綑成束 | bind<br>bundle |
| ☐ **nitrogen** [ˋnaɪtrədʒən] | 名 氮 | |
| ☐ **glow** [glo] | 動 發光，發熱 | shine |

| | |
|---|---|
| **Reliance** on television means that, increasingly, our political world contains memorable pictures rather than memorable words. | 對電視的**依賴**意味著我們的政治界包含了愈來愈多紀念性的畫面而非紀念性的文字。 |
| Much of the political activity we see on television newscasts has been **crafted** by politicians, their speechwriters, and their public relations advisers for televised consumption. | 我們在電視新聞報導上所看到的政治活動，大部分都是由政治人物、他們的講稿撰寫員和公關顧問專門為電視播送而**精心策畫**的。 |
| The spectacular aurora light displays that appear in Earth's atmosphere around the north and south magnetic poles were once considered mysterious **phenomena**. | 令人嘆為觀止的極光表演出現於地球大氣層南北極附近，曾經被視為是神祕難解的**現象**。 |
| Now, scientists have data from **satellites** and ground-based observations. | 科學家目前擁有來自**人造衛星**及地面觀測的資料。 |
| To understand the cause of auroras, we may first **picture** the Earth enclosed by its magnetosphere. | 要了解極光的起因，我們或許可以先**想像**一下被磁力層環繞的地球。 |
| **Charged** particles in this solar wind speed earthward along the solar wind's magnetic lines of force. | 這種太陽風的**帶電**粒子沿著太陽風的磁力線衝向地球。 |
| The Earth's magnetosphere is a **barrier** to solar winds. | 地球的磁力層對太陽風而言是一道**阻礙**。 |
| In the Polar Regions, the Earth's and solar winds' magnetic lines of force **bunch** together. | 地球和太陽風的磁力線在極區**匯聚成束**。 |
| Excited **nitrogen** atoms contribute bands of colors that vary from blue to violet. | 激發態**氮**原子會放射出從藍色到紫色一道道不同的顏色。 |
| Viewed from outer space, auroras can be seen as dimly **glowing** belts wrapped around each of the Earth's magnetic poles. | 從外太空來看，極光看起來像是一條條微微**發光的**帶子，纏繞在地球磁極的周圍。 |

| 單字 | 意思 | 同義字 |
|---|---|---|
| □ **physicist**<br>[ˋfɪzɪsɪst] | 名 **物理學者**<br>◆ 注意別和 physician（內科醫生）搞混了。 | |
| □ **urban**<br>[ˋɝbən] | 形 **都市的，都會的** | **city**<br>**metropolitan** |
| □ **stimulate**<br>[ˋstɪmjə͵let] | 動 **促使…發生；激勵**<br>◆ 同義字很多，因此很常出現在考題中。 | **spark**<br>**arouse**<br>**excite** |
| □ **concentration**<br>[͵kɑnsənˋtreʃən] | 名 **密集，集中**<br>◆ 與精神上的「集中」相較起來，物質上的「集中，濃縮」更常出現在考題中。 | **density** |
| □ **vertebrate**<br>[ˋvɝtə͵bret] | 名 **脊椎動物** | **creatures having a backbone** |
| □ **refer**<br>[rɪˋfɝ] | 動 **指的是，涉及** | **mention** |
| □ **serious**<br>[ˋsɪrɪəs] | 形 **認真的；嚴肅的；嚴重的**<br>◆ 生病或受傷很「嚴重」時也會用 serious 這個字。 | **earnest**<br>**somber** |
| □ **registration**<br>[͵rɛdʒɪˋstreʃən] | 名 **報名，註冊** | **entry**<br>**enrollment** |
| □ **miserable**<br>[ˋmɪzərəbl̩] | 形 **悲慘的**<br>◆ 在一般的同義字題型中常出現。 | **pathetic**<br>**wretched**<br>**pitiable** |
| □ **calculus**<br>[ˋkælkjələs] | 名 **微積分** | |
| □ **tutor**<br>[ˋtjutɚ] | 動 **當…的家教，個別指導**<br>◆ 也可當名詞使用，意思是「家庭教師；（大學的）助教」，但以「（大學的）助教」之意較為常考。 | **coach** |

| | |
|---|---|
| Studies of auroras have given **physicists** new information about the behavior of plasmas. | 極光的研究提供了**物理學者**關於電漿特性的新資訊。 |
| The proportion of **urban** populations began to grow remarkably after 1840. | **都市**人口的比例在 1840 年之後顯著成長。 |
| The agricultural revolutions **stimulated** many people in the countryside to seek a new life in the city. | 農業革命**促使**許多居住於鄉村的人到城市裡尋找新生活。 |
| Fewer farmers were able to feed the large **concentrations** of people needed to provide a workforce for an ever growing number of factories. | 少數的農民就可以養活高度密集的人群，這些人為愈來愈多的工廠提供了必要的勞動力。 |
| The nervous system of **vertebrates** is characterized by a hollow, dorsal nerve cord. | **脊椎動物**神經系統的特徵為背部中空的神經索。 |
| The term "autonomic nervous system" **refers** to the parts of the central and peripheral systems. | 「自主神經系統」一詞**指的是**部分中樞及周圍系統。 |
| I'm not that **serious** about playing tennis. | 打網球這事我並沒有很**認真**。 |
| I met someone named Jim Bond at **registration** last night. Are you two related? | 昨晚我**報名**時遇到了一個名叫金・龐德的人，你們是親戚嗎？ |
| I have three classes this afternoon and then I have to work at night, so I feel **miserable**. | 今天下午我有三堂課，晚上要工作，所以覺得很**悲慘**。 |
| I have three chapters of history to read and twenty **calculus** problems to finish for tomorrow. | 我的歷史有三章要讀，還有 20 題的**微積分**問題要寫，明天要交。 |
| Sandra is going to **tutor** Bob again tonight. | 珊朵拉今晚又要當鮑伯的**家教**了。 |

| 單字 | 中文 | 同義字 |
|---|---|---|
| ☐ **due** [dju] | 形 **到期的；約定的** | **to be submitted** |
| ☐ **alarm** [ə`larm] | 名 **鬧鐘**<br>◆ 常和動詞 oversleep（睡過頭，睡得太久）一起出現在會話題型中。 | |
| ☐ **oversleep** [ˌovɚ`slip] | 動 **睡過頭，睡得太久** | **sleep late** |
| ☐ **jam** [dʒæm] | 動 **機器（因卡住而）故障**<br>◆ 會話用語。 | **stop working** |
| ☐ **conference** [`kanfərəns] | 名 **會議，討論會**<br>◆ 在一般的同義字題型中常出現。 | **convention**<br>**meeting**<br>**session** |
| ☐ **fee** [fi] | 名 **費用（如辯護費、診察費等）**<br>◆「學費」的意思也常考。 | **fare**<br>**charge**<br>**rate** |
| ☐ **mistaken** [mɪ`stekən] | 形 **誤解的，判斷錯誤的**<br>◆ 常以 be mistaken 的方式表達。 | **wrong**<br>**false** |
| ☐ **straight** [stret] | 形 **連續不斷的**<br>◆ 在會話題型中很常見。 | **successive**<br>**in a row**<br>**consecutive** |
| ☐ **share** [ʃɛr] | 名 **（費用等的）分攤，均分** | **assignment**<br>**contribution** |
| ☐ **participate** [par`tɪsəˌpet] | 動 **參加**<br>◆ 若要接受詞，就先在 participate 的後面加介系詞 in。 | **take part** |
| ☐ **save** [sev] | 動 **留著（給以後用）**<br>◆ 同義字很多，常出現在考題中。 | **reserve**<br>**put aside**<br>**set aside** |

| | |
|---|---|
| She has two papers **due** this week. | 她這禮拜有兩篇報告得交出去。 |
| My **alarm** didn't go off this morning, so I missed my first class. | 今早我的**鬧鐘**沒響，所以我錯過了第一堂課。 |
| Don't tell me you **overslept** or your alarm didn't go off. That's an old excuse. | 別跟我說你**睡過頭**或你的鬧鐘沒響，那是老掉牙的藉口了。 |
| I tried for half an hour to print my paper on the laser printer downstairs, but it kept **jamming**. | 我花了半小時試圖用樓下的雷射印表機列印我的報告，但是它一直**故障**。 |
| I won't be able to attend the student **conference** this weekend. | 我無法參加這個週末的學生**會議**。 |
| But I already sent them the registration **fee**! | 但是我已經將報名**費**寄給他們了！ |
| The man was **mistaken** about Steve's interests. | 這個人**弄錯**了史帝夫的嗜好。 |
| My composition marks have remained the same and **straight** all semester. | 整個學期我的作文**連續**拿到相同的分數。 |
| I have to figure out the car rental **shares** for our trip to the lake. Should I count you in? | 我得把每位參加湖泊之旅所要**分攤**的租車費用算出來，要把你算進來嗎？ |
| He really wanted to **participate** in the trip. | 他真的很想**參加**旅行。 |
| **Save** me a seat. I can't show up without my assignment. | **留**個位子給我，我可不能沒帶作業就來。 |

| | | |
|---|---|---|
| □ **rent**<br>[rɛnt] | 名 **租金，房租**<br>◆ 常見於和美國 rent control（房租管控）有關的考題中。 | |
| □ **quiz**<br>[kwɪz] | 名 **小考** | **test** |
| □ **desperate**<br>[ˋdɛspərɪt] | 形 **嚴重的；孤注一擲的** | **hopeless**<br>**despairing** |
| □ **fix**<br>[fɪks] | 動 **修理；解決；將…固定於；準備餐點**<br>◆「準備餐點」的用法在會話題中很常見。 | **repair**<br>**mend** |
| □ **endure**<br>[ɪnˋdjʊr] | 動 **忍耐，容忍**<br>◆ 同義字中以 tolerate 最常考。 | **put up with**<br>**stand**<br>**bear**<br>**tolerate**<br>**withstand** |
| □ **disappoint**<br>[ˏdɪsəˋpɔɪnt] | 動 **使感到失望** | **discourage**<br>**depress** |
| □ **exhibition**<br>[ˏɛksəˋbɪʃən] | 名 **展覽（會）** | **show**<br>**exhibit** |
| □ **extension**<br>[ɪkˋstɛnʃən] | 名 **延期，延長**<br>◆ 還有「擴充；增建；電話分機」等多種意思，但在 TOEFL iBT 考試中，以「（論文、報告的繳交）延期」的意思最常出現。 | **postponement**<br>**delay**<br>**deferment** |
| □ **deadline**<br>[ˋdɛdˏlaɪn] | 名 **截止期限** | **time limit**<br>**due date** |
| □ **public**<br>[ˋpʌblɪk] | 名 **民眾，公眾** | **people**<br>**mass** |

| | |
|---|---|
| The location couldn't be better and the **rent**'s not that bad. | 地點無可挑剔，**租金**也還算不錯。 |
| I heard a rumor that we're going to have a **quiz** in class tomorrow. | 聽說我們明天有課堂**小考**。 |
| Our washing machines have been broken for a week. It's getting kind of **desperate**. | 我們的洗衣機已經壞了一個禮拜，狀況變得有點**糟**。 |
| Why don't you take your laundry over to the Gym until they **fix** the problem? | 在問題**解決**之前，你何不把要洗的衣物拿到體育館？ |
| I've come to realize that there are just certain things that biology majors have to **endure**. | 我已經了解到，主修生物的人就是必須**忍受**某些事情。 |
| Are you **disappointed** that Ron won the election? I mean, you would've been a great president for the debate team. | 你對隆贏了選舉**感到失望**嗎？我的意思是，對辯論隊而言你也會是個很棒的隊長。 |
| I heard the modern art **exhibition** at the university museum is great. | 我聽說大學博物館的現代藝術**展**很棒。 |
| Professor, I'm really sorry but my paper is just not going to be finished by this afternoon. Is there any way that you could give me an **extension**? | 教授，真的很抱歉，我的論文今天下午之前無法完成，能否讓我**延後**繳交呢？ |
| I can't believe I missed the **deadline** for the discounted basketball tickets! | 我真不敢相信我錯過了購買特價籃球票的**截止期限**！ |
| Oh, don't worry. That was for the general **public**. | 噢，別擔心，那是給一般**民眾**的。 |

| | | |
|---|---|---|
| □ **pane**<br>[pen] | 名 **窗玻璃；鑲板** | **a sheet of glass in a window** |
| □ **vibrate**<br>[`vaɪbret] | 動 **（使）振動** | **shake**<br>**tremble** |
| □ **stick**<br>[stɪk] | 動 **卡在…無法移動**<br>◆ 常以 be/get stuck（被困住的）來表達。 | **stall**<br>**strand** |
| □ **absorb**<br>[əb`sɔrb] | 動 **吸收**<br>◆ 務必連同右欄中的同義字一起熟記。 | **assimilate**<br>**suck** |
| □ **quit**<br>[kwɪt] | 動 **離開，辭職**<br>◆ 在會話題型中使用。 | **give up**<br>**resign**<br>**step aside** |
| □ **guess**<br>[gɛs] | 動 **認為，想；推測** | **infer**<br>**speculate**<br>**assume** |
| □ **copy**<br>[`kapɪ] | 名 **（報紙、書等）一份，一本**<br>◆ 還有「複本；準備排印的稿件」的意思。 | **volume** |
| □ **status**<br>[`stetəs] | 名 **情形，狀態**<br>◆ 還有「地位，身分」的意思。 | **condition**<br>**position** |
| □ **drop**<br>[drap] | 動 **（課程）退選**<br>◆ 常出現在關於學校考試的考題中。 | **quit**<br>**get out of**<br>**leave** |
| □ **senior**<br>[`sinjɚ] | 名 **（大學、高中的）最高年級生；前輩；年長者**<br>◆ 單字延伸記憶：junior（三年級生）、sophomore（二年級生）、freshman（一年級生）。 | **a fourth-year student** |

| | |
|---|---|
| I'll bet they have double **panes** of glass. That shuts out a lot of the noise that a single **pane** wouldn't stop. | 我敢說他們有雙層**玻璃**，這樣可以隔絕許多單層**玻璃**無法隔絕的噪音。 |
| That way they **vibrate** independently. | 這樣一來它們各自獨立**振動**。 |
| We have been **stuck** for hours in a traffic jam. | 我們已經**塞**在路上好幾個小時了。 |
| That would act like a kind of second wall and **absorb** some of the sound. | 那會有類似第二道牆的作用，**吸收**掉部分的聲音。 |
| Yeah, I **quit** because I had to work too many nights. | 對啊，因為得頻繁加班，我就**辭職**了。 |
| Excuse me, do you mind if I ask you a few questions? No, I **guess** not. | 不好意思，介意我問您幾個問題嗎？不會，我**想**無妨。 |
| Excuse me! I need a **copy** of Stephen Hawking's *A Brief History of Time*, but I don't know where to look for it. | 不好意思，我要一**本**史蒂芬・霍金的《時間簡史》，但我不知道要去哪裡找這本書。 |
| Did you check its **status** on the library's computer? | 你已經用圖書館的電腦查詢其**狀態**了嗎？ |
| Good morning. Is this where we should come to add and **drop** courses? | 早安，這裡是我們辦理加**退選**的地方嗎？ |
| But I'm a **senior**. If I drop a class without adding one, I won't have enough credits to graduate. | 但我是**大四學生**。如果我退選了一門課卻沒有加選另一門課，我的學分數會不夠，無法畢業。 |

| | | |
|---|---|---|
| ☐ **approval**<br>[ə`pruvḷ] | 名 **許可，同意** | **permission**<br>**sanction**<br>**confirmation** |
| ☐ **miss**<br>[mɪs] | 動 **沒看到，沒聽見**<br>◆ miss 還有「思念，懷念」的意思。 | |
| ☐ **terrible**<br>[`tɛrəbḷ] | 形 **嚴重的；糟透的；駭人的** | **extremely bad**<br>**awful** |
| ☐ **submit**<br>[səb`mɪt] | 動 **提出；使…服從**<br>◆ 很多時候會以更常用的 turn in（繳交）出現。 | **turn in**<br>**hand in**<br>**give in** |
| ☐ **semester**<br>[sə`mɛstɚ] | 名 **（上下學期制的）一學期**<br>◆ 單字延伸記憶：trimester（三學期制的一學期）、quarter（四學期制的一學期）。 | **term** |
| ☐ **psychology**<br>[saɪ`kɑlədʒɪ] | 名 **心理學** | |
| ☐ **dean**<br>[din] | 名 **系主任**<br>◆ 常出現在關於學校考試的考題中。 | |
| ☐ **assemble**<br>[ə`sɛmbḷ] | 動 **組裝，裝配**<br>◆ assemble 雖有「集合，聚集」之意，但在對話題型中大多用「組裝，裝配」的意思。 | **construct**<br>**build**<br>**compose** |
| ☐ **hazard**<br>[`hæzɚd] | 名 **危險**<br>◆ 在一般的同義字題型中常出現。 | **danger**<br>**peril**<br>**jeopardy** |
| ☐ **describe**<br>[dɪ`skraɪb] | 動 **描述，形容**<br>◆ 常考單字。也會和動詞 explain（解釋，說明）一起出現在考題中。 | **explain**<br>**depict**<br>**demonstrate** |
| ☐ **diagram**<br>[`daɪə͵græm] | 名 **圖表，圖解**<br>◆ 在 Listening 的學術題型中常常出現。 | **chart**<br>**figure** |

| | |
|---|---|
| So, what you must do then is get the professor's **approval**. | 那麼你要做的就是得到教授的**許可**。 |
| Hi there, we **missed** you in psychology class yesterday. | 嗨，你好，我們昨天在心理學的課堂上**沒看到**你。 |
| I had a **terrible** cold so I stayed home. Did you take notes? | 我得了**重**感冒所以待在家裡。你有記筆記嗎？ |
| I had to **submit** a writing sample. I used one of the essays I'd written for a literature class. | 我得**交**一份寫作範本，所以我用了上文學課時所寫的散文作品中的一篇。 |
| Hey, Ron, I haven't seen you since the beginning of the **semester**. How's it going? | 嘿，隆，我自從**學期**初開始就沒見到你了，過得如何？ |
| I'm taking a **psychology** course with Professor Pinter. | 我正在修品特教授的**心理學**。 |
| If I were you, I'd go over to the **dean**'s office and sign up. | 如果我是你的話，我會去**系主任**辦公室簽名加選。 |
| His factories provided enough light, air, and open spaces, so the cars could be **assembled** in one huge plant. | 他的工廠光線充足、通風，又是開放空間，所以汽車可以在巨大的廠房裡**組裝**完成。 |
| Eating undercooked meat can be a **hazard** to your health. | 食用未煮熟的肉對你的健康可能是一種**危害**。 |
| She started by **describing** how humans move. | 她一開始先**描述**人類移居的方式。 |
| I copied the **diagram** the professor drew on the board. | 我抄下了教授在黑板上畫的**圖表**。 |

| | | |
|---|---|---|
| □ **bet**<br>[bɛt] | 動 打賭<br>◆ 請一併記住 I bet you that...（一定是…）和 You bet!（的確！）。 | gamble<br>stake<br>venture |
| □ **comet**<br>[ˋkamɪt] | 名 彗星 | |
| □ **settle**<br>[ˋsɛtl̩] | 動 定居，安定下來；解決<br>◆ 會話題型中常考「解決」之意。 | fix<br>live<br>occupy |
| □ **starve**<br>[starv] | 動（使）挨餓，（使）飢餓<br>◆ I'm starving to death. 是「我快餓死了。」之意。 | famish |
| □ **archeologist**<br>[ˌarkɪˋalədʒɪst] | 名 考古學家 | |
| □ **crop**<br>[krap] | 名 農作物 | farm product |
| □ **infant**<br>[ˋɪnfənt] | 名 嬰兒，幼兒<br>◆ 正式用語。 | baby<br>child |
| □ **instinct**<br>[ˋɪnstɪŋkt] | 名 本能，直覺 | intuition |
| □ **expose**<br>[ɪkˋspoz] | 動 使暴露於某狀態，使接觸到 | disclose |
| □ **sharpen**<br>[ˋʃarpn̩] | 動 增強，使敏捷 | improve<br>refine |
| □ **peak**<br>[pik] | 名 高峰，頂尖 | summit<br>top |

| | |
|---|---|
| I'm a fair-weather fan. It's ridiculous to **bet** on that team. | 我可是個見風轉舵的球迷，會**下注**在那支球隊上實在太荒謬了。 |
| I heard that dinosaurs were hit by a **comet** or something. | 我聽說恐龍曾受到**彗星**之類的東西撞擊。 |
| Prehistoric peoples had to **settle** in villages and start farming when they could no longer survive just by hunting and gathering. | 當史前人類再也無法單憑狩獵與採集維生，他們必須**定居**在村落並開始務農。 |
| When these prehistoric peoples had to move to less-productive areas, they settled there and started planting seeds to keep from **starving**. | 當這些史前人類必須移居到較不豐饒的地區生活，他們在那兒定居下來，並開始播種以免於**挨餓**。 |
| That was the thinking until a few years ago, when **archeologists** found evidence that goes against that theory. | 一直到幾年前**考古學家**找到與那理論相抵觸的證據之前，那是普遍的看法。 |
| Successful hunter-gatherers had already been living in villages long before they started cultivating **crops**. | 成功的狩獵採集者早在他們開始種植**農作物**之前就已經居住於村落之中。 |
| You should go over the material on how **infants** normally shift to become more interested in people than objects. | 你應該複習一下那個資料，關於**嬰兒**對人的好奇一般如何轉而高過對物件的好奇。 |
| Animals actually have **instincts** that lead them to play, explore, and learn about the environment. | 事實上動物具有驅使牠們嬉戲、探索並了解外在環境的**本能**。 |
| It is play that lets animals and humans become **exposed** to different experiences. | 正是遊戲使得動物和人類**暴露**於不同的經驗之中。 |
| Different experiences actually **sharpen** all kinds of skills. | 不同的經驗確實**增強**了各種技能。 |
| These songs are from the late 1920s when she was at the **peak** of her career. | 這些歌曲來自於 1920 年代晚期，當時她正值事業**高峰**。 |

| | | |
|---|---|---|
| □ **pollution** [pə`luʃən] | 名 **汙染**<br>◆ 不只在 Writing 測驗，在 Reading、Listening 和 Speaking 的測驗中也都很常出現。 | **contamination** |
| □ **trash** [træʃ] | 名 **垃圾**<br>◆ 同義字很多，常出現在考題中。 | **garbage**<br>**rubbish**<br>**litter**<br>**refuse** |
| □ **fly** [flaɪ] | 名 **蒼蠅** | |
| □ **cattle** [`kætl̩] | 名 **〔總稱〕牛群，牲口**<br>◆ 不是指一頭牛，而是指一群牛，通常作複數使用。 | **cow**<br>**ox**<br>**bull** |
| □ **mission** [`mɪʃən] | 名 **任務；傳道** | **duty**<br>**task** |
| □ **suspend** [sə`spɛnd] | 動 **暫停；將…停學、停賽等**<br>◆ 學生的「休學」、保險公司或金融機構的「停業」，都用 suspend 這個字。 | **stop**<br>**discontinue**<br>**interrupt** |
| □ **marvelous** [`marvələs] | 形 **不可思議的，了不起的** | **wonderful**<br>**prodigious** |
| □ **masterpiece** [`mæstɚ͵pis] | 名 **傑作，名著** | **classic** |
| □ **billion** [`bɪljən] | 名 **十億**<br>◆ billions of... 是用來表示「幾十億的…」的意思，billion 的字尾要加上 s。 | |
| □ **prove** [pruv] | 動 **證實，證明（是）**<br>◆ 同義詞為 turn out。注意，當 turn out 作及物動詞使用時，意思是「生產」(produce)。 | **turn out** |

| | |
|---|---|
| One of the main causes of environmental **pollution** is the crisis of the commons. | 造成環境**汙染**的主因之一是公有財的危機。 |
| People who throw paper **trash** away in a park can walk away as if nothing happened because the park is not theirs. | 那些把紙**屑**丟在公園裡的人有辦法若無其事地走掉，因為公園不是他們的。 |
| The **flies** swarmed around the spider's web. | 一大群的**蒼蠅**聚集在蜘蛛網邊。 |
| He put up a corral of new barbed wire and challenged **cattle** owners to put their wildest animals in it. | 他用新的帶刺鐵絲網架起一個畜欄，然後要求**牛群**主人把他們最狂野的動物放進來試試。 |
| It's my pleasure to come to you today to talk about the Galileo **mission** to the planet Jupiter. | 很榮幸今天到貴地來談談伽利略號到木星的**任務**。 |
| We decided to **suspend** all of the data transmissions. | 我們決定**暫停**所有的資料傳送。 |
| He has such a **marvelous** memory for dates that he remembers the birthdays of all his relatives. | 他對日期的記憶力好得**不可思議**，記得所有親戚的生日。 |
| Stilwell's invention is a **masterpiece** of practical engineering. | 史地威的發明是一件實用工程學的**傑作**。 |
| Grocery stores buy over a **billion** of those articles every year. | 雜貨店買進那些品項的數量每年超過**十億**個。 |
| Stilwell's little invention has certainly **proved** useful. | 史地威的小發明已被**證實**確實有用。 |

| | | |
|---|---|---|
| ▢ **pour** [por] | 動 **（液體、氣體等）湧出；傾注；（雨）傾盆而下**<br>◆ It poured.（下起傾盆大雨了。）也曾出現在考題中。 | **discharge**<br>**run**<br>**spill** |
| ▢ **amphibian** [æm`fɪbɪən] | 名 **兩棲動物** | |
| ▢ **moth** [mɔθ] | 名 **蛾** | |
| ▢ **cocoon** [kə`kun] | 名 **繭** | |
| ▢ **roach** [rotʃ] | 名 **蟑螂**<br>◆ 即使討厭蟑螂，也要把這個字記起來。 | |
| ▢ **tadpole** [`tæd,pol] | 名 **蝌蚪** | |
| ▢ **physical** [`fɪzɪkḷ] | 形 **物理的；自然的**<br>◆ 別忘了還有「身體的，肉體的」的意思。 | **substantial**<br>**material** |
| ▢ **equator** [ɪ`kwetɚ] | 名 **赤道**<br>◆ 與氣候有關的考題中，tropical（熱帶的）也會同時出現。 | |
| ▢ **indicate** [`ɪndə,ket] | 動 **指出，顯示** | **point**<br>**show** |

| | |
|---|---|
| Smoke that begins to **pour** from a volcano probably means that it will erupt some time soon. | 火山開始冒煙或許意味著火山將在短時間內爆發。 |
| **Amphibians** evolved around 350 million years ago, which means that they came long before the dinosaurs. | **兩棲動物**約在三億五千萬年前演化出來，這意味著牠們出現的時間遠早於恐龍。 |
| Butterflies and **moths** provide the best examples of what biologists call "complete metamorphosis." | 蝴蝶和**蛾**為生物學家所說的「完全變態」提供了絕佳的例證。 |
| When the pupa finally matures into an adult butterfly, it pushes its way out of its **cocoon** and crawls onto a twig or tree limb and pumps blood into its shrunken wings until they are full size and strong. | 當蛹終於發育為蝴蝶成蟲時就會破**繭**而出，爬上嫩枝或樹幹，並將血液擠入蜷縮的翅膀，直到可以完全張開且變得硬挺為止。 |
| Some insects, like grasshoppers and **roaches**, have only 3 stages—egg, larva, and adult. | 有些昆蟲，如蚱蜢和**蟑螂**，只有三個階段──卵期、幼蟲期和成蟲期。 |
| A **tadpole** looks more like a little fish because it has a tail and no legs. | **蝌蚪**因為有尾巴而沒有腳，看起來反倒是像條小魚。 |
| There are a lot of **physical** forces that can affect the speed of the Earth's rotation. | 能夠影響地球自轉速度的**物理**力量有很多種。 |
| Water that used to be in areas near the **equator** is now in reservoirs in areas of different latitudes. | 原在**赤道**附近地區的水現在卻出現在不同緯度的水庫中。 |
| Recent research **indicates** that commonly used models of intelligence are too narrow. | 近期的研究**指出**，普遍使用的智力模型都太過狹隘了。 |

| 單字 | 解釋 | 同義字 |
|---|---|---|
| ▢ **intelligence** [ɪn`tɛlədʒəns] | 名 學習、理理解和推理的能力<br>◆ 記得也有「資訊，情報」的意思，如美國的 CIA (Central Intelligence Agency)（中央情報局）中 I 所代表的意思。 | brain<br>intellect |
| ▢ **accomplish** [ə`kɑmplɪʃ] | 動 達成<br>◆ 同義字很多，常出現在考題中。 | attain<br>achieve<br>carry out |
| ▢ **adapt** [ə`dæpt] | 動 適應（新環境等）；使適合<br>◆ 若不會和 adopt（採用；收養）搞混就沒問題了。 | conform<br>adjust<br>accommodate |
| ▢ **ear-plug** [`ɪr͵plʌg] | 名 耳塞<br>◆ plug 當動詞時是「塞滿，塞入」的意思。 | |
| ▢ **solution** [sə`luʃən] | 名 解決方法；解答<br>◆ 記得還有「溶液；溶解」的意思。 | remedy<br>answer<br>formula |
| ▢ **interpersonal** [͵ɪntɚ`pɝsənl] | 形 人與人之間的 | person to person |
| ▢ **nature** [`netʃɚ] | 名 性質；自然<br>◆ 若作「自然」解釋，不用加冠詞。 | characteristic<br>property<br>tendency |
| ▢ **observe** [əb`zɝv] | 動 觀察，觀測 | watch |
| ▢ **post** [post] | 動 張貼，公告<br>◆ 常出現在關於學校考試的考題中。 | advertise<br>notify |

| | |
|---|---|
| His theory includes some aspects of **intelligence** that haven't been considered in traditional **intelligence** testing. | 他的理論將傳統智力測驗中某些不曾考量過的**智力**面向都納入其中。 |
| Intelligent people tend to use their environment to **accomplish** their goals. | 聰明的人傾向利用外在環境來**達成**自己的目標。 |
| Using the environment is done in three ways: by **adapting** to the environment, by changing the environment, or by selecting certain aspects of the environment. | 利用外在環境可透過三種方式：**適應**環境、改變環境，或從環境中做篩選。 |
| You could try wearing **ear-plugs** while you study; that would be an adaptation. | 讀書時你可以試著塞**耳塞**，那就是一種適應性調整。 |
| Whichever **solution** you choose, you are showing intelligent behavior because you're aware of the effect the environment has on your ability to study. | 不論你選擇的是哪一種**解決方法**，你都展現了智能，因為你意識到環境對你學習能力的影響。 |
| That brings us to a different part of Sternberg's model, **interpersonal** intelligence. | 那將我們帶到史坦柏格模式的特別之處：**人際**智能。 |
| The work of two early researchers was very important in determining the **nature** of the surface of the moon. | 兩位早期研究者的努力對月球表面**性質**的測定影響深遠。 |
| There were no spacecraft back then, so telescopes were the best way to **observe** the moon. | 在那當時還沒有太空船，所以**觀察**月亮的最佳方式是使用望遠鏡。 |
| I **posted** enlargements of some of his drawings on the board. | 我在布告欄上**張貼**了幾張他的素描放大圖。 |

| | | |
|---|---|---|
| ☐ **spare**<br>[spɛr] | 形 **空閒的；備用的**<br>◆ 若當動詞使用，意思是「略去；騰出；節約」。 | **reserve**<br>**extra**<br>**surplus** |
| ☐ **statistics**<br>[stə`tɪstɪks] | 名 **統計學**<br>◆ 若像 Statistics suggest... 這樣用複數形時，意思是「統計資料」。 | |
| ☐ **tuition**<br>[tju`ɪʃən] | 名 **學費**<br>◆ 在學校的英文簡介上可以看到 Tuition & Fees（學雜費）。 | **fee** |
| ☐ **reserve**<br>[rɪ`zɜv] | 名 **保留；預定**<br>◆ 在與圖書館主題相關的會話題型中，常常會出現 on reserve（指定的）這個片語。 | **stock**<br>**restriction** |
| ☐ **award**<br>[ə`wɔrd] | 名 **獎，獎品，獎金** | **prize** |
| ☐ **congratulations**<br>[kən͵grætʃə`leʃənz] | 嘆 **恭喜**<br>◆ 字尾記得要加上 s。 | |
| ☐ **ground**<br>[graʊnd] | 名 **（興趣、討論等的）領域；立場；話題** | **area**<br>**field** |
| ☐ **grade**<br>[gred] | 名 **成績**<br>◆ Grade Point Average（成績點數與學分的加權平均值）簡稱為 GPA。 | **record**<br>**score** |
| ☐ **transfer**<br>[træns`fɜ] | 動 **轉學** | **change (one's school)** |
| ☐ **dorm**<br>[dɔrm] | 名 **學生宿舍**<br>◆ dormitory 常會拼錯，請小心。 | **dormitory**<br>**house** |

| | |
|---|---|
| He worked alone in his **spare** time, and eventually wrote an influential book called *The Face of the Moon*. | 閒暇時他獨自工作，終於完成了一本影響深遠的書，名為《月球表面》。 |
| It turns out I need to take a **statistics** course as a requirement for this master's program. | 結果是我必須修統計學，作為這個碩士課程的必修課程之一。 |
| It will cost me another 1,200 dollars of **tuition**. | 我將另外支付 1200 美元的學費。 |
| Is this where I get the books Professor Brown put on **reserve**? | 這裡就是我來拿布朗教授指定用書的地方嗎？ |
| After I read it, I couldn't understand why the writer won so many **awards**. | 讀完它之後，我無法理解為什麼作者得了那麼多獎。 |
| Say, Bob, **congratulations**! I was really excited to hear about your new part-time job. | 哇，鮑伯，恭喜！我聽到你找到新的兼職工作時真的很興奮。 |
| My interview for the management position really covered a lot of **ground**. | 我那場應徵管理職位的面試所涉及的領域相當廣泛。 |
| My **Grade** Point Average is now a little over 3.0. | 目前我的加權平均成績略高於 3.0。 |
| He **transferred** to Cedar College last semester. | 他上學期轉學到喜達學院。 |
| Do you have to tell them the name and phone number of the manager at the **dorm** you live at now? | 你必須告訴他們目前你宿舍的舍監名字和電話號碼嗎？ |

| 單字 | 詞性與解釋 | 同義字 |
|---|---|---|
| ▢ **optional** [ˋɑpʃənl̩] | 形 **可選擇的，隨意的**<br>◆ 如果老師在說明「考試範圍」時用 optional，就表示「該部分不列入考試範圍」。 | **voluntary**<br>**arbitrary** |
| ▢ **notice** [ˋnotɪs] | 動 **注意到**<br>◆ 動詞和名詞同形。當名詞使用時，意思是「注意；通知；布告」。 | **observe**<br>**know**<br>**see**<br>**note** |
| ▢ **pain** [pen] | 名 **令人厭煩的人或事物**<br>◆ 有類似意義的單字還有 headache（令人頭痛的事）。 | **nuisance**<br>**annoyance** |
| ▢ **botany** [ˋbatənɪ] | 名 **植物學** | |
| ▢ **emergency** [ɪˋmɝdʒənsɪ] | 名 **緊急狀況或事件** | **urgency** |
| ▢ **graduate** [ˋgrædʒʊˏet] | 動 **畢業**<br>◆ 別忘了加上 from。 | **finish**<br>**leave** |
| ▢ **nominate** [ˋnaməˏnet] | 動 **提名** | **appoint**<br>**name**<br>**designate** |
| ▢ **assignment** [əˋsaɪnmənt] | 名 **作業**<br>◆ 注意拼字！ | **homework** |
| ▢ **skip** [skɪp] | 動 **沒出席（會議、約會或課堂）**<br>◆ 在會話題型中常出現。 | **cut**<br>**jump** |
| ▢ **switch** [swɪtʃ] | 動 **調換，轉換** | **exchange**<br>**trade**<br>**barter** |

| | |
|---|---|
| I asked in the housing office and they told me it's **optional**. | 我去住宿組問過，他們跟我說不強制。 |
| At least the professor didn't seem to **notice**. | 至少教授似乎沒有注意到。 |
| That new copying machine in the student lounge is a real **pain**. | 學生交誼廳裡的那台新影印機真的很討人厭。 |
| My **botany** lab is meeting in the greenhouse. | 我植物學的實驗室正在溫室裡開會。 |
| Have you considered asking the dean's office for an **emergency** loan? | 你考慮過向系主任辦公室要求急難貸款嗎？ |
| She **graduated** from high school last year. | 她去年從高中畢業。 |
| We're organizing a special program for United Nations Day. Someone **nominated** you to be one of the speakers. | 我們正在籌備聯合國日的特別節目，有人提名您擔任其中一位演講者。 |
| Thank you, Professor Carr. I'd otherwise never get this **assignment** done on time. | 卡爾教授，謝謝您，否則我不可能如期完成這份作業的。 |
| Actually, I'm not feeling well. Do you think it'll be ok if I **skip** class this afternoon? | 說真的，我覺得不太舒服。你覺得我今天下午可以蹺課嗎？ |
| My lab instructor said we could **switch** our lab session to whenever is most convenient. | 我實驗室的老師說我們可以將實習課調到任何一個最適合的時間。 |

| | | |
|---|---|---|
| □ **right** [raɪt] | 副（時間，位置等）正好；立即<br>◆ 用於強調語氣時。 | exactly |
| □ **recommendation** [ˌrɛkəmɛnˋdeʃən] | 名 推薦（信）<br>◆ letter of reference 也是「推薦信」的意思。 | nomination |
| □ **application** [ˌæpləˋkeʃən] | 名 申請（書） | written request |
| □ **donation** [doˋneʃən] | 名 捐款，捐贈<br>◆ 請連同 chip in（出錢，捐贈）一起記下來。 | contribution<br>endowment |
| □ **sound** [saʊnd] | 動 聽起來 | seem |
| □ **lottery** [ˋlɑtərɪ] | 名 樂透 | |
| □ **procedure** [prəˋsidʒɚ] | 名（法律等的）程序；手續 | process<br>order |
| □ **silly** [ˋsɪlɪ] | 形 傻的，愚蠢的<br>◆ 和 stupid（愚蠢的）的意思相當接近，但是 stupid 的語氣稍微強烈一些。 | foolish<br>stupid |
| □ **mess** [mɛs] | 動 將…弄亂<br>◆ mess 也可當名詞，意思是「混亂，雜亂」，例如 His room was a total mess!（他的房間亂透了！） | spoil<br>ruin |
| □ **fill** [fɪl] | 動 填滿，裝滿<br>◆ 在 gas station（加油站）加油時可以說 Fill up.（請加滿。） | saturate<br>brim |

| | |
|---|---|
| The registration office is **right** down the hall. | 註冊組**就**位於走廊那頭。 |
| I don't know if I'll make the deadline. One of my professors is away and probably won't send in her letter of **recommendation** for two weeks. | 我不確定我能否趕上截止期限。我的其中一位教授不在，而且可能在兩個禮拜內都不會寄來她的**推薦**信。 |
| Please ensure that your students send in their **application** forms before the deadline. | 請確保您的學生在截止日前送出**申請**表格。 |
| They get a lot of **donations** from affluent alumni. | 他們從富有的校友那裡得到大量的**捐款**。 |
| That **sounds** good. / That **sounds** like a good idea. | **聽起來**不錯。／**似乎**是個好主意。 |
| I think they use State **Lottery** money to give free tuition. | 我認為他們利用州**樂透**所得來提供學費免費的優待。 |
| People in the community went through the **procedure** for prosecuting the arsonist. | 社區居民完成了起訴縱火犯的**程序**。 |
| Don't be **silly**. You'll manage somehow. | 別說**傻**話了，你可以設法辦到的。 |
| Oops! I must have forgotten to add it in. No wonder my figures were **messed** up! | 噢！我一定是忘了把它加進來了，怪不得我的數字**亂**成一團！ |
| I've got a big problem with the poetry course that's required for my major. Is it all **filled** up? | 我主科必修的詩詞課出了個大麻煩，那門課已經全部額**滿**了嗎？ |

| | | |
|---|---|---|
| □ **credit**<br>[ˋkrɛdɪt] | 名 **學分**<br>◆ 是個多義字，除了「學分」之外，「功績；功勞；信用」的意思也都很常考。 | **unit**<br>**point** |
| □ **figure**<br>[ˋfɪgjɚ] | 動 **理解，弄清楚**<br>◆ 表達方式如 How come you're so smart? How did you figure that out?（你怎麼那麼聰明！是怎麼解開的？） | **make out**<br>**calculate**<br>**gather** |
| □ **sticker**<br>[ˋstɪkɚ] | 名 **貼紙** | |
| □ **load**<br>[lod] | 動 **裝載（貨物）**<br>◆ 學校停車場的 loading zone（貨物裝卸區）也很常出現。 | **freight**<br>**pack**<br>**lade** |
| □ **sophomore**<br>[ˋsɑfə͵mor] | 名 **（中學、大學的）二年級學生**<br>◆ 在大學四個年級的說法中，這是最不顯眼、最讓人感到陌生的字。 | **a second-year student** |
| □ **heart**<br>[hɑrt] | 名 **內心；心情；勇氣；熱忱**<br>◆ 英文例句中的 have one's heart set on...（渴望做某事或獲得某物）在會話題型中常會出現。 | **zeal** |
| □ **pastime**<br>[ˋpæs͵taɪm] | 名 **娛樂，消遣**<br>◆ 美國曾經有一段時間的 national pastime（國民娛樂）是 watching TV（看電視）。 | **amusement**<br>**entertainment** |
| □ **reptile**<br>[ˋrɛptaɪl, ˋrɛptḷ] | 名 **爬蟲類** | |
| □ **cling**<br>[klɪŋ] | 動 **附著，緊貼；堅持**<br>◆ 在一般的同義字題型中常出現。 | **stick**<br>**adhere** |

| | |
|---|---|
| Their courses are actually cheaper, and you can transfer the **credits** over here! | 他們的課程實際上比較便宜，而且你可以把**學分**轉到這裡來！ |
| Now, all we have to do is to **figure** out why he declined the offer. | 現在我們得做的就是**弄清楚**為何他會拒絕該提議。 |
| What color **sticker** do you have? | 你有什麼顏色的**貼紙**？ |
| Your car is right in front of a **loading** dock. That's where they unload the kitchen supplies. | 你的車子就在**裝載**碼頭的正前方，那裡是他們廚具的裝卸區。 |
| Let's see, I'm a **sophomore**, I live off campus, and I'm majoring in business. | 瞧瞧，我是個**大二學生**，住在校外且主修商學。 |
| I know how lucky I am to have this job, but to tell you the truth, I had my **heart** set on going out west this summer. | 我知道我是多麼幸運才能擁有這份工作，但是老實告訴你，我原本**一心**期盼今年夏天去西部的！ |
| In the first half of the nineteenth century, many Americans were prosperous, and shopping and accumulating things were major **pastimes**. | 19 世紀上半葉許多美國人過著富裕的生活，購物與收藏物品便是其主要的**消遣**。 |
| Birds are sometimes referred to as glorified **reptiles**. | 鳥類有時被視為是美化過的**爬蟲類**。 |
| The water vapor in the atmosphere is able to change to liquid by **clinging** to dust particles suspended in the air. | 大氣中的水蒸氣能夠藉由**附著**在懸浮於空氣中的塵粒上而變成液體。 |

| | | |
|---|---|---|
| □ **opposite** [`ɑpəzɪt] | 形 相反的；對面的 | contrary<br>reverse<br>inverse |
| □ **routine** [ru`tin] | 形 例行的；一般的 | usual<br>regular |
| □ **moderate** [`mɑdərɪt] | 形（質、量、強度）中等的；適度的<br>◆ 同義字很多，但最常出現的就是右欄這幾個字。 | mild<br>gentle<br>temperate |
| □ **vegetation** [ˏvɛdʒə`teʃən] | 名 植被，植物，草木<br>◆ 注意拼法！vegetation 是正式用語，別和 vegetable（蔬菜）搞混了。 | plant |
| □ **inhabitant** [ɪn`hæbətənt] | 名 居民；棲居的動物<br>◆ 動詞是 inhabit（居住於，棲息）。 | resident<br>citizen |
| □ **dense** [dɛns] | 形 濃密的，密集的 | thick<br>crowded |
| □ **estimate** [`ɛstəˏmet] | 動 估計，評估；估價<br>◆ 同義字很多，但最常出現的就是右欄這幾個字。 | suppose<br>calculate<br>evaluate |
| □ **rule** [rul] | 名 慣常的作法，習慣<br>◆ 表示「慣常的作法，習慣」之意時，要加上定冠詞 the。 | custom |
| □ **transportation** [ˏtrænspɚ`teʃən] | 名 交通運輸（工具）；運輸<br>◆ 注意 transportation 是不可數名詞。 | transit<br>traffic |

| | |
|---|---|
| I often hear my friends say that the days pass much more quickly than they used to, but geologically speaking just the **opposite** is true. | 我常聽朋友說日子過得比以前快得多，但就地質學的角度而言，事實卻是完全**相反**。 |
| The **routine** cleaning of oil paintings, intended to help preserve them, actually hastens their deterioration. | **例行**清理油畫原本是為了幫助畫作的保存，實際上卻加速了畫作的衰敗。 |
| The climate there is one of even, **moderate** temperatures and relatively heavy rainfall. | 那裡的氣候是氣溫平穩**溫和**，降雨稍強。 |
| This combination of mild temperatures and abundant rainfall produces dense forest **vegetation** of conifers. | 溫和的氣溫結合充分的降雨造就了濃密的針葉林**植被**。 |
| To its Native American **inhabitants** of the 1400s, the long, slender coastal region presented both a favorable and forbidding environment. | 對 1400 年代的美洲**原住民**而言，狹長的沿海地區同時代表著一個令人又愛又怕的環境。 |
| The vegetation of much of the area was so **dense** that land travel was extremely difficult. | 這個地區大部分的植被過於**濃密**，使得在陸上行進極度困難。 |
| It is **estimated** that the Northwest Coast of the 1400s had a population of about 130,000. | 據**估計**，1400 年代的西北海岸約有 13 萬的人口。 |
| Space-saving, multiple-family housing units are often the **rule** in Canada. | 興建省空間的多戶房屋在加拿大是**常見的作法**。 |
| A Canadian city is better served by and more dependent on mass **transportation** than is a city in the United States. | 加拿大城市比美國城市提供了更完善的大眾**運輸工具**，對它的依賴也更深。 |

| | | |
|---|---|---|
| ☐ **era**<br>[ˋɪrə] | 名 **時代，年代** | **period** |
| ☐ **predator**<br>[ˋprɛdətɚ] | 名 **食肉動物，掠食者**<br>◆ predator 在日常生活中並不常用，但在 TOEFL iBT 的考試中時常出現。 | **carnivore** |
| ☐ **pretend**<br>[prɪˋtɛnd] | 動 **假裝**<br>◆ 常和動詞 pose（假裝，裝腔作勢）同時出現在考題中。 | **assume**<br>**pose**<br>**feign**<br>**counterfeit** |
| ☐ **subtle**<br>[ˋsʌtl̩] | 形 **敏銳的；精細的**<br>◆ 注意 b 不發音！ | **faint**<br>**delicate** |
| ☐ **predominantly**<br>[prɪˋdamənəntlɪ] | 副 **主要地** | **mostly**<br>**mainly** |
| ☐ **engage**<br>[ɪnˋgedʒ] | 動 **從事** | **occupy**<br>**follow**<br>**pursue** |
| ☐ **boast**<br>[bost] | 動 **自吹自擂** | **brag**<br>**pride** |
| ☐ **shift**<br>[ʃɪft] | 名 **轉變；移動**<br>◆ 有「變化，改變」之意的單字很常考，所以 shift 也常出現在考題中。 | **change**<br>**transformation** |
| ☐ **urgent**<br>[ˋɜdʒənt] | 形 **緊急的，迫切的**<br>◆ 通常不太會用 emergent（緊急的）這個字。 | **pressing**<br>**imperative** |

| | |
|---|---|
| Novelist F. Scott Fitzgerald called the **era** "The Jazz Age"—which reflected the inroads of African American musical influence on the nation at large. | 小說家史考特・費茲傑羅稱這個年代為「爵士年代」——反映了黑人音樂的影響力席捲全國。 |
| Many **predators** kill only when their prey is moving. | 許多**獵食動物**只在獵物移動時才進行捕殺。 |
| An animal that **pretends** to be dead may succeed in causing a predator to lose interest and move along in search of more lively prey. | 裝死的動物可能會成功地使獵食動物對牠失去興趣，轉而尋找更鮮活的獵物。 |
| Newborn snakes are capable of making very **subtle** assessments of the degree of threat posed by a particular predator. | 初生的蛇可以非常敏銳地評估特定掠食者所造成的危險程度。 |
| In 1860 the United States was **predominantly** rural. | 1860 年的美國絕大部分是農村。 |
| In those days, most people were **engaged** in agriculture. | 當時大部分的人都從事農業。 |
| In 1860, only eight cities could **boast** about having a population of more than 100,000. | 1860 年，只有八座城市能夠自誇人口數超過十萬人。 |
| The changing physical landscape reflected the **shift** to an urbanized society. | 不斷改變的自然景觀反映出邁向都市化社會所呈現的轉變。 |
| It is extremely **urgent** that they be rescued from the mountain before dark. | 這件事萬分緊急，得在天黑之前把他們從山上救下來。 |

| | | |
|---|---|---|
| □ **effect** [ɪˋfɛkt] | 名 **影響，效果**<br>◆ 別和動詞 affect（影響）搞混了。 | influence<br>impact |
| □ **structure** [ˋstrʌktʃɚ] | 名 **建築物** | building<br>construction |
| □ **burial** [ˋbɛrɪəl] | 名 **葬禮，埋葬**<br>◆ 注意發音！ | interment |
| □ **concern** [kənˋsɝn] | 動 **關心；涉及到** | relate<br>connect |
| □ **promote** [prəˋmot] | 動 **鼓勵，提倡，促進**<br>◆ 還有「晉升，提拔」的意思。 | encourage<br>foster<br>increase<br>improve |
| □ **chart** [tʃart] | 名 **圖表；航海圖** | diagram |
| □ **prophetic** [prəˋfɛtɪk] | 形 **預言的，預告的**<br>◆ 必須注意名詞 prophecy（[ˋprafəsɪ] 預言）和動詞 prophesy（[ˋprafəˌsaɪ] 進行預言）的發音不同。 | predictive |
| □ **loosen** [ˋlusn̩] | 動 **使鬆開，解開** | ease<br>relax |
| □ **trap** [træp] | 動 **使留於（某處）** | shut<br>confine |
| □ **poisonous** [ˋpɔɪzənəs] | 形 **有毒的**<br>◆ 在一般的同義字題型中常出現。 | venomous<br>toxic |

| | |
|---|---|
| In some regions, the urban impact had a depressing **effect** upon the surrounding rural communities. | 在某些地區，都市所帶來的衝擊對其周遭的農村社區產生了令人憂心的影響。 |
| First is the kiva—a generally circular, underground **structure** used for gatherings of kin groups. | 首先是「印地安人祭壇」——通常是一個圓形的地下建築物，用於親屬團體的聚會。 |
| In all areas, the Anasazi followed a characteristic pattern of **burials**. | 所有地區的安納薩吉人都遵循一種特有的葬禮形式。 |
| The practical truth of the matter is that most coaches are primarily **concerned** with pure strength. | 這事的現實層面在於大多數教練首要關心的是持續力。 |
| The postwar economy in that country created an environment that **promoted** investment. | 那個國家的戰後經濟創造了一個鼓勵投資的環境。 |
| The structure of a formal organization is sufficiently clear so that it can be put on paper in the form of an organizational **chart**. | 一個正式組織的結構十分清楚明瞭，能夠以組織圖的形式呈現於紙上。 |
| Edison also made a **prophetic** statement about its future. | 愛迪生也對它的未來做出一番預測性的宣言。 |
| Capuchin monkeys **loosen** nutmeat by inserting sticks into small shell cracks. | 僧帽猴藉由將小樹枝插入細小的殼縫中來打開堅果。 |
| On cool, sunny days, the shelters act as miniature greenhouses, **trapping** air that is moister and warmer than the outside atmosphere. | 在涼爽且陽光普照的日子裡，這些遮蔽處便充當小型溫室，留住比外部大氣更加潮濕溫暖的空氣。 |
| Leaf shelters enable some caterpillars to feed on plants that would normally be **poisonous** to them. | 樹葉遮蔽處讓某些毛毛蟲能夠食用那些原本對牠們而言是有毒的植物。 |

| | | |
|---|---|---|
| □ **fund**<br>[fʌnd] | 名 **資金，基金** | **capital** |
| □ **tropical**<br>[\`trɑpɪkḷ] | 形 **熱帶的** | |
| □ **ample**<br>[\`æmpḷ] | 形 **充足的；寬敞的**<br>◆ 和 enough（足夠的）的意思相近。另外，形容場所時也可用 spacious（寬敞的）表達。 | **superabundant**<br>**vast**<br>**sufficient** |
| □ **nutrient**<br>[\`njutrɪənt] | 名 **養分，營養物** | **nourishment** |
| □ **universally**<br>[͵junə\`vɝsəlɪ] | 副 **普遍地，到處，沒有例外地** | **throughout**<br>**all over the place** |
| □ **taste**<br>[test] | 名 **品味；審美力；味覺；愛好**<br>◆ taste 有很多意思，所以要仔細從上下文來判斷。 | **appreciation** |
| □ **temperature**<br>[\`tɛmprətʃɚ] | 名 **氣溫；發燒** | **heat**<br>**fever** |
| □ **represent**<br>[͵rɛprɪ\`zɛnt] | 動 **代表，象徵** | **stand for**<br>**express** |
| □ **gear**<br>[gɪr] | 名 **齒輪**<br>◆ 也經常作「道具，工具」解釋。 | **cog** |
| □ **vehicle**<br>[\`viɪkḷ] | 名 **媒介，傳達手段；車輛**<br>◆ 注意 h 不發音！ | **car**<br>**ride** |

| This program provided government **funds** to employ artists to participate in art projects that all Americans could enjoy. | 這個專案提供政府**資金**來聘請藝術家參與全美老少咸宜、雅俗共賞的藝術計畫。 |
|---|---|
| Mangrove forests grow along many of the world's **tropical** coastlines. | 紅樹林沿著世界上許多**熱帶**海岸線生長。 |
| Mangrove forests provide dense cover and **ample** food in a narrow area that bounds marine and terrestrial habitats. | 在海域和陸域棲息地交界的狹小地域，紅樹林提供了稠密的掩護和**充足的**食物。 |
| Leaf litter that is swept from mangrove forests by tides and storms introduces additional sources of **nutrients** into sea-grass beds and reef areas. | 被浪潮或暴風雨從紅樹林上打落的落葉，為海草床和礁區提供了額外的**養分**來源。 |
| **Universally**, painters advertised two selling points: cheap rates and a good likeness. | 畫家**普遍**宣傳的兩大賣點是收費低廉及維妙維肖。 |
| For provincials anxious to mark their social level, declare their **taste**, display their recent material gains, and record their success for posterity, painting meant portrait painting. | 對於渴望彰顯其社會階層、表達**品味**、展現近來物質上的財富，並為後世記錄其成就的鄉紳而言，繪畫就是指肖像畫。 |
| When **temperatures** dropped, this space could be filled with dry grass, and snow could be piled around the outside. | 當**氣溫**下降，這塊空地上會堆滿乾草，外圍則堆滿了雪。 |
| All the symbols he used **represented** Cherokee syllables and had a distinctly Cherokee form. | 他所使用的所有符號**代表**了切羅基語的音節，而且具有明顯的切羅基語形式。 |
| Clocks with wooden **gears** cost less than half the price of clocks with brass **gears**. | 木製**齒輪**時鐘的價格不到銅製**齒輪**時鐘的一半。 |
| The orchestra has become the most important **vehicle** for the transmission of musical thought. | 管弦樂團已成了傳遞音樂思想最重要的**媒介**。 |

| | | |
|---|---|---|
| □ **contribution**<br>[ˌkantrə`bjuʃən] | 名 捐款；貢獻<br>◆ subscription 也有「捐款」的意思。 | donation<br>endowment |
| □ **cave**<br>[kev] | 名 洞穴 | cavern |
| □ **molecule**<br>[`maləˌkjul] | 名 分子；微量 | particle |
| □ **mammal**<br>[`mæml̩] | 名 哺乳動物 | |
| □ **overall**<br>[`ovəˌɔl] | 形 整體的，全部的 | entire<br>synthetic<br>general |
| □ **prior**<br>[`praɪə] | 形（時間、順序上）先前的，優先的 | previous<br>past |
| □ **domestic**<br>[də`mɛstɪk] | 形 國內的；家庭的 | internal<br>national<br>home |
| □ **severe**<br>[sə`vɪr] | 形 劇烈的；嚴格的；艱難的<br>◆ 和「（對規則等）嚴格的」的 strict 意思不同。 | harsh<br>hard |
| □ **magnitude**<br>[`mægnəˌtjud] | 名 規模，大量；重要性<br>◆ 別忘了 magnitude 也有「重要性」的意思。 | extent |

| | |
|---|---|
| These private **contributions** rarely keep an orchestra out of debt, and some public funds are used in the United States to support orchestras. | 這些私人**捐款**很少能夠使一個管弦樂團免於負債，因此美國有些公共資金被用於資助管弦樂團。 |
| The formation of a limestone **cave** is not particularly complicated, but it may take millions of years to produce the basic cavity. | 石灰岩洞的形成並非格外複雜，但是可能要耗費數百萬年的時間才能產生一個**洞穴**的雛型。 |
| Recognition occurs when a scent **molecule** fits into its corresponding receptor site, like a key into a lock. | 如同鑰匙配鎖，當氣味**分子**與其相對應的嗅覺接受器相契合之後就產生了感知。 |
| Bald eagles feed primarily on fish, birds, and small **mammals**. | 禿鷹主要以魚類、鳥類和小型**哺乳動物**為食物。 |
| Using information from 20 studies of nesting eagles in North America, an **overall** average diet can be calculated. | 利用 20 筆在北美築巢老鷹的研究資料，可以估算出**整體的**平均日常飲食。 |
| Although fish may be preferred, **prior** experience can greatly influence a bird's choice. | 雖然魚類或許會較受偏愛，但是**先前的**經驗可能會深深影響一隻鳥的選擇。 |
| As the **domestic** market expanded, manufacturing enterprises became increasingly specialized. | 隨著**國內**市場的擴張，製造業廠商變得愈來愈專門化。 |
| Since the concrete and asphalt are impermeable, the runoff of water following rain is rapid, resulting in a **severe** reduction in the evaporation rate. | 由於混凝土和柏油不具滲透性，降雨過後的徑流快速，造成蒸發率**嚴重**降低。 |
| Many studies have shown that the **magnitude** of human-made energy in metropolitan areas is equal to a significant percentage of the energy received from the Sun at its surface. | 許多研究指出，大都會區裡的人造能源，其**規模**之大，相當於地表接收自太陽能源的比例。 |

| | | |
|---|---|---|
| ☐ **solar** [ˋsolɚ] | 形 太陽的 | relating to the sun |
| ☐ **beneficial** [ˏbɛnəˋfɪʃəl] | 形 有益的，有幫助的 | profitable<br>useful |
| ☐ **legend** [ˋlɛdʒənd] | 名 傳說<br>◆ 也請將 Legend has it that...（根據傳聞，據說是…）一併記下來。 | tradition<br>fable |
| ☐ **galaxy** [ˋgæləksɪ] | 名 銀河<br>◆ galaxy 的常見用語：spiral galaxy（螺旋星系）、elliptical galaxy（橢圓星系）、irregular galaxy（不規則星系）、barred spiral galaxy（棒旋星系）等。 | Milky Way<br>nebula |
| ☐ **fashion** [ˋfæʃən] | 名 方式，樣子；流行，時尚<br>◆ 動詞表「製作，創作」之意，也會出現在考題中。 | mode |
| ☐ **generalization** [ˏdʒɛnərələˋzeʃən] | 名 概括化，通則 | synthesis |
| ☐ **multiplication** [ˏmʌltəpləˋkeʃən] | 名 乘法<br>◆ 務必記得還有「(動植物的) 繁殖」的意思。 | |
| ☐ **enthusiastic** [ɪnˏθjuzɪˋæstɪk] | 形 熱忱的，熱中的<br>◆ 同義字很多，常出現在考題中。 | frantic<br>eager<br>earnest<br>zealous |

| | |
|---|---|
| During the winter, the quantity of heat produced from combustion alone was two and a half times greater than the amount of **solar** energy reaching the ground. | 在冬季單單由燃燒所產生的熱能，即是傳到地表的**太陽**能總量的 2.5 倍。 |
| During the winter, the nighttime warmth of urban areas, produced in large part by heavy energy consumption, is **beneficial** because less energy is needed to heat buildings. | 在冬季都會區夜間的溫暖多半來自大量的能源消耗，這樣**益處良多**，因為只要少少的能源就可以讓建築物暖和起來。 |
| The **legends** of many ancient cultures hold that divine beings created the heavens and controlled such cosmic events as eclipses. | 許多古文化的**傳說**都認為，神祇創造天堂並操控日、月蝕這類的宇宙現象。 |
| They assume that alien beings elsewhere in the **galaxy** will probably try to contact earthlings, using flashes of light to carry their messages. | 他們假設，位於**銀河**他處的外星生物可能會透過陣陣閃光傳送訊息，試圖與地球人聯繫。 |
| Some people believe that mathematics is a difficult, dull subject that is to be pursued only in a clear-cut, logical **fashion**. | 有些人認為數學是一門困難又枯燥的科目，只能以簡明的邏輯**方式**進行。 |
| It is often much later that the **generalization** is proved and finds its way into an actual textbook. | **通則**經常是到了相當後期才獲得證實，並出現在真正的教科書之中。 |
| Children may find it easier to learn their **multiplication** tables by exploring the patterns that the numbers display. | 藉由探索數字顯示出的模式，孩童可能會覺得學習九九**乘法**表變得比較容易。 |
| This tireless and **enthusiastic** proponent of what is now called "alternate technology" began using the paradigm in speeches at least as early as 1964. | 最遲早在 1964 年，這位不屈不撓、滿腔**熱忱的**支持者，就將現代稱為「替代科技」的思維模式應用於演講中。 |

| | | |
|---|---|---|
| □ **spacecraft** [ˋspes,kræft] | 名 **太空船**<br>◆ raft, boat, ship, vessel 都是「船」的意思。 | **spaceship** |
| □ **misleading** [mɪsˋlidɪŋ] | 形 **易引起誤解的** | **delusive** |
| □ **rotation** [roˋteʃən] | 名 **（農作物的）輪作；輪流，交替** | **change**<br>**alternation**<br>**shift** |
| □ **strategy** [ˋstrætədʒɪ] | 名 **策略，戰略** | **tactics**<br>**game plan** |
| □ **stable** [ˋstebḷ] | 形 **穩定的**<br>◆ 在一般的同義字題型中常出現。 | **steady**<br>**firm** |
| □ **serve** [sɝv] | 動 **被用於某特定目的；服務**<br>◆ 從句意推測單字意思的同義字題型中常會出現。 | **take charge of**<br>**work**<br>**act** |
| □ **encounter** [ɪnˋkaʊntɚ] | 名 **遭遇（危險等）；邂逅** | **meeting** |
| □ **collision** [kəˋlɪʒən] | 名 **碰撞，衝突**<br>◆ 動詞的結尾為 -de 時，名詞就會是 -sion。 | **crash**<br>**smash**<br>**hit**<br>**impact** |
| □ **convert** [kənˋvɝt] | 動 **改變（形式、用途等）**<br>◆ 同義字很多，常出現在考題中。 | **change**<br>**transform**<br>**alter** |

| | |
|---|---|
| Crew members of a **spacecraft** do not recycle because it is politically correct to do so; they recycle because if they do not, they will die. | **太空船**上的航太組員並非為了政治正確而將廢物循環再利用；他們這樣做的原因是，如果不這麼做，他們就會死。 |
| Both of these assumptions are correct for machines but dangerously **misleading** for the planet. | 這兩種假設對機器而言是正確的，但是套用在行星上卻會引起危險的**誤解**。 |
| Crop **rotation** has been used to control pests by changing their food supply on a regular basis. | **輪作**被利用來控制病蟲害，方式是經常性地改變牠們的食物供給。 |
| IPM (Integrated Pest Management) is a management **strategy** rather than an attempt to eliminate problem-causing plants and animals. | 綜合性害蟲管理是一種管理**策略**，而非企圖消滅製造麻煩的動植物。 |
| Yields per hectare may drop, but costs fall as well; thus, profits usually remain relatively **stable**. | 每公頃的產量可能下降，但因為成本也跟著降低，所以獲利通常相對維持**穩定**。 |
| Established in 1790, the United States census is the oldest continuous periodic census done by a nation and has **served** as a model for the institution elsewhere. | 確立於 1790 年的美國人口普查，是歷史最悠久的官方持續性定期普查，並**成為**其他機構的範本。 |
| Several hundred to one thousand or more asteroids wider than one-third of a mile are capable of crossing Earth's orbit for a close **encounter**. | 數百到上千顆寬度超過三分之一英里的小行星有可能穿越地球的軌道，和地球擦身而**過**。 |
| If an asteroid were found to be on a **collision** course with Earth, astronomers could provide timely warnings. | 如果發現小行星位於與地球相**碰撞**的軌道上，天文學家便可以提出即時的警告。 |
| Carbon dioxide helps crops **convert** solar energy into food energy. | 二氧化碳幫助農作物將太陽能**轉換**成食物能源。 |

| | | |
|---|---|---|
| ☐ **abundant**<br>[ə`bʌndənt] | 形 **豐富的，充足的**<br>◆ 不但要熟記單字的意思，也要記住正確的拼法。abundant 的字尾為 -ant，不是 -unt。 | **plentiful**<br>**rich**<br>**affluent** |
| ☐ **supplement**<br>[`sʌplə͵mɛnt] | 動 **補充，增補** | **complement** |
| ☐ **vital**<br>[`vaɪtl̩] | 形 **極重要的，不可或缺的**<br>◆ 若作「致命的，攸關生命的」之意時，同義字為 fatal, mortal。 | **important** |
| ☐ **component**<br>[kəm`ponənt] | 名 **元件，零組件**<br>◆ 同義字很多，常出現在考題中。 | **part**<br>**element**<br>**constituent**<br>**ingredient** |
| ☐ **resemble**<br>[rɪ`zɛmbl̩] | 動 **相似，像** | **take after** |
| ☐ **motif**<br>[mo`tif] | 名 **（文學）主題，（音樂）樂旨** | **theme**<br>**subject**<br>**thesis** |
| ☐ **sophisticated**<br>[sə`fɪstɪ͵ketɪd] | 形 **複雜的；精緻的**<br>◆ TOEFL iBT 中以「複雜的」之意較常出現在考題中。 | **elaborate**<br>**complicated** |
| ☐ **apparently**<br>[ə`pærəntlɪ] | 副 **顯然地** | **seemingly** |

| | |
|---|---|
| Paleontologists are able to recognize geologic time periods based on groups of organisms that were especially **abundant** during and characteristic of a particular time period. | 根據個別時期特別**豐富**及特有的生物群，古生物學家可以辨認出各種地質年代。 |
| Absolute dating methods such as radiocarbon dating, which was discovered in the late 1940s, did not replace these techniques, but only **supplemented** them. | 如放射性碳於這類的絕對定年法發現於 1940 年代晚期，並非取代這些方法，而僅是**補其不足**。 |
| During the colonial days and into the nineteenth century, shipping and shipbuilding industries were **vital** to the British colonies in North America. | 整個殖民時期，而且一直到 19 世紀，海運和造船業對英屬北美殖民地而言都是**極為重要的**產業。 |
| One of the most symbolic and decorative **components** of the ship was the figurehead, located near the bowsprit, at the front of the ship where the sides came together. | 船首像是艘船上最具象徵性及裝飾性的**元件**之一，它的位置接近船首斜桅，就在船的最前端，即船舷相交之處。 |
| The earliest North American figureheads **resembled** English examples—usually images of animals or elegant, classical female figures. | 最早的北美船首像與英國的**相似**，通常都是動物肖像，或是優雅、古典的女子像。 |
| The most common **motif** showed a female figure, larger than life-size, costumed in the style of the day. | 最普遍的**主題**是一個大於真人尺寸、穿著當代風格服飾的女子像。 |
| Birds have an extremely **sophisticated** visual communication system. | 鳥類具有一套極為**複雜的**視覺溝通系統。 |
| The birds take off, turn, and land, **apparently** without a leader or any sort of command, yet collisions are extremely rare. | 鳥類振翅飛翔、翻轉、著地，**顯然**沒有領導者或任何形式的指揮存在，然而卻鮮少發生相撞。 |

Part A 基礎單字
Part B 頻考單字
Part C 進階單字
Index 索引

| | | |
|---|---|---|
| □ **provided** [prə`vaɪdɪd] | 連 如果，在…的情況下 ◆ 如果還沒有學過這個字，請趕快記下來。 | if |
| □ **flock** [flɑk] | 名 群 | herd group school |
| □ **capital** [`kæpətḷ] | 名 資金，資本 ◆ 還有「首都，首府」的意思。 | asset resource fund |
| □ **anticipate** [æn`tɪsə͵pet] | 動 期望，預期 | expect hope |
| □ **initial** [ɪ`nɪʃəl] | 形 最初的 | first original |
| □ **suburb** [`sʌbɝb] | 名（城鎮的）郊區 | outskirts |
| □ **upset** [ʌp`sɛt] | 動 打亂；顛覆 ◆ 形容詞 upset（散亂的；生氣的；驚慌失措的）也很常考。 | overturn disturb |
| □ **lightning** [`laɪtnɪŋ] | 名 閃電 | bolt |
| □ **influential** [͵ɪnflʊ`ɛnʃəl] | 形 有影響力的 | powerful predominant |

| | |
|---|---|
| **Provided** that each pigeon makes the correct movements during flight, there will be no injuries to the flock as a result of misdirection. | 如果每隻鴿子飛行時的移動方向都正確，那麼就不會有鴿子因為飛錯方向而受傷了。 |
| Another bird signal is the attitude of alertness that conveys a warning among **flocks** of geese. | 另一種鳥類信號則是在鵝群中傳達出警告的警戒姿勢。 |
| **Capital** for quartz crushing mills and for vessels of mercury to dissolve gold came not from the prospectors, but from investors in San Francisco, Philadelphia, and London. | 壓碎石英的工廠及溶解黃金所需的一瓶瓶水銀，其資金並非來自探礦者，而是來自於舊金山、費城和倫敦當地的投資人。 |
| During the late nineteenth century, many architects in the United States **anticipated** that a native style of architecture would emerge from the proper use of wood. | 19 世紀晚期許多美國建築師都期望能透過木質材料的適切運用，呈現出一種本土風格的建築。 |
| Opponents argued that even though the **initial** cost of a timber house was less than that of one of brick, stone, or concrete, the long-term expense was greater. | 反對者反駁說，雖然木屋的初始成本比磚塊屋、石屋或者水泥屋低，長期的花費卻較高。 |
| Since new **suburbs** did not have efficient fire-fighting systems, the fact that masonry is fireproof was a compelling argument in favor of solid construction. | 由於新郊區缺乏有效的消防系統，所以泥瓦磚石建築物的防火性質，成為一個支持硬質建築的有力論點。 |
| These external forces can **upset** the balanced atom, and as a result, the atom can gain or lose electrons. | 這些外力可能擾亂穩定的原子，致使原子可能獲得或損失電子。 |
| One of the most noticeable effects of ionization is **lightning**. | 游離反應最顯而易見的效應之一就是閃電。 |
| In New York, the painter Samuel Morse was **influential** in the dissemination of the daguerreotype process. | 在紐約，畫家賽繆爾・摩斯對達蓋爾式照相法的推廣深具影響力。 |

| | | |
|---|---|---|
| □ **aptitude**<br>[ˋæptə͵tjud] | 名 天分，才能<br>◆ 在一般的同義字題型中常出現。 | **ability**<br>**vocation**<br>**capability**<br>**capacity** |
| □ **immigrant**<br>[ˋɪməgrənt] | 名（從外國來的）移民 | **emigrant**<br>**migration** |
| □ **segment**<br>[ˋsɛgmənt] | 名 區塊，部分<br>◆ 在一般的同義字題型中常出現。 | **part**<br>**element**<br>**division** |
| □ **metropolitan**<br>[͵mɛtrəˋpalətn̩] | 形 大都市的，主要都市的 | **relating to a large city** |
| □ **amenity**<br>[əˋmɛnətɪ] | 名（生活福利或文教娛樂）設施<br>◆ 在一般的同義字題型中常出現。 | **comfort**<br>**entertainment**<br>**pastime** |
| □ **invertebrate**<br>[ɪnˋvɝtəbrɪt] | 名 無脊椎動物 | **a creature without a backbone** |
| □ **propose**<br>[prəˋpoz] | 動 提議 | **suggest**<br>**advance**<br>**move** |
| □ **scent**<br>[sɛnt] | 名 氣味，香氣<br>◆ odor 主要是指「不好的氣味」。 | **fragrance**<br>**smell** |
| □ **ingredient**<br>[ɪnˋgridɪənt] | 名 原料，成分<br>◆ ingredient 在烹飪上是「材料」的意思。 | **material**<br>**constituent**<br>**component** |

| | |
|---|---|
| The process of making a daguerreotype required only some mechanical **aptitude** and a little knowledge of chemistry, but no artistic talent. | 拍攝達蓋爾式相片只需要一些機械天分和一點化學知識，並不需要藝術天分。 |
| In the two decades after the end of the Second World War, over two and a half million people came to Canada as **immigrants**. | 第二次世界大戰結束後的 20 年內，超過 250 萬人以移民身分來到加拿大。 |
| The rural **segments** of Canada's population fell from 38 percent in 1951 to 26 percent in 1966. | 加拿大的總人口中，農村區塊的比例從 1951 年的 38% 降到 1966 年的 26%。 |
| People moved from smaller towns and cities to the more dynamic **metropolitan** centers. | 人們從較小的城鎮移居到更活力四射的大都會市中心。 |
| Life in the city offered many **amenities** not present in rural communities, but it also necessitated physical and social planning on a scale that Canada had never experienced before. | 都市生活提供了許多鄉村社區所沒有的便利設施，但這也促使加拿大必須進行前所未有的大規模實體與社會規畫。 |
| One of the most complex communication systems—certainly among **invertebrates**—is that of honeybees. | 最複雜的溝通系統之一無疑地出現在無脊椎動物身上，那就是蜜蜂的溝通系統。 |
| Based on his experiments, von Frisch **proposed** that the dance indicates the location of food. | 根據他的實驗，馮・弗利希提出了以跳舞的方式指出食物位置的看法。 |
| Although the round dance does not indicate direction, tasting the nectar is likely to help the bees identify a **scent** to fly toward. | 雖然圓舞無法指出方向，但品嚐花蜜卻可能幫助蜜蜂辨識出得以依循飛往的香氣。 |
| In favorable conditions, yeast, the other essential **ingredient** of raised bread, produces carbon dioxide gas. | 另一個發酵麵包不可或缺的原料——酵母，在有利的情況下會產生二氧化碳。 |

| | | |
|---|---|---|
| □ **subsequently**<br>[`sʌbsɪˏkwɛntlɪ] | 副 **後來，隨後** | **afterward** |
| □ **board**<br>[bord] | 動 **登上（船、飛機、火車、公車等）**<br>◆ boarding pass/ticket 船票、機票、車票等 | **get into/in/on**<br>**embark on** |
| □ **last**<br>[læst] | 動 **持續，維持**<br>◆ last long（持久，持續）這個用法也很常出現。 | **sustain**<br>**continue** |
| □ **conceive**<br>[kən`siv] | 動 **構思出** | **think up**<br>**think of**<br>**come up with** |
| □ **accompany**<br>[ə`kʌmpənɪ] | 動 **跟隨同行；伴奏**<br>◆ 請將「伴奏」的意思一併記下來。 | **join**<br>**attend** |
| □ **lift**<br>[lɪft] | 名 **便車** | **ride** |
| □ **head**<br>[hɛd] | 動 **向…前進** | **turn**<br>**go toward** |
| □ **mind**<br>[maɪnd] | 名 **心智，推理思考的能力**<br>◆ 偏向指「判斷力，思考」方面。 | **intellect**<br>**intelligence** |
| □ **twist**<br>[twɪst] | 動 **使扭轉；歪曲** | **wrench**<br>**distort** |
| □ **wrap**<br>[ræp] | 動 **包裹，圍住**<br>◆ 和英文例句中 be wrapped up 的意思不同，wrap up 做主動用法時，意思是「結束（工作、辯論）；摘要」。 | **fold**<br>**pack**<br>**cover up** |

| | |
|---|---|
| When the mixture is **subsequently** heated, the gluten becomes firm instead of elastic, and this is what holds the bread in its raised form. | 當混合物隨後被加熱時，麩質會從彈性轉而變得硬實，而這就是使麵包維持發酵模樣的物質。 |
| Five English glassmakers were arrested in England as they **boarded** a ship for America. | 五名英國玻璃製造工人在英格蘭被逮捕，因為他們登上前往美洲的船隻。 |
| The financial and technical considerations of glassmaking were such that most of the colonial glass factories only **lasted** for a short time. | 種種製造玻璃的財務和技術考量因素如此惡劣，致使殖民地大部分的玻璃工廠僅能維持短暫時間。 |
| Pennsylvania's first glasshouse was **conceived** in 1682 as part of the economic plan of the settlement of Philadelphia. | 費城殖民經濟計畫的一部分便是構思 1682 年的賓州第一座玻璃製造工廠。 |
| For this undertaking an English window maker from England was hired, and four other English glassmakers agreed to **accompany** him. | 為了這項計畫，一名英國窗戶製造工人被從英格蘭聘過來，另有四名玻璃製造工人同意與他同行。 |
| Could you give me a **lift** to campus? | 你可以讓我搭個便車去校園嗎？ |
| John was **headed** to the gym. | 約翰朝體育館走過去了。 |
| Many scientists believed nonhuman animals had no **mind** whatsoever. | 許多科學家相信非人類的動物毫無心智。 |
| It wasn't easy to persuade him to help with the project. I had to **twist** his arm. | 要說服他幫忙這個計畫可不容易，我得強迫他。 |
| I haven't been able to see Pete for weeks, because he is **wrapped** up in his research. | 我好幾個禮拜沒看到彼特了，因為他完全沉浸在他的研究當中。 |

| | | |
|---|---|---|
| □ **wit**<br>[wɪt] | 名 **智力；機智；清醒的判斷力**<br>◆ at one's wit's end = at a loss（山窮水盡，智窮才竭） | **intellect**<br>**tact** |
| □ **arson**<br>[`ɑrsn̩] | 名 **縱火（罪）** | **incendiarism** |
| □ **icicle**<br>[`aɪsɪkl̩] | 名 **冰柱，垂冰** | |
| □ **plug**<br>[plʌg] | 動 **使塞住**<br>◆ 請一併記住 ear-plug（耳塞）。 | **stuff**<br>**cram** |
| □ **drapery**<br>[`drepərɪ] | 名 **有摺綴的帳幔** | **curtain**<br>**drape** |
| □ **publicity**<br>[pʌb`lɪsətɪ] | 名 **名聲；（公衆的）注意；廣告** | **popularity**<br>**advertisement** |
| □ **clarify**<br>[`klærə,faɪ] | 動 **澄清；使…純淨** | **clear up** |
| □ **tortoise**<br>[`tɔrtəs] | 名 **陸龜** | **turtle** |
| □ **pale**<br>[pel] | 形 **（顏色）淡的**<br>◆ 還有「（臉色）蒼白的」之意。 | **light** |
| □ **prepare**<br>[prɪ`pɛr] | 動 **做菜；調製（藥品）；準備；籌畫**<br>◆ 意思很多，請從上下文判斷正確之意。 | **cook**<br>**fill** |
| □ **reject**<br>[rɪ`dʒɛkt] | 動 **拒絕接受**<br>◆「拒絕」時如果用 decline 這個字，語氣會較為緩和。 | **turn down**<br>**refuse**<br>**repel** |
| □ **hectic**<br>[`hɛktɪk] | 形 **忙碌的**<br>◆ 在會話題型中常出現。 | **very busy** |

| | |
|---|---|
| The midterm test scores have been posted, and I failed dismally. I'm just **at my wit's end**. | 期中考成績已經公布，而我很慘地被當掉了，我實在是**一籌莫展**了。 |
| Wildfires caused by **arson** often have grave consequences. | **縱火**造成的野火通常後果嚴重。 |
| The formation evolves into a familiar **icicle**-shaped stalactite. | 形成物逐漸發展成常見的**冰柱**狀鐘乳石。 |
| The hollow tubes become **plugged** and the water then runs down the outside surface. | 中空的管子**堵塞**，水於是沿著外部表面流下來。 |
| This kind of cave formation is called a **drapery**. | 這種岩溶洞穴被稱作**打褶的帳幔**。 |
| Our car needs to recover from negative **publicity** about its fuel efficiency. | 我們的車需要平反其燃油效率的負面**名聲**。 |
| Let me **clarify** this rather complicated story. | 容我**澄清**一下這個頗為複雜的故事。 |
| **Tortoises** are land animals, meaning that they don't live in the water. | **陸龜**即指那種不生活於水中的陸地動物。 |
| Some milks look creamy white while others look an almost **pale** yellow. | 有些牛奶看起來是乳白色，有些則幾近**淡**黃色。 |
| The puffer fish must be **prepared** very carefully so that the poisonous parts are removed. | **料理**河豚必須非常小心，以便將有毒的部分移除。 |
| Colonial artists who were trained in England or educated in the classics **rejected** the status of laborer and thought of themselves as artists. | 那些在英國受過訓練或接受古典教育的殖民地藝術家，**拒絕接受**勞工身分，並認為自己是藝術家。 |
| Life has been really **hectic** for the past three weeks. | 過去三個禮拜的生活真是**忙翻**了！ |

| | | |
|---|---|---|
| ☐ **plumbing** [`plʌmɪŋ] | 名（建築物）配管系統，水管設備<br>◆ 注意 b 不發音！ | **piping** |
| ☐ **infamous** [`ɪnfəməs] | 形 惡名昭彰的<br>◆ 若要以名詞表達「惡名昭彰」之意，用 notoriety。 | **notorious** |
| ☐ **comprehend** [ˌkamprɪ`hɛnd] | 動 理解<br>◆ 形容詞 comprehensive（包括的）和 comprehensible（可以理解的）的意思不同，要加以區別。 | **understand** |
| ☐ **swamp** [swamp] | 名 沼澤 | **bog**<br>**marsh** |
| ☐ **surrender** [sə`rɛndɚ] | 動 交出；投降<br>◆ 注意 turn over 也有「交出」的意思！ | **concede** |
| ☐ **orchard** [`ɔrtʃɚd] | 名 果園 | |
| ☐ **beverage** [`bɛvərɪdʒ] | 名 飲料 | **drink** |
| ☐ **enroll** [ɪn`rol] | 動 註冊；登記<br>◆ sign up for 和 register for 都是「申請，登記」之意，也很常出現在考題中。 | **enter** |
| ☐ **generate** [`dʒɛnəˌret] | 動 產生，導致<br>◆ 常用 energy（能源）或是 electricity（電力）作為受詞。 | **produce**<br>**create** |
| ☐ **informative** [ɪn`fɔrmətɪv] | 形 知識性的，具啓發性的<br>◆ 名詞是 information（資訊，消息）。 | **instructive** |

| | |
|---|---|
| The design should allow for easy heating and cooling, **plumbing**, and electrical wiring. | 設計應該顧慮到冷暖調節容易、配管系統及電力線路的問題。 |
| Etienne de Silhouette, an eighteenth-century French finance minister, was **infamous** for his cost-cutting policies. | 埃迪安・德・西盧埃特是一位 18 世紀的法國財政部長，因其節約成本的政策而惡名昭彰。 |
| A pencil and paper decision-making procedure permits people to deal with more variables than their minds can generally **comprehend**. | 決策過程中使用紙筆讓人考量到的可變因素，超過他們智力一般所能理解的數量。 |
| There were ridges to cross and a wilderness of woods and **swamps** to penetrate. | 我們必須跨越山脊，穿過一片樹林和沼澤。 |
| President Bush explained that the Taliban regime had been warned to meet American demands to **surrender** Osama bin Laden. | 布希總統解釋道，塔利班政權已被警告必須遵照美國的要求交出奧薩瑪・賓・拉登。 |
| I grew up in a small town where almost everyone works in **orchards**. | 我在一個小鎮長大，那裡幾乎每個人都在果園裡工作。 |
| On some occasions, a fermented **beverage** was used instead of water to mix dough. | 在某些情況下會用發酵飲料取代水來和生麵團。 |
| In order to **enroll** at a college, every high school student in the US has to take the SAT or ACT. | 為了進入大學就讀，每個美國高中生都必須參加學術評估測驗或美國大學入學測驗。 |
| Rainfall amounts may be smaller on the weekend because the dust particles **generated** by cars and factories are reduced. | 週末的降雨量可能較少，因為汽車和工廠所製造的灰塵微粒減少了。 |
| These techniques have proven extremely useful for adding **informative** materials to a library's collection at a low cost. | 這些技術已經證實極為有用，能夠以低價將知識性的資料加入圖書館館藏中。 |

| 單字 | 中文解釋 | 同義字 |
|---|---|---|
| □ **prescription** [prɪ`skrɪpʃən] | 名 **處方籤**<br>◆ 請將 fill prescriptions（調配處方籤）一併記下來。另外可參考前面出現過的 prepare 一字。 | **direction**<br>**instruction** |
| □ **pharmacist** [`farməsɪst] | 名 **藥劑師** | **druggist**<br>**chemist** |
| □ **compliment** [`kampləmənt] | 名 **（禮貌性的）讚美** | **flattery** |
| □ **identity** [aɪ`dɛntətɪ] | 名 **身分（認同）；本體；一致**<br>◆ 要從上下文仔細地推敲出字意。 | **self**<br>**individuality**<br>**uniqueness** |
| □ **spiral** [`spaɪrəl] | 形 **螺旋的** | **swirling** |
| □ **cone** [kon] | 名 **圓錐狀**<br>◆ 冰淇淋的甜筒、道路施工所放的圓錐桶、松果都用這個單字表示。 | |
| □ **favor** [`fevɚ] | 名 **恩惠**<br>◆ Would you do me a favor?（可以幫我一個忙嗎？）中的 favor，意思不是「請求」，而是「恩惠」。 | **kindness** |
| □ **lay off** [le ɔf] | 動 **解雇；停止（工作等）**<br>◆ 在一般的同義字題型中常出現。 | **dismiss**<br>**fire**<br>**discharge** |
| □ **starch** [startʃ] | 名 **澱粉** | |
| □ **livestock** [`laɪv͵stak] | 名 **〔總稱〕家畜** | **domestic animal** |

| | |
|---|---|
| Is there any drugstore near here where I can have this **prescription** filled? | 這附近有藥局可以讓我拿到處方籤上的藥嗎？ |
| This university hospital needs not only good doctors, but also able **pharmacists**. | 這所大學附設醫院不只需要好醫生，也需要能幹的藥劑師。 |
| The supervisor told her that she had managerial skills, but that was just a **compliment**. | 主管告訴她，她具有管理才能，不過那只是一句恭維的話。 |
| The women's rights movement helped to forge a new sense of **identity** and shared experiences among women. | 女權運動促使女性之間新的身分認同感和共同經驗的成形。 |
| **Spiral** galaxies have a small, bright central region, or nucleus. | 螺旋星系具有一小塊明亮的中心區域，或稱作核心。 |
| Seed eaters typically have stout, **cone**-shaped bills and strong jaw muscles for crushing seeds. | 典型的食籽動物擁有強壯的圓錐狀喙，以及強而有力的下顎肌肉以壓碎種子。 |
| Thanks, I'll repay the **favor** someday. | 謝謝，有朝一日我會報恩的。 |
| Businesses may not be able to afford the wage increase, and they may have to **lay off** workers. | 各公司可能無力應付工資調漲，而可能必須將工人解雇。 |
| Animals store their food reserves as glycogen, whereas plants store their food as **starch**. | 動物以肝醣形式儲存食物，而植物以澱粉形式儲存食物。 |
| When people started keeping cattle, goats, and sheep, dogs were used to herd and guard the **livestock**. | 當人開始飼養牛、山羊和綿羊，狗便被用來放牧和看守家畜。 |

| | | |
|---|---|---|
| ☐ **refund**<br>[ˋri͵fʌnd] | 名 退款<br>◆ 在會話題型中常出現。 | repayment<br>reimbursement |
| ☐ **annex**<br>[ˋænɛks] | 名 增建的建築物 | new building |
| ☐ **quest**<br>[kwɛst] | 名 探索，追求 | exploration<br>search<br>investigation |
| ☐ **precipitation**<br>[prɪ͵sɪpɪˋteʃən] | 名 降雨；降雪 | rainfall<br>snowfall |
| ☐ **marlin**<br>[ˋmarlɪn] | 名 旗魚，槍魚，馬林魚 | spearfish |
| ☐ **itch**<br>[ɪtʃ] | 動 發癢，使癢<br>◆ tickle 雖然也是「癢」，但是比較接近「搔癢」的意思。 | tickle |
| ☐ **pollen**<br>[ˋpalən] | 名 花粉 | farina |
| ☐ **sneeze**<br>[sniz] | 動 打噴嚏<br>◆ sneeze（打噴嚏）、snore（打呵欠）、sniff（嗅）等以 sn- 開頭的單字大多與鼻子 (snout) 有關。 | |
| ☐ **thump**<br>[θʌmp] | 名 砰然聲 | |
| ☐ **decade**<br>[ˋdɛked] | 名 十年 | ten years |
| ☐ **payroll**<br>[ˋpe͵rol] | 名 薪水帳冊；薪資總額 | |

| | |
|---|---|
| If you take the book back to the bookstore this week, you can still get a full **refund**. | 如果你這禮拜把書拿去書局，你還是能拿到全額**退款**的。 |
| Actually, this is not the main building of the Art Department but the Art **Annex**. | 事實上這不是藝術系的主建築，而是**增建的**藝術大樓。 |
| Scientists are those who are passionate in their **quest** to discover new things. | 科學家就是那些對於**探索**、發現新事物充滿熱情的人。 |
| Although the Arctic and Antarctic receive minimal **precipitation**, what snow that does fall is saved. | 儘管南北極僅得到最少量的**降雪**，但是落下來的冰雪都被儲存起來了。 |
| Long, pointed tail lobes, like those of the **marlin**, are found only on fast swimmers. | 像**旗魚**一樣長而尖的尾鰭葉只見於快游者。 |
| The flowers make my nose **itch**. | 這些花讓我的鼻子**發癢**。 |
| **Pollen** is carried by the wind or by insects to other flowers of the same type. | **花粉**被風和昆蟲攜帶到其他同種花朵的所在處。 |
| They say maybe someone is talking about you when you **sneeze** for no reason. | 他們說當你沒來由地**打噴嚏**時，可能是有人在談論你。 |
| The dog suddenly ran into the road and I heard a **thump** on the passenger side of the car. | 狗突然衝到路上，接著我就聽乘客座旁**砰的一聲**。 |
| Her productivity since then has been prodigious, accumulating in less than **two decades** nearly thirty titles. | 從那時候起她的產量大得驚人，不到 **20 年**就累積了將近 30 本著作。 |
| Hotel controllers manage the accounting and **payroll** departments and find ways to improve efficiency. | 旅館管理人管理會計和**薪資**部門，並想辦法提升效率。 |

| | | |
|---|---|---|
| ▢ **tease**<br>[tiz] | 動 **戲弄，嘲弄**<br>◆ 在會話題型中常出現。 | **pick on**<br>**make fun of** |
| ▢ **tweezers**<br>[`twizɚz] | 名 **小鑷子，小鉗子** | |
| ▢ **intramural**<br>[͵ɪntrə`mjʊrəl] | 形 **校內的；建築物或組織內的**<br>◆ 單字延伸記憶：extramural（校外的）、mural（牆壁）。 | |
| ▢ **blizzard**<br>[`blɪzɚd] | 名 **大風雪** | **snow storm** |
| ▢ **criticize**<br>[`krɪtə͵saɪz] | 動 **挑剔，批評** | **find fault with**<br>**get on one's case** |
| ▢ **flunk**<br>[flʌŋk] | 動 **（使）不及格**<br>◆ 常出現在關於學校考試的考題中。 | **fail** |
| ▢ **caterpillar**<br>[`kætə͵pɪlɚ] | 名 **毛毛蟲** | **woolly bear** |
| ▢ **wasp**<br>[wasp] | 名 **黃蜂** | **hornet** |
| ▢ **consciousness**<br>[`kanʃəsnɪs] | 名 **（個人或群體的）意識，意念**<br>◆ 也有「察覺到（事實）」的意思。 | **sense**<br>**awareness** |
| ▢ **repent**<br>[rɪ`pɛnt] | 動 **感到懊悔** | **regret** |

| | |
|---|---|
| Maybe, he thinks you're **teasing** him. | 也許他覺得你在**戲弄**他。 |
| The warblers use short, slender bills like **tweezers** to pick small insects off leaves and twigs. | 鳴鳥使用像**小鉗子**一樣短而細的鳥喙，將小昆蟲從枝葉上啄下來。 |
| How would you like to play **intramural** softball? | 你想打**校內**壘球賽嗎？ |
| The police had to close Route 27 due to a **blizzard**. | **大風雪**使得警方必須封鎖 27 號公路。 |
| My boss always **criticizes** me. | 我老闆總愛**挑剔**我。 |
| He is concerned that he may have **flunked** the quiz. | 他擔心他的小考可能**不及格**。 |
| **Caterpillars** create compact shelters that are almost always conspicuous and endure long after the occupant has departed. | **毛毛蟲**所打造的堅固避難所幾乎總是明顯可見，而且在居住者離去許久之後仍然存留。 |
| Young warblers leave **wasps** alone because they recognize the black and yellow stripes of the **wasp** as dangerous. | 幼小的鳴鳥會避免打擾**黃蜂**，因為牠們認得**黃蜂**身上的黑黃斑紋是危險的象徵。 |
| Politics has played a significant role in the American **consciousness** ever since the colonial era. | 從殖民時代起，政治一直在美國**意識**中扮演重要角色。 |
| After having yelled at his mother, he went to church to **repent** for his wrongdoing. | 對母親大吼之後，他上教堂去**懺悔**他做錯了。 |

| | | |
|---|---|---|
| □ **domain**<br>[do`men] | 名 **領域，範圍**<br>◆ 在一般的同義字題型中常出現。 | **area**<br>**field**<br>**territory**<br>**realm** |
| □ **thrifty**<br>[`θrɪftɪ] | 形 **節儉的**<br>◆ thrift shop 通常指「二手衣店」。 | **economical**<br>**modest**<br>**humble**<br>**homely** |
| □ **stalk**<br>[stɔk] | 動 **悄然逼近；（疾病等）無聲且可怕地蔓延**<br>◆ stalker 是「跟蹤狂」。 | **steal**<br>**sneak upon** |
| □ **outgoing**<br>[`aʊt͵goɪŋ] | 形 **外向的；好交際的** | **sociable**<br>**extrovert**<br>**gregarious** |
| □ **astronomer**<br>[ə`stranəmɚ] | 名 **天文學家** | |
| □ **sprinkle**<br>[`sprɪŋkl̩] | 動 **撒；灑；下小雨**<br>◆ It sprinkles. = It rains lightly.（細雨紛落。） | **scatter**<br>**spray** |
| □ **amiable**<br>[`emɪəbl̩] | 形 **友好的，和藹可親的**<br>◆ 注意發音！ | **pleasant**<br>**agreeable**<br>**friendly** |
| □ **transplant**<br>[træns`plænt] | 動 **移植（組織或器官）** | **implant**<br>**transfer** |

| | |
|---|---|
| Half-eaten fruit, flowers, and seeds rained down on him from legions of animals high in their sunlit **domain**. | 居高臨下的動物軍團從其陽光普照的地盤裡，將食用一半的果子、花朵和種子像雨點般打在他身上。 |
| "Economical" is not close to "economic" but "**thrifty**" in meaning. | economical 的意義較接近於 thrifty（節儉的），而不是 economic（經濟的）。 |
| The specter of obesity **stalks** some of us the way starvation **stalks** others. | 肥胖的鬼魅悄聲逼近我們之中的某些人，如同飢餓逼近其他人一般。 |
| Self-image can be indicated by a tone of voice that is confident, pretentious, shy, aggressive, **outgoing**, or exuberant, to name only a few personality traits. | 自我形象可藉由自信、自負、害羞、積極、外向、或活力充沛的語氣顯現，僅以這幾種人格特質為例。 |
| One **astronomer** estimates that a large space satellite orbiting the Earth now stands a ten percent chance of being hit by discarded space debris. | 一位天文學家估計，一顆繞地球運行的大型太空人造衛星，目前有 10% 的機會被廢棄的太空垃圾擊中。 |
| In Seattle, the potato was fried in corn oil from Nebraska, **sprinkled** with salt from Louisiana, and eaten in a restaurant. | 在西雅圖大家用內布拉斯加州的玉米油炸馬鈴薯，撒上路易斯安納州的鹽巴，並在餐廳裡享用。 |
| She has had an **amiable** disposition since she was little. | 自小時候起她的性情就一直很和善。 |
| The immune system recognizes and takes action against foreign invaders and **transplanted** tissues that are treated as foreign cells. | 免疫系統會辨識出外來入侵者和移植組織並視作外來細胞，進而採取攻擊行動。 |

Part A 基礎單字

Part B 頻考單字

Part C 進階單字

Index 索引

MP3
049

| | | |
|---|---|---|
| □ **pregnant**<br>[`prɛgnənt] | 形 **懷孕的**<br>◆ 也有「含蓄的，意味深長的」之意，例如 a pregnant pause/silence（耐人尋味的停頓／緘默）。 | expectant |
| □ **tide**<br>[taɪd] | 名 **潮汐**<br>◆ tide 的搭配用法有 flow tide（漲潮）、ebb tide（退潮）等。 | stream<br>current |
| □ **successive**<br>[sək`sɛsɪv] | 形 **連續不斷的；繼承的**<br>◆ 名詞為 succession（連續；繼承）。 | consecutive<br>serial |
| □ **timid**<br>[`tɪmɪd] | 形 **膽怯的，羞怯的** | coward<br>shy<br>bashful |
| □ **imprisonment**<br>[ɪm`prɪzənmənt] | 名 **監禁** | confinement<br>jail |
| □ **patent**<br>[`pætənt] | 動 **取得（某發明或製程的）專利權** | |
| □ **incline**<br>[ɪn`klaɪn] | 動 **使…有某種傾向；傾斜**<br>◆ be inclined to do... 和 tend to do..., be likely to do..., be apt to do..., be prone to do... 的意思類似。 | tend |
| □ **monetary**<br>[`mʌnə,tɛrɪ] | 形 **貨幣的，金錢的，財政（上）的** | financial |
| □ **compromise**<br>[`kamprə,maɪz] | 名 **和解，妥協** | meet ... halfway<br>give |

| | |
|---|---|
| Why are there so many **pregnant** females and young at Holzmaden when they are so rare elsewhere? | 為何在侯茲馬登有這麼多孕婦及年輕人，而別處卻如此稀少？ |
| Tsunamis have nothing to do with the action of **tides**. | 海嘯與潮水的作用毫無關聯。 |
| The mutoscope was a machine that reproduced motion by means of **successive** images on individual photographic cards instead of on strips of celluloid. | 「妙透鏡」是一種機器，它利用一張張獨立相片卡上——而非一條條的賽璐珞片——**連續**不斷的影像使動態重現。 |
| Certainly, he is less **timid** than he used to be. | 他毫無疑問地比以前還不**膽怯**。 |
| **Imprisonment** as a penalty became common after the 16th century, but only for lesser offenses. | 16 世紀後**監禁**成為一種常見的刑罰，不過僅適用於輕微的犯罪行為。 |
| Rachel Brown **patented** one of the most widely acclaimed wonder drugs of the post-Second World War years. | 瑞秋．布朗取得了二次世界大戰後最廣受讚揚的特效藥的**專利權**。 |
| I am **inclined** to acknowledge that Darwin was the most profound of all intellectuals in British history. | 我**認同**達爾文是英國歷史上所有知識分子當中學識最淵博的一位。 |
| Mistakes in **monetary** policy slowed the nation's recovery. | **貨幣**政策錯誤減緩了該國的復甦。 |
| Floor leaders try hard to persuade committee leaders and party members to accept **compromises** or trade-offs in order to win votes on bills. | 為了替法案贏得選票，議場的領袖努力試圖說服委員會領導人和黨團成員接受**和解**或妥協。 |

| | | |
|---|---|---|
| □ **accuse**<br>[ə`kjuz] | 動 **控告，指控**<br>◆ accuse 的用法為「accuse + 人 + of + 罪行」，如 accuse him of stealing a bike（指控他偷竊腳踏車），注意順序。 | **blame**<br>**charge**<br>**sue** |
| □ **ironic**<br>[aɪ`rɑnɪk] | 形 **諷刺的** | **sarcastic**<br>**cynical** |
| □ **corrupt**<br>[kə`rʌpt] | 形 **貪汙的，腐敗的** | **rotten**<br>**vicious** |
| □ **detergent**<br>[dɪ`tɝdʒənt] | 名 **洗潔劑** | **cleanser**<br>**cleaner**<br>**soap powder**<br>**solvent** |
| □ **simultaneously**<br>[ˌsaɪməl`tenɪəslɪ] | 副 **同時** | **at the same time**<br>**all at once** |
| □ **cosmic**<br>[`kɑzmɪk] | 形 **與宇宙相關的，宇宙的**<br>◆ 注意發音！ | **of the universe**<br>**of space** |
| □ **concise**<br>[kən`saɪs] | 形 **簡明的，言簡意賅的** | **succinct**<br>**compact**<br>**brief** |
| □ **miscellaneous**<br>[ˌmɪsə`lenɪəs] | 形 **各式各樣的**<br>◆ 報紙求職廣告的最後一個類別就稱為 miscellaneous（不分類業別）。 | **various** |
| □ **indigestion**<br>[ˌɪndə`dʒɛstʃən] | 名 **消化不良** | **indigestibility** |
| □ **brochure**<br>[bro`ʃʊr] | 名 **小冊子**<br>◆ 注意發音！ | **pamphlet**<br>**booklet** |

| | |
|---|---|
| Congress has the power to impeach, or **accuse** an official, such as the President or a federal judge, of serious wrongdoing. | 美國國會有權彈劾或控告諸如總統或聯邦法官等公職人員的不道德行為。 |
| In an **ironic** twist, there is a growing consensus among sociologists that the extent of the panic was greatly exaggerated. | 一次諷刺的轉折讓社會學家之間的意見漸趨一致，認為恐慌的程度被過分誇大了。 |
| The destitute in New York in those days were ruled by **corrupt** city bosses. | 在貪官汙吏的治理下，那個時期的紐約一貧如洗。 |
| If it doesn't say "Dry clean only," I can wash this vest in water. Then, what kind of **detergent** should I use? | 如果沒說「僅限乾洗」，我就可以水洗這件背心。那麼我該用哪種洗潔劑呢？ |
| NASDAQ's trading information is **simultaneously** broadcast to some 360,000 computer terminals throughout the world. | 全球證券商公會自動報價系統的交易資料會同時播送至全世界 36 萬台左右的電腦終端機。 |
| The extinction of the dinosaurs was caused by some physical event, either climatic or **cosmic**. | 恐龍的滅絕肇因於某個與氣候或宇宙有關的物理事件。 |
| Worksheets require defining the problem in a clear and **concise** way and then listing all possible solutions to the problem. | 工作表要求以清楚且簡明的方式定義問題，然後條列問題所有可能的解決方法。 |
| Far more is perceived than remembered; otherwise the mind would be a storehouse of **miscellaneous**, unassorted data. | 察覺到的遠多於記住的，否則腦袋就成了一座倉庫，裡頭滿是各式各樣、雜亂無章的資料。 |
| She is suffering from **indigestion** after eating fatty food. | 吃了高脂肪的食物之後，她正為消化不良所苦。 |
| I'll go downtown to pick up some **brochures** from the travel agent. | 我將去城裡跟旅行社拿些小冊子。 |

| 單字 | 中文解釋 | 同義字 |
|---|---|---|
| ▢ **exaggerate** [ɪgˋzædʒə͵ret] | 動 **誇張，言過其實** | **brag**<br>**magnify** |
| ▢ **console** [kənˋsol] | 動 **安慰，慰問**<br>◆ 注意，console 常出現在會話題型的題目中。 | **comfort**<br>**cheer** |
| ▢ **avalanche** [ˋævə͵læntʃ] | 名 **雪崩，山崩** | **slide** |
| ▢ **alloy** [ˋælɔɪ] | 名 **合金** | **metal**<br>**amalgam** |
| ▢ **marsh** [marʃ] | 名 **沼澤地，溼地**<br>◆ 同義字 swamp 也可當動詞，意思是「使陷於沼澤」。 | **swamp**<br>**moor**<br>**bog** |
| ▢ **affluent** [ˋæfluənt] | 形 **富裕的，繁榮的** | **rich**<br>**wealthy** |
| ▢ **astonishing** [əˋstanɪʃɪŋ] | 形 **驚人的**<br>◆ 在一般的同義字題型中常出現。 | **surprising**<br>**amazing**<br>**astounding** |
| ▢ **hard** [hard] | 形 **堅硬的**<br>◆ 同義字很多，常出現在考題中。 | **tough**<br>**firm**<br>**stiff**<br>**rigid** |
| ▢ **transparent** [trænsˋpɛrənt] | 形 **透明的**<br>◆ 單字延伸記憶：translucent（半透明的）、opaque（不透明的）。 | **clear** |
| ▢ **anthropology** [͵ænθrəˋpalədʒɪ] | 名 **人類學**<br>◆ anthrop- 是字根，意思為「人，人類」，如 anthropomorphic（擬人法的）。 | |

| | |
|---|---|
| There is a growing consensus among sociologists that the extent of the panic was greatly **exaggerated**. | 社會學家之間的意見漸趨一致，認為恐慌的程度被過分**誇大**了。 |
| He tried to **console** the woman by pointing out that the dog was not injured. | 他試著指出狗並未受傷來**安慰**該婦女。 |
| I hope they know about the **avalanche** warnings. | 但願他們知道**雪崩**警告。 |
| Offset printing plates are usually made of steel, aluminum, or a chrome-copper **alloy**. | 膠印版通常以鋼、鋁或鉻銅**合金**製成。 |
| The streaked, dark feathers of the female red-winged blackbird blend with the brown of the nests fastened to the stems of cattails in **marshes**. | 雌紅翅黑鸝的黑紋羽毛揉合了緊附於**沼澤地**中貓尾草草莖上之鳥巢的褐色。 |
| Some colonial urban portraitists associated with **affluent** patrons. | 部分殖民地都市的肖像畫家曾與**富裕的**贊助人打交道。 |
| Inventories of colonial libraries show an **astonishing** number of these handbooks. | 殖民地圖書館的詳細目錄顯示出這些手冊的數量**驚人**。 |
| That plant has a **hard** stem. | 那棵植物的主幹**堅實**。 |
| Glass can be **transparent**, translucent, and opaque. | 玻璃可以是**透明**、半透明和不透明的。 |
| A major shift in the approach to physical **anthropology** occurred with the discovery of genetic principles. | 隨著遺傳原理的發現，**體質人類學**的研究方法也發生了重大的改變。 |

| | | |
|---|---|---|
| □ **apparatus** [ˌæpəˋretəs] | 名 **設備，儀器**<br>◆ 除了右欄列出的同義字之外，還有 implement, utensil, tackle, appliance 等，都常出現在考題中。 | **equipment**<br>**instrument**<br>**tool**<br>**machine** |
| □ **atlas** [ˋætləs] | 名 **地圖集**<br>◆ atlas 不容易聽出來，要注意。 | **map** |
| □ **commute** [kəˋmjut] | 動 **通勤，通學，往返兩地**<br>◆ 在會話題型中常出現。commute to work 是「通勤上下班」之意，這裡的 work 是名詞。 | **go to**<br>**haunt** |
| □ **digestive** [dəˋdʒɛstɪv] | 形 **消化的** | **assimilating** |
| □ **forbid** [fəˋbɪd] | 動 **禁止，不允許** | **prohibit** |
| □ **kidney** [ˋkɪdnɪ] | 名 **腎臟** | |
| □ **lead** [lɛd] | 名 **鉛**<br>◆ 注意發音！ leaded gasoline 是「含鉛汽油」。lead 也可作動詞，發音為 [lid]，意思是「領導；過生活」。 | |
| □ **minute** [maɪˋnjut] | 形 **微小的；仔細而準確的**<br>◆ 注意發音！這個單字常會出現在 Listening 中。 | **microscopic**<br>**detailed** |
| □ **organ** [ˋɔrgən] | 名 **器官**<br>◆ organ 還可作樂器中的「風琴」或「(政府) 機關，組織」解釋。 | **apparatus** |

| | |
|---|---|
| The **apparatus** in the study was a plastic container with an opening two centimeters wide at its top. | 該研究的設備是一個上部開口為兩公分寬的塑膠容器。 |
| I know that **atlas** is around here somewhere. | 我知道地圖集就在這附近某處。 |
| I'd like a small house in a quiet suburb that's within **commuting** distance of the university. | 我想要一間坐落於寧靜郊區的小房子，在大學的通勤距離內。 |
| Microflora in the **digestive** tract converts the toxin found in the eucalyptus tree into a non-toxic form. | 消化道中的微生物群會將尤加利樹所含的有毒物質轉變成無毒形式。 |
| In 1808, Congress passed a law **forbidding** traders to bring African slaves into the United States. | 1808 年美國國會立法通過，禁止貿易商將非洲奴隸帶進美國。 |
| He developed a **kidney** disease from which he eventually died in November 1916, at the age of 40. | 他得了腎臟病，最後在 1916 年 11 月因病辭世，享年 40 歲。 |
| These remained the basic ingredients of glass until the development of **lead** glass in the seventeenth century. | 直到 17 世紀發展出鉛玻璃之前，這些一直是玻璃的基本成分。 |
| The material universe is composed of **minute** particles. | 物質宇宙由微小的粒子所構成。 |
| Aging is a result of the gradual failure of the body's cells and **organs** to replace or repair themselves. | 老化是由於身體的細胞和器官逐漸失去替換或修補自己的能力。 |

| | | |
|---|---|---|
| ☐ **photosynthesis**<br>[ˏfotə`sɪnθəsɪs] | 名 **光合作用**<br>◆ photo- 是一個字根，意思為「光的；照片的」。有時候考題中也會出現 chemosynthesis（化學作用）這個字。 | |
| ☐ **renowned**<br>[rɪ`naʊnd] | 形 **有聲譽的，有名望的**<br>◆ 和動詞 renounce（[rɪ`naʊns] 放棄）的發音相近，小心別聽錯了！ | **fame** |
| ☐ **tote**<br>[tot] | 動 **攜帶，搬運**<br>◆ tote bag（托特包）即指「女用筆記型電腦手提包」。 | **carry** |
| ☐ **treat**<br>[trit] | 名 **請客**<br>◆ 若要用 on 表達「請客」之意，則說成 This is on me.（我請客。） | **on...** |
| ☐ **tremendous**<br>[trɪ`mɛndəs] | 形 **巨大的，極大的** | **enormous**<br>**vast**<br>**awful** |
| ☐ **windshield**<br>[`wɪndˏʃild] | 名 **（車等的）擋風玻璃**<br>◆ 如字面所示，為「擋風」之意，但卻很容易被忽略。 | |
| ☐ **evaluation**<br>[ɪˏvælju`eʃən] | 名 **評估；估價**<br>◆ 同義字很多，常出現在考題中。 | **estimation**<br>**assessment** |

| | |
|---|---|
| Phototropism directs growing seedlings toward the sunlight that powers **photosynthesis**. | 向光性使得成長中的樹苗朝向驅動**光合作用**的太陽光。 |
| His disciplined approach eventually paid off and he became **renowned** internationally. | 他的嚴謹作法終於獲得回饋，他贏得了國際**聲譽**。 |
| There were a lot of items under five dollars, but I didn't find anything worth **toting** home. | 很多品項都低於五元，但我沒發現任何值得**帶**回家的東西。 |
| Let's go out for pizza, my **treat**! | 我們去外面吃披薩吧，我**請客**！ |
| Today, we will focus on the **tremendous** financial difficulties of building the transcontinental railroad. | 我們今天會將焦點集中在興建跨洲鐵路過程中的**巨大**財政困難。 |
| The Recreation Center Bus has the letters "RC" above the **windshield**. | 娛樂中心的巴士在**擋風玻璃**上有 RC 的字樣。 |
| IPM (Integrated Pest Management) involves the **evaluation** of each crop and its related pest species as an ecological system. | 綜合性害蟲管理需將各農作物和與之相關的害蟲種類當作一個生態系統來**評估**。 |

# Part **B**
# 頻考單字

MAMMAL RAGE
POISONOUS FUND AMPLE
UNIVERSAL
ASSIGN OVERWHELM
TEMPERATURE
SIMULTANEOUSLY
RENOVATE
NUTRIENT
ANTHROPOLOGY
REIGN
FORBID ASTONISHING
DETERGENT CORRUPT ACCUSE COSMIC
TRANSPARENT HARD
SUCCESSIVE TIMID IMPRISONMENT PATENT
AMIABLE TRANSPLANT PREGNANT
VEHICLE
MISCELLANEOUS
EMBED
AFFLUENT
MOLECULE
VARSITY
IMBIBE
LABYRINTH
AVALANCHE ALLOY
CONSOLE MARSH
MALLEABLE
VISCOSITY
ACCELERATE
PRESERVATIVE
HARDY CEREAL
EXPEL
TRACE
PORTEND
COMPROMISE
INDIGESTION
CONSPIRACY
ACCESS
FUSION
TURBULENT
MURKY PRIOR SEVERE
STRINGENT CEMENT
INCLINE MINUTE COMMUTE ATLAS
PREDOMINANTLY
ACCLAIM
MEDIUM
RUSTY
BULLETIN
DAYDREAM
APPRECIATE
DIGESTIVE
TOXIC

| | | |
|---|---|---|
| □ **institution**<br>[ˌɪnstəˋtjuʃən] | 名（存在已久的）制度或習俗；機構<br>◆ 請從上下文判斷意思為「制度或習俗」或是「機構」。 | convention |
| □ **eradicate**<br>[ɪˋrædɪˌket] | 動 根除，消滅 | exterminate |
| □ **legislative**<br>[ˋlɛdʒɪsˌletɪv] | 形 立法的；立法機關的 | lawmaking<br>legal |
| □ **simulate**<br>[ˋsɪmjəˌlet] | 動 模擬（某環境）<br>◆「模擬考」為 simulated exam。 | pretend<br>assume |
| □ **drain**<br>[dren] | 動 流走，流乾<br>◆ 同義字 discharge 有「排出；使免除」等多種意思，也可作名詞，如 dishonorable discharge（不名譽除役）。 | discharge |
| □ **incubation**<br>[ˌɪnkjəˋbeʃən] | 名 孵（蛋）；培養（細菌等） | hatching |
| □ **insulate**<br>[ˋɪnsəˌlet] | 動 阻隔（熱、電流或聲音的進出）；隔離，孤立<br>◆ 常出現在考題中，務必記熟。 | isolate |
| □ **embryo**<br>[ˋɛmbrɪˌo] | 名 胚胎，胚芽 | fetus |
| □ **boulder**<br>[ˋboldɚ] | 名 巨石 | rock |
| □ **silt**<br>[sɪlt] | 名 淤泥 | deposit<br>mud |

| | |
|---|---|
| The **institution** of twice-yearly fairs persisted in Philadelphia even after similar trading days had been discontinued in other colonial cities. | 一年兩次的商品展覽會**制度**在費城依舊持續不斷，即使類似的交易時日在其他殖民城市已然中止。 |
| Governmental attempts to **eradicate** fairs and auctions were less than successful. | 政府為了**根除**商品展覽會和拍賣會所做的努力成效不彰。 |
| Many people came to the capital for **legislative** sessions of the assembly and council. | 許多人為了州議會和市議會的**立法**會期來到首都。 |
| Aviculturists have yet to learn how to **simulate** the natural incubation of parrot eggs in the wild. | 養鳥專家尚未學會如何**模擬**鸚鵡蛋在野外的自然孵化狀態。 |
| This type of nest acts as a humidity regulator by allowing rain to **drain** into the bottom sections of the nest. | 透過讓雨水**流入**鳥巢的底部，這類的鳥巢具有調節溼度的功能。 |
| Commercial incubators, ignoring the bird's method of natural **incubation**, reduced the viability and survivability of the hatching chicks. | 商用孵卵器忽視鳥類自然**孵卵**的方式，降低了剛孵化之雛鳥的生存及存活能力。 |
| In the Northern Plains, tents made of animal skins had an inner liner that created an **insulating** air pocket. | 在北部平原區上，以獸皮製成的帳篷具有內部襯墊，製造出一個**阻隔**熱氣流出的氣室。 |
| If eggs rest against the wooden bottom in extremely cold weather conditions, they can become chilled to a point where the **embryo** can no longer survive. | 在極端寒冷的氣候環境下，蛋如果被放置在木製底部，就可能會冰凍到使**胚胎**無法存活的地步。 |
| The mineral particles found in soil range in size from microscopic clay particles to large **boulders**. | 土壤中發現的礦物顆粒，尺寸從精微的黏粒到大型的**巨石**不一而足。 |
| To measure soil texture, the sand, **silt**, and clay particles are sorted out by size and weight. | 為了判定土壤的質地，沙粒、**淤泥**和黏粒依大小和重量分門別類。 |

| | | |
|---|---|---|
| □ **damp**<br>[dæmp] | 形 **微溼的**<br>◆ Listening 中注意別和 dump（猛然扔下；砰然落下；傾倒）搞混了。 | **moist**<br>**wet**<br>**humid** |
| □ **mold**<br>[mold] | 動 **塑造，使…成形**<br>◆ 作名詞時除了有「模型，模子」之意，還可表示「黴菌」。 | **cast** |
| □ **durable**<br>[ˋdjʊrəbḷ] | 形 **持久的；耐用的** | **long-lasting**<br>**lasting** |
| □ **fine**<br>[faɪn] | 形 **顆粒微小的**<br>◆ 作名詞時是「罰金，罰款」之意。 | **tiny** |
| □ **residue**<br>[ˋrɛzə͵dju] | 名 **剩餘物，殘餘**<br>◆ 在理科考試的題目中常常出現。 | **remains** |
| □ **reveal**<br>[rɪˋvil] | 動 **透露，暴露**<br>◆ 注意 reveal a secret（洩露祕密）是典型的搭配組合。 | **unveil**<br>**disclose**<br>**betray** |
| □ **impart**<br>[ɪmˋpɑrt] | 動 **傳遞；透露；給予**<br>◆ 受詞大多是 knowledge（知識）、information（資訊）等字。 | **disseminate** |
| □ **convey**<br>[kənˋve] | 動 **傳達** | **inform**<br>**communicate** |
| □ **intuitive**<br>[ɪnˋtjuɪtɪv] | 形 **直覺的**<br>◆ 記得將名詞 intuition（直覺）一併記下來。 | **instinctive** |
| □ **drastically**<br>[ˋdræstɪkəlɪ] | 副 **徹底地；激烈地** | **thoroughly** |

| | |
|---|---|
| In the field, soil texture can be estimated by extracting a handful of soil and squeezing the **damp** soil into three basic shapes. | 在田野上藉由擷取一把土壤，然後將微溼的土壤捏成三種基本形狀，便可測定土壤的質地。 |
| The behavioral characteristics of the soil, when **molded** into each of these shapes, provides the basis for a general textural classification. | 塑造成這些形狀之後，土壤表現出的特徵為概略的質地分類提供了基本的根據。 |
| The higher the clay content in a sample, the more refined and **durable** the shapes into which it can be molded. | 一個樣本的黏土成分愈高，所能塑造的形狀就愈精緻且持久。 |
| In soils with a high proportion of clay, the **fine** particles are measured on the basis of their settling velocity when suspended in water. | 在黏土比例高的土壤中，細微的粒子從懸浮於水中時的沉降速度來測定。 |
| The water can be drawn off and evaporated, leaving a **residue** of clay, which can then be weighed. | 可將水排出或使之蒸發，留下的黏土殘餘就可以拿來秤重。 |
| A number of factors related to the voice **reveal** the personality of the speaker. | 許多與聲音相關的因素透露了說話者的人格特質。 |
| The broad subject area of communication includes **imparting** information by use of language. | 溝通主題的範圍廣泛，包括透過使用語言來傳遞訊息。 |
| A person **conveys** thoughts and ideas through their choice of words. | 人透過字詞的選擇表達思想與點子。 |
| A speaker's tone can consciously or unconsciously reflect **intuitive** sympathy or antipathy. | 說話者的語氣可能有意或無意地反映出直覺的同感或反感。 |
| How a speaker perceives the listener's receptiveness, interest, or sympathy in any given conversation can **drastically** alter the tone of the presentation. | 在任何一場特定的對話中，講者如何解讀聽眾的接受能力、興趣或贊同，將會大大地改變陳述的語氣。 |

| 單字 | 中文解釋 | 同義字 |
|---|---|---|
| □ **integrate**<br>[ˋɪntə͵gret] | 動（使）融合<br>◆ 其同義字 incorporate 很常考。此外，TOEFL iBT 的測驗重點為 Integrated Tasks（整合題），因此這個字常會出現在標題中。 | incorporate |
| □ **vow**<br>[vaʊ] | 動 發誓<br>◆ 同義字很多，常出。 | swear<br>pledge<br>promise |
| □ **generosity**<br>[͵dʒɛnəˋrɑsətɪ] | 名 慷慨，大方<br>◆ 也有「寬宏大量」的意思，會話時要特別注意。 | tolerance |
| □ **monochrome**<br>[ˋmɑnə͵krom] | 形 名 單色（的），黑白（的） | one-color |
| □ **perception**<br>[pɚˋsɛpʃən] | 名 感知能力，知覺，認知<br>◆ 為 perceive（感知，察覺）的名詞形。 | recognition<br>cognition |
| □ **tune**<br>[tjun] | 動 調整…以接收某頻率的訊號<br>◆ 看電視時有可能會聽到 Don't go away. Stay tuned.（別把頻道轉開，就停在這一台。） | adjust |
| □ **eerily**<br>[ˋɪrɪlɪ] | 副 怪異地，可怕地<br>◆ 形容詞為 eerie（怪誕的，可怕的）。 | strangely |
| □ **intensity**<br>[ɪnˋtɛnsətɪ] | 名 強度；猛烈 | strength |
| □ **excel**<br>[ɪkˋsɛl] | 動 勝過，超越<br>◆ 同義字很多，常出。 | exceed<br>surpass<br>prevail |
| □ **gradation**<br>[grəˋdeʃən] | 名（顏色的）逐漸的變化 | change<br>transition |

| | |
|---|---|
| Schools were viewed as the most important means of **integrating** immigrants into American society. | 學校被視為是使外來移民融入美國社會最重要的工具。 |
| Alice Walker **vowed** that she would write a book about him for children someday. | 愛麗絲・渥克發誓，有朝一日她要為孩童寫一本關於他的書。 |
| I will always be grateful that in his absolute warmth and **generosity**, he fulfilled my deepest dream of what a poet should be. | 他以純粹的熱忱與慷慨滿足了我對理想詩人最深切的想像，對此我將永遠心懷感激。 |
| Horses live in a **monochrome** world. | 馬生活在一個單色的世界裡。 |
| Humans, unlike the rattlesnake, have no direct **perception** of infrared rays. | 不同於響尾蛇，人類對紅外線沒有直接感知能力。 |
| The rattlesnake has receptors **tuned** in to wavelengths longer than 0.7 microns. | 響尾蛇具有感應器，能夠接收到比 0.7 微米還要長的波長。 |
| The world would look **eerily** different if human eyes were sensitive to infrared radiation. | 如果人眼對紅外線感應靈敏，那麼這世界看起來將迥然不同且怪異。 |
| We would be able to move easily in a strange, shadowless world where objects glowed with varying degrees of **intensity**. | 我們將得以在一個奇異且無陰影的世界中行進自如，在那裡所有物體會發出強度各異的光芒。 |
| Human eyes **excel** in other ways than those of other animals. | 人眼在其他方面勝過其他動物的眼睛。 |
| Human eyes are, in fact, remarkably discerning in color **gradation**. | 事實上，人眼對色彩的漸變展現出驚人的敏銳度。 |

| | | |
|---|---|---|
| □ **surpass**<br>[sɚˋpæs] | 動 **超越，勝過**<br>◆ 常和動詞 prevail（占優勢，盛行）同時出現在同義字題型中。 | **exceed**<br>**outdo**<br>**top** |
| □ **artisan**<br>[ˋɑrtəzn̩] | 名 **工匠，技工**<br>◆ 美國這個國家很年輕，在藝術方面和歐洲相比差了一大截。在 artist（藝術家）出現之前，artisan 謂為主流。 | **craftsman** |
| □ **process**<br>[ˋprɑsɛs] | 動 **加工處理** | **prepare**<br>**treat**<br>**deal with** |
| □ **enhance**<br>[ɪnˋhæns] | 動 **提高（價值等）**<br>◆ 以出現頻率來看，enhance 無論在哪種題型都排名第一。 | **improve**<br>**boost** |
| □ **sanction**<br>[ˋsæŋkʃən] | 名 **約束力**<br>◆ 也有「制裁；許可」的意思。 | **restriction** |
| □ **pursuit**<br>[pɚˋsut] | 名 **工作，職業；追求；追蹤**<br>◆ 若用複數形的話，就表示「(投入時間與精神的）工作，職業」。 | **task**<br>**occupation** |
| □ **tavern**<br>[ˋtævɚn] | 名 **酒館，酒店** | **bar** |
| □ **modest**<br>[ˋmɑdɪst] | 形 **適度的，中等的** | **humble** |
| □ **platform**<br>[ˋplæt͵fɔrm] | 名 **平台，月台，講台** | **deck**<br>**stage**<br>**stump** |

| | |
|---|---|
| The color sensitivity of normal human vision is rarely **surpassed** even by sophisticated technical devices. | 常人視覺對色彩的敏銳度，即使是精密的科技儀器都鮮少超越。 |
| Today, the **artisan** who makes pottery in North America utilizes his or her skill and imagination to create items. | 現今在北美製造陶器的工匠運用他或她的技巧和想像力來創造物品。 |
| Most North American artisan-potters now purchase commercially **processed** clay. | 現在大多數的北美製陶工匠購買商業加工過的黏土。 |
| This favorable ratio **enhanced** women's statuses and positions and allowed them to pursue different careers. | 這樣有利的比率提高了女性的身分和地位，讓她們能夠投身不同的事業。 |
| There was no social **sanction** against married women working. | 沒有社會約束力限制已婚婦女工作。 |
| In addition to these **pursuits**, women were found in many different kinds of employment. | 除了這些職業之外，在許多不同的職務上也出現了女性的蹤影。 |
| People ran mills, plantations, tanyards, shipyards, and every kind of shop, **tavern**, and boardinghouse. | 人們經營磨坊、農園、製革廠、造船廠，以及各式各樣的商店、酒館和供膳房舍。 |
| The more **modest** Deep Sea Drilling Project is not aimed at reaching the mantle but at exploring the crust itself. | 該深海鑽探計畫的規模中等，目的不在抵達地函，而在探索地殼本身。 |
| From this stable **platform**, scientists lowered drilling pipes into waters four miles deep to scoop up cores of ocean sediment and bedrock. | 科學家將鑽管從穩固的平台降下，鑽入海底四英里深之處，以鏟出海洋沉積物和岩床的岩蕊。 |

| | | |
|---|---|---|
| □ **tentacle**<br>[ˋtɛntəkḷ] | 名〔動物〕觸手，觸角；〔植物〕觸毛<br>◆ 常出現在考題中，請注意。 | antenna<br>feeler |
| □ **paralyze**<br>[ˋpærə͵laɪz] | 動 使麻痺或癱瘓 | numb |
| □ **cavity**<br>[ˋkævətɪ] | 名 腔；洞穴<br>◆ 也有「蛀牙」的意思。 | hollow<br>cavern |
| □ **retract**<br>[rɪˋtrækt] | 動 縮回，撤回 | withdraw<br>pull back |
| □ **reproduce**<br>[͵riprəˋdjus] | 動 繁殖 | breed<br>propagate |
| □ **composition**<br>[͵kampəˋzɪʃən] | 名 配置，組成<br>◆ 也有「寫作，作文」的意思。 | makeup<br>formation |
| □ **shot**<br>[ʃat] | 名 照片；射擊<br>◆ 也有「注射」的意思。 | photo |
| □ **outermost**<br>[ˋaʊtɚ͵most] | 形 最外圍的，離中心最遠的<br>◆ 反義字是 innermost（最深處的，最內部的）。 | farthest<br>outside |
| □ **eclipse**<br>[ɪˋklɪps] | 名 日蝕，月蝕<br>◆ 若要在語意上表達得更精確，「日蝕」是 solar eclipse，「月蝕」是 lunar eclipse。 | shading<br>darkening |
| □ **sensational**<br>[sɛnˋseʃənḷ] | 形 驚人的；聳動的<br>◆ 對付同義字有一個技巧，就是「要分辨出字義是正面還是負面的」！ | very exciting<br>disturbing |
| □ **tardy**<br>[ˋtardɪ] | 形 遲緩的，緩慢的；遲到的<br>◆ 在同義字題型中常出現。 | slow<br>late |

| | |
|---|---|
| The sea anemone has a body like a stem and **tentacles** like petals in brilliant shades of blue, green, pink, and red. | 海葵具有像樹幹般的身體和花瓣般的**觸手**，並有著藍、綠、粉紅、紅的耀眼顏色。 |
| Stinging cells in the tentacles throw out tiny poison threads that **paralyze** other small sea animals. | 觸手裡的刺細胞會擲出能**麻痺**其他小型海洋動物的有毒細絲。 |
| The food is digested in the large inner body **cavity**. | 食物在體內的大空**腔**內被消化掉。 |
| When disturbed, a sea anemone **retracts** its tentacles. | 受到驚擾時海葵會將觸手**縮回**。 |
| Sea anemones may **reproduce** by forming eggs, dividing in half, or developing buds. | 海葵可能透過產卵、分裂成兩半或發育小芽來**繁殖**。 |
| At first, she concentrates on the **composition** of those objects. | 她一開始先進行這些物件的**配置**。 |
| She visits each location several times to make sketches and test **shots**. | 為了畫素描和拍攝測試**照片**，她數度造訪每個場景。 |
| The Sun's **outermost** layer begins about 10,000 miles above the visible surface and goes for millions of miles. | 太陽的**最外層**始於可見表面以上約一萬英里處，並持續延伸數百萬英里。 |
| This is the only part of the Sun that can be seen during an **eclipse**. | 這是太陽在**日蝕**期間唯一能被看見的部分。 |
| During an eclipse, the beautiful rays are a **sensational** sight to see. | 日蝕期間美麗的光線是一個**驚人的**景觀。 |
| Two reasons account for this **tardy** development, namely, the mental and the physical difficulties encountered in such work. | 兩個原因為此**遲緩**發展提供了解釋，即從事這類工作時所面臨到的智力與物質困難。 |

| 單字 | 中文意思 | 同義字 |
|---|---|---|
| □ **array** [ə`re] | 名 一系列，整列，大批<br>◆ an array of...（一系列…）常出現在考題中。 | line-up |
| □ **pest** [pɛst] | 名 害蟲；令人討厭的人或物<br>◆ 很少會以「黑死病，鼠疫」的意思出題。 | nuisance |
| □ **once** [wʌns] | 連 一旦<br>◆ 也可當副詞使用，意思是「一次，曾經」。 | as soon as<br>just after |
| □ **ruin** [`ruɪn] | 動 摧毀，毀壞<br>◆ You ruined the party last night.（你搞砸了昨晚的派對。） | spoil<br>annihilate<br>wreck |
| □ **hypothesize** [haɪ`pɑθə͵saɪz] | 動 假設 | assume<br>suppose |
| □ **cohesion** [ko`hiʒən] | 名 內聚力；結合 | bond |
| □ **evaporation** [ɪ͵væpə`reʃən] | 名 蒸發（作用） | vaporization |
| □ **cohesive** [ko`hisɪv] | 形 有凝聚力的，有黏著力的<br>◆ 在社會學上很常使用，如 cohesive group（有凝聚力的團體）。 | adhesive<br>sticky |
| □ **catalyze** [`kætə͵laɪz] | 動 使加速，催化 | accelerate |
| □ **sort** [sɔrt] | 動 將…分類 | classify<br>categorize |
| □ **inherent** [ɪn`hɪrənt] | 形 與生俱來的，固有的<br>◆ 是 Part B 中最常考的單字之一。最好連形容詞 native（天生的）、indigenous（天生的）一併記下來。 | innate<br>inborn<br>natural |

| | |
|---|---|
| The ecosystems of the Earth provide an **array** of free public services that are essential for the support of civilizations. | 地球的生態系統提供了一系列的免費公共服務，這對文明的延續而言不可或缺。 |
| The ecosystems of the Earth control the overwhelming majority of crop **pests**, disease vectors, and so on. | 地球的生態系統控制了絕大多數的農作物害蟲、病媒等。 |
| **Once** the natural life-support systems of a civilization have been sufficiently damaged, they usually cannot be repaired. | 一個文明自然的生命維持系統一旦遭到徹底毀壞，通常無法修復。 |
| Today, a global civilization is **ruining** the global environment. | 現今一個全球的文明正在摧毀全球的環境。 |
| Some botanists **hypothesized** that the living cells of plants acted as pumps. | 有些植物學家假定活的植物細胞具有打氣筒的功能。 |
| According to the currently accepted **cohesion-tension** theory, water is pulled there. | 根據現今廣被接受的內聚力—張力理論，水是被拉到那裡去的。 |
| The pull on a rising column of water in a plant results from the **evaporation** of water at the top of the plant. | 植物體內水柱上升的拉力是植物頂端的水分蒸發造成的。 |
| This **cohesive** strength permits columns of water to be pulled to great heights without being broken. | 這種凝聚力讓水柱得以被拉到高處卻不會破裂。 |
| Mass transportation **catalyzed** physical expansion in the American city. | 大眾運輸加速了美國城市內部的實質擴張。 |
| Mass transportation **sorted** out people and land uses. | 大眾運輸將人民與土地使用區分開來。 |
| Mass transportation accelerated the **inherent** instability of urban life. | 大眾運輸加速了都市生活與生俱來的不穩定性。 |

MP3 060

| | | |
|---|---|---|
| □ **spark** [spark] | 動 **引發，激勵**<br>◆ 常常出現在與文章脈絡相關的題型中。 | **bring about**<br>**arouse** |
| □ **periphery** [pə`rɪfərɪ] | 名 **外圍，周邊**<br>◆ 另外還有「（神經、血管等的）末梢」之意。 | **vicinity** |
| □ **plot** [plɑt] | 動 **將（土地）分成小塊；策畫，密謀** | **zone**<br>**lot**<br>**scheme** |
| □ **surplus** [`sɝpləs] | 名 **剩餘，過剩，盈餘**<br>◆ 反義字是 deficit（赤字，不足額），如 trade deficit（貿易逆差）。 | **remainder**<br>**excess**<br>**black** |
| □ **underscore** [ˌʌndɚ`skor] | 動 **明確顯示，強調**<br>◆ 常出現在需從上下文來判斷字義的同義字題型中。 | **underline** |
| □ **transit** [`trænsɪt] | 名 **運輸，輸送；通過；（機場的）過境**<br>◆ a transit lounge 為「（機場的）轉機候機室」。 | **transportation** |
| □ **juvenile** [`dʒuvəˌnaɪl, `dʒuvənl] | 名 **未成年者，少年；未成熟的動植物**<br>◆ juvenile delinquency（少年犯罪）十分常見。 | **youth** |
| □ **terrestrial** [tə`rɛstrɪəl] | 形 **陸棲的，陸地的；地球的**<br>◆ extraterrestrial 是「外星人」，簡寫成 ET。 | **ground**<br>**earthly** |
| □ **erosion** [ɪ`roʒən] | 名 **侵蝕，腐蝕**<br>◆ 在地質學上一定會出現的字。 | **encroachment** |
| □ **decay** [dɪ`ke] | 名 **腐壞；衰退；蛀牙** | **decomposition** |

| | |
|---|---|
| The new accessibility of land around the periphery of almost every major city **sparked** an explosion of real estate development. | 幾乎每座主要城市的外圍土地都具有了新的便利性，刺激不動產產生了爆炸性的發展。 |
| The new accessibility of land around the **periphery** of almost every major city fueled what we now know as urban development. | 幾乎每座主要城市的外圍土地都具有了新的便利性，刺激了我們目前所知的都市發展。 |
| Over the same period, another 550,000 lots were **plotted** outside the city limits but within the metropolitan area. | 同時期另外畫分出 55 萬塊位於市界外，但隸屬大都會區的土地。 |
| There was always a huge **surplus** of subdivided, but vacant, land around Chicago and other cities. | 在芝加哥和其他城市的周圍，總是有大量被進一步細分但閒置的土地。 |
| These excesses **underscore** a feature of residential expansion that is related to the growth of mass transportation. | 這些剩餘顯示出一個特色，那就是住宅區的擴張與大眾運輸的成長息息相關。 |
| **Transit** lines and middle-class inhabitants were anticipated. | 一般預期會有運輸線和中產階級居民。 |
| The preservation of embryos and **juveniles** is a rare occurrence in the fossil record. | 胚胎和未成熟生物的保存在化石紀錄裡鮮少發現。 |
| Ichthyosaurs had a higher chance of being preserved than did **terrestrial** creatures. | 魚龍比陸棲生物更有機會被保存下來。 |
| Marine animals tended to live in environments less subject to **erosion**. | 海洋動物傾向生活在較少遭受侵蝕的環境中。 |
| One of the factors that fossilization requires is a slow rate of **decay** of soft tissues. | 化石作用所需的要素之一便是軟組織以緩慢的速度腐敗。 |

| | | |
|---|---|---|
| ▢ **deposit**<br>[dɪ`pɑzɪt] | 動 沉積；堆積；存放；存款<br>◆ 不僅要記住「沉積」的意思，也要牢記「堆積」的意思。 | settle<br>place |
| ▢ **specimen**<br>[`spɛsəmən] | 名 標本 | sample<br>example |
| ▢ **unmatched**<br>[ʌn`mætʃt] | 形 無可匹敵的；不相配的<br>◆ 注意這個字已是最高級的表現。 | better than any other<br>peerless |
| ▢ **expedition**<br>[ˏɛkspɪ`dɪʃən] | 名 遠征（隊），探險（隊） | exploration<br>tour |
| ▢ **explore**<br>[ɪk`splor] | 動 考察，探險；探究 | investigate<br>survey |
| ▢ **toil**<br>[tɔɪl] | 動 緩慢而艱難地往…；費力地做 | struggle<br>labor |
| ▢ **self-sufficient**<br>[ˏsɛlfsə`fɪʃənt] | 形 自立的，自給自足的 | independent |
| ▢ **supplant**<br>[sə`plænt] | 動 取代；排擠掉<br>◆ 務必將同義字記熟。 | take the place of<br>replace<br>supersede |
| ▢ **vigorous**<br>[`vɪgərəs] | 形 有力的；活力充沛的 | strong<br>energetic |
| ▢ **versatility**<br>[ˏvɝsə`tɪlətɪ] | 名 多變性；多才多藝<br>◆ 形容詞是 versatile（多才多藝的；萬能的）。 | of many talents/gifts<br>universality |

| | |
|---|---|
| Ichthyosaur remains are found in black, bituminous marine shale **deposited** about 190 million years ago. | 在沉積於一億九千萬年前左右的黑色海洋瀝青頁岩中發現了魚龍遺骸。 |
| Over the years, thousands of **specimens** of marine reptiles, fish, and invertebrates have been recovered from these rocks. | 多年以來，數以千計的海洋爬蟲類、魚類和無脊椎動物的標本已從這些岩石中重新尋獲。 |
| The quality of preservation is almost **unmatched**, and quarry operations have been carried out carefully with an awareness of the value of the fossils. | 保存的品質近乎無可匹敵，因意識到化石的價值，採石作業小心翼翼地進行。 |
| The Lewis and Clark **Expedition** was the most important official examination of the High Plains and the Northwest before the War of 1812.<br><br>Captain William Clark was invited to share the command of the **exploring** party. | 路易斯與克拉克遠征是 1812 年戰爭前針對高平原和西北部所做的首要官方考察。<br><br>威廉・克拉克上校應邀共同統率考察團隊。 |
| After **toiling** up the Missouri all summer, the group wintered near the Mandan villages in the center of what is now North Dakota.<br><br>Unlike string and wind instruments, the piano is completely **self-sufficient**. | 歷經整個夏天辛苦跋涉來到密蘇里州之後，一行人在曼丹族村落附近過冬，地點就位於今日北達科他州的中央。<br><br>與管弦樂器不同的是，鋼琴可以完全獨立演奏。 |
| The clavichord and harpsichord both maintained a supremacy over instruments with keyboards until the piano **supplanted** them at the end of the eighteenth century. | 小鍵琴和大鍵琴在鍵盤樂器中一直維持著至高無上的地位，直到 18 世紀末才由鋼琴取而代之。 |
| The harpsichord with its bright, **vigorous** tone was the favorite instrument for supporting the bass of small orchestras. | 音色響亮有力的大鍵琴在過去是最受喜愛的樂器，用來支撐小型交響樂團的低音部。 |
| This instrument was called a piano e forte (soft and loud), to indicate its dynamic **versatility**. | 這種樂器被稱作 a piano e forte（輕柔且響亮），顯示其動態的多變性。 |

| | | |
|---|---|---|
| □ **sustain** [sə`sten] | 動 使（聲音）持續；支撐；忍受 | **retain** **maintain** **support** **uphold** |
| □ **myriad** [`mɪrɪəd] | 形 無數的 ◆ 同義字也常考，請一併記熟。 | **too many to count** |
| □ **prodigious** [prə`dɪdʒəs] | 形（數量或程度大得）驚人的 ◆ 和名詞 prodigy（驚人的事物；神童）都常在同義字題型中出現。 | **wonderful** |
| □ **verse** [vɝs] | 名 詩，韻文 ◆ 反義字是 prose（散文）。 | |
| □ **assess** [ə`sɛs] | 動 估計；評價；課（稅等） ◆ 注意拼字！ | **estimate** |
| □ **riot** [`raɪət] | 名 暴動 | **revolt** **disorder** |
| □ **akin** [ə`kɪn] | 形 類似的；有血緣關係的 | **similar** **alike** **close** |
| □ **peculiarity** [pɪˌkjulɪ`ærətɪ] | 名 古怪之處；特性 | **eccentricity** **oddity** |
| □ **bizarre** [bɪ`zɑr] | 形 古怪的，異乎尋常的 ◆ 同義字很多，常出。 | **strange** **odd** **weird** |
| □ **subsist** [səb`sɪst] | 動（靠稀少的食物）存活 ◆ 名詞是 subsistence（生存；生計；勉強糊口的生活）。 | **survive** |

| | |
|---|---|
| A series of mechanical improvements included the introduction of pedals to **sustain** or soften the tone of the piano. | 一系列機械上的改造包括引進踏板使琴音持續或使之柔和。 |
| The perfection of a metal frame and steel wire of the finest quality produced an instrument capable of **myriad** tonal effect. | 完美的金屬框架和最佳品質的鋼絲製造出一個具有無數音色效果的樂器。 |
| Her productivity since then has been **prodigious**, accumulating nearly thirty titles in less than two decades. | 她的產量從那時起大得驚人，不到 20 年的時間就累積了將近 30 本的著作。 |
| Her books include novels, collections of short stories and **verse**, plays, and literary criticism. | 她的著作包含小說、短篇故事集和詩集、劇本及文學批評。 |
| Reviewers find productivity of such magnitude difficult to **assess**. | 評論家認為產量如此之大實在難以估計。 |
| In the novel, she focused on Depression-era Detroit through the **riots** of 1967. | 小說裡她將焦點集中於底特律，時間從大蕭條時代到 1967 年的暴動。 |
| Her fictive world remains strikingly **akin** to the real one reflected in daily newspapers. | 她的虛構世界和每天報紙上反映出的真實世界明顯雷同。 |
| All living creatures, especially human beings, have their **peculiarities**. | 所有生物都有其古怪之處，尤其是人類。 |
| What else can be said about this **bizarre** animal that eats mud and feeds almost continuously day and night, but can live without eating for long periods? | 對於這種攝取淤泥、幾乎日夜不分無止盡地進食、長期斷食卻又能存活的古怪動物還能說什麼呢？ |
| For some fifty million years, despite all its eccentricities, the sea cucumber has **subsisted** on its diet of mud. | 儘管其行徑百般古怪，約莫五千萬年以來，海參靠著攝取淤泥存活了下來。 |

| | | |
|---|---|---|
| □ **metabolic**<br>[ˌmɛtəˋbɑlɪk] | 形 **代謝作用的，新陳代謝的**<br>◆ 代謝的意思是「將舊的東西換成新的東西」。 | **of chemical exchange** |
| □ **faculty**<br>[ˋfækəltɪ] | 名 **能力；全體教職員；（大學的）系所**<br>◆ 常出現在需從上下文來判斷字義的同義字題型中，如右頁例句中 this faculty 在文章中到底是指「什麼能力」。 | **ability**<br>**capacity** |
| □ **spectacular**<br>[spɛkˋtækjələ˞] | 形 **與眾不同的；壯觀的** | **magnificent** |
| □ **cast**<br>[kæst] | 動 **蛻（皮）；拋，擲** | **shed** |
| □ **regenerate**<br>[rɪˋdʒɛnəˏret] | 動 **再生** | **reproduce** |
| □ **pollute**<br>[pəˋlut] | 動 **汙染**<br>◆ Writing 中可將 pollute 和同義字 contaminate 替換使用。 | **contaminate** |
| □ **homogenous**<br>[həˋmadʒənəs] | 形 **同質的，均質的**<br>◆ 也可以寫成 homogeneous。反義字是 heterogenous（異質的）。 | **of the same kind** |
| □ **paramount**<br>[ˋpærəˏmaʊnt] | 形 **最高的；卓越的**<br>◆ 是考生不太熟悉的單字，請注意。 | **most important** |
| □ **renounce**<br>[rɪˋnaʊns] | 動 **拋棄；否認；與…斷絕關係**<br>◆ 常出，記得要從上下文來判斷意思。 | **no longer support**<br>**give up**<br>**waive**<br>**reject** |

| | |
|---|---|
| Sea cucumbers have the capacity to become quiescent and live at a low **metabolic** rate for long periods. | 海參能夠靜止不動並長期存活於低代謝率的狀態。 |
| If it were not for this **faculty**, sea cucumbers would devour all the food available in a short time. | 若不是有此能力，海參將會在短時間內把所有可及的食物一掃而空。 |
| The most **spectacular** thing about the sea cucumber is the way it defends itself. | 海參最與眾不同之處在於它的自衛方式。 |
| The sea cucumber **casts** off attached structures such as tentacles. | 海參會將觸手等身上的組織剝除。 |
| The sea cucumber will eviscerate and **regenerate** itself if it is attacked or just even touched. | 如果遭受攻擊甚或只是觸碰，海參會排出自身的內臟並自我再生。 |
| The sea cucumber will do the same if the surrounding water temperature is too high or if the water becomes too **polluted**. | 如果周遭的水溫太高或是水質過於汙染，海參也會採取同樣的作法。 |
| A folk culture is **homogenous** in custom and race, with a strong family or clan structure. | 民俗文化在風俗和種族上屬於同質，具有穩固的家庭或宗族結構。 |
| In a folk culture, tradition is **paramount**, and change comes infrequently and slowly. | 民俗文化中傳統至上，變動少有且緩慢。 |
| The Amish are a German American farming sect that largely **renounces** the products and labor saving devices of the industrial age. | 門諾教派是一個德裔美國務農教派，強烈摒棄工業化時代的產品和節省勞力的工具。 |

| | | |
|---|---|---|
| □ **pronounced**<br>[prə`naʊnst] | 形 **清楚明白的，明顯的；發出音的**<br>◆ 常在與「清楚明白的，明顯的」之意相關的同義字題型中出現。 | **clear** |
| □ **secular**<br>[`sɛkjələ˞] | 形 **世俗的；非宗教的**<br>◆ 在同義字題型中常出現。 | **worldly**<br>**earthly** |
| □ **equivalent**<br>[ɪ`kwɪvələnt] | 名 形 **相等物（的）**<br>◆ 請從上下文中找到可以具體取代的字詞，如英文例句中 equivalent 可以被 objects 取代。 | **counterpart** |
| □ **dissipate**<br>[`dɪsə,pet] | 動 **消散** | **scatter** |
| □ **devastate**<br>[`dɛvəs,tet] | 動 **摧毀**<br>◆ 形容詞是 devastating（破壞性的），也常出現在考題中。 | **demolish**<br>**destruct** |
| □ **mute**<br>[mjut] | 形 **不能說話的；啞巴的；沉默的** | **dumb** |
| □ **feasible**<br>[`fizəbḷ] | 形 **可實踐的，可能的**<br>◆ 常和 possible（可能的）出現在搭配類型的同義字題型中。 | **possible**<br>**practicable**<br>**likely** |
| □ **compile**<br>[kəm`paɪl] | 動 **彙整（資料等）並編輯** | **collect**<br>**put together**<br>**edit** |
| □ **prospect**<br>[`praspɛkt] | 名 **可能性，展望，希望，前途**<br>◆ 所表達的意思有時候會有些微的差異，請盡量從上下文做判斷。 | **possibility** |

| | |
|---|---|
| Their relationships tend to be impersonal, and a **pronounced** division of labor exists. | 他們的關係傾向不涉及個人情感，並且存在著清楚的勞力分工。 |
| **Secular** institution of control such as the police and army took the place of religion and family in maintaining order. | 如警察、軍隊等世俗的管制機構，取代了宗教和家庭維持秩序的功能。 |
| Folk-made objects give way to their popular **equivalent**. | 民俗製品被大眾化製品（相等製品）取代。 |
| Torrential rains, severe thunderstorms, and tornadoes begin quickly, strike suddenly, and **dissipate** rapidly. | 豪雨、豪大雷雨和龍捲風來得快，攻其不備，然後迅速消散。 |
| Many of the most damaging and life-threatening types of weather **devastate** small regions while leaving neighboring areas untouched. | 許多最具破壞力、最危及生命的天氣類型只摧毀小塊地區，卻留下鄰近區域毫髮無傷。 |
| Suffering from schizophrenia, the man was often **mute** and unresponsive to his environment. | 男子受精神分裂症所苦，時常無法言語且對環境毫無反應。 |
| Until recently, the observation-intensive approach needed for accurate, very short-range forecasts was not **feasible**. | 直到近日，精確的極短期預報所需的密集觀察法仍無法實踐。 |
| Modern computers can quickly **compile** and analyze this large volume of weather information. | 新式的電腦能夠快速編彙並分析這麼大量的氣象資料。 |
| People were haunted by the **prospect** that unprecedented change in the nation's economy would bring social chaos. | 國家經濟空前的變化將帶來社會混亂，這種可能性在民眾的腦中揮之不去。 |

| | | |
|---|---|---|
| □ **manufacturing** [ˌmænjəˋfæktʃərɪŋ] | 名 **製造業，工業** | **making producing** |
| □ **makeup** [ˋmekʌp] | 名 **組成，構成**<br>◆ 也有「化妝品；性格；補考」的意思。 | **combination** |
| □ **ethnic** [ˋɛθnɪk] | 形 **種族的，人種的；民族特有的** | **racial** |
| □ **mobility** [moˋbɪlətɪ] | 名 **流動性，機動性** | **ability to move easily** |
| □ **orderly** [ˋɔrdəlɪ] | 形 **有秩序的，整齊的**<br>◆ 同義字包括會話題型中常出現的 neat（有秩序的，整齊的）。 | **tidy** |
| □ **distinction** [dɪˋstɪŋkʃən] | 名 **差異，區別；特徵，特質**<br>◆ 是個簡單卻常出現在考題中的單字。 | **difference discrimination** |
| □ **dizzying** [ˋdɪzɪɪŋ] | 形 **使暈眩的** | **confusing** |
| □ **pollination** [ˌpɑləˋneʃən] | 名 **授粉（作用）**<br>◆ 和 pollen（花粉）的拼法有些類似。 | **fertilization** |
| □ **distort** [dɪsˋtɔrt] | 動 **扭曲，使變形**<br>◆ 也可用來表示「扭曲（事實、真理等）」。 | **warp bend** |
| □ **strip** [strɪp] | 名 **狹長的土地；（布等的）細長片**<br>◆ 可以想像成「像繩子般細長的土地」，如 The Sunset Strip（日落大道）。 | **a long narrow piece of land** |

| | |
|---|---|
| A gradual shift occurred in the nation's labor force from agriculture to **manufacturing** and other nonagricultural pursuits. | 國家的勞力逐漸從農業轉移到製造業和其他非農業活動。 |
| As the population grew, its **makeup** also changed. | 隨著人口增加，人口組成也跟著改變了。 |
| Massive waves of immigration brought new **ethnic** groups into the country. | 一波波巨大的移民潮將新的族群帶進了這個國家。 |
| Geographic and social **mobility**—downward as well as upward—touched almost everyone. | 地域或社會的流動性——向下以及向上——幾乎牽涉到每一個人。 |
| It seemed to many people that all the recognized values of **orderly** civilization were gradually being eroded away. | 對很多人而言，似乎所有文明秩序公認的價值準則都逐漸瓦解了。 |
| These changes tended to magnify social **distinctions**. | 這些改變有放大社會差異的傾向。 |
| In the context of extreme competitiveness and **dizzying** social change, the household lost many of its earlier functions. | 在競爭極度激烈，社會變化令人頭暈目眩的背景環境下，家庭失去了許多早先的功能。 |
| The column is designed so that a single **pollination** will fertilize hundreds of thousands, and in some cases millions, of seeds. | 蕊柱的設計使得單次授粉便能孕育出數十萬顆，甚至在某些情況下數百萬顆的種子。 |
| Sepals and petals are often **distorted** into gorgeous, weird, but always functional shapes. | 萼片與花瓣常被扭曲成華美、奇異卻總具實用性的形狀。 |
| It is often dramatically marked as an unmistakable "landing **strip**" to attract the specific type of insect the orchid has chosen as its pollinator. | 它常被明顯標記成一塊不容誤認的「著陸之地」，以吸引蘭花選為傳粉媒介的特定蟲種。 |

| | | |
|---|---|---|
| ▢ **lure**<br>[lʊr] | 動 **吸引，誘惑**<br>◆ 也可以當名詞，意思是「釣魚用的假餌；誘惑物」。 | **tempt**<br>**attract**<br>**allure** |
| ▢ **irresistible**<br>[ˌɪrɪˋzɪstəbḷ] | 形 **不可抗拒的，不能壓制的**<br>◆ 常見的搭配用法為 irresistible urge（難以抑制的衝動）。 | **attractive** |
| ▢ **prosperity**<br>[prasˋpɛrətɪ] | 名 **（經濟等）繁榮，成功** | **success** |
| ▢ **overtax**<br>[ˋovɚˋtæks] | 動 **使負擔過重；對…課稅過高** | **overload** |
| ▢ **cope**<br>[kop] | 動 **處理，對付**<br>◆ 常和 with 搭配使用，如右頁例句所示。 | **deal**<br>**manage**<br>**handle** |
| ▢ **antiquated**<br>[ˋæntəˌkwetɪd] | 形 **舊式的，過時的** | **outdated**<br>**old-fashioned** |
| ▢ **layman**<br>[ˋlemən] | 名 **門外漢，一般人**<br>◆ 如果指女性，則用 laywoman。 | **amateur** |
| ▢ **boon**<br>[bun] | 名 **好處，利益**<br>◆ 小心別和 boom（急速發展；急漲）弄混了。 | **blessing**<br>**benefit** |
| ▢ **manifestation**<br>[ˌmænəfɛsˋteʃən] | 名 **表明；政策發表；示威運動**<br>◆ manifesto（政策；聲明）源自義大利文。 | **demonstration** |

| | |
|---|---|
| To **lure** their pollinators from afar, orchids use appropriately intriguing shapes, colors, and scents. | 為了將傳粉昆蟲從遠處**吸引**過來，蘭花妥善運用其迷人的形狀、顏色和香氣。 |
| Orchids have made themselves **irresistible** to collectors. | 蘭花讓收藏者**無法抗拒**。 |
| With the growing **prosperity** brought on by the Second World War, young people married and established households earlier. | 由於二次世界大戰帶來日趨**繁榮**的經濟，年輕人較早結婚建立家庭。 |
| Because of the baby boom of the 1950s and 1960s, the public school system suddenly found itself **overtaxed** | 因為 1950 年代和 1960 年代的嬰兒潮，公立學校系統突然感到**不勝負荷**。 |
| A rise in the number of schoolchildren and wartime and postwar conditions made the schools even less prepared to **cope** with the situation. | 學童數的增加以及戰時和戰後情況更使得學校來不及準備好**處理**這樣的狀況。 |
| In the 1950s and 1960s, the baby boom hit an **antiquated** and inadequate school system. | 1950 年代和 1960 年代，嬰兒潮對**舊式**且不足的學校系統造成了打擊。 |
| With the baby boom, the focus of educators and **laymen** interested in education inevitably turned toward students' lower grades. | 由於嬰兒潮的緣故，關心教育的教育家和**一般民眾**不可避免地將焦點轉向較低的年級。 |
| Writers such as Ralph Waldo Emerson and Henry David Thoreau saw the railroad both as a **boon** to democracy and as an object of suspicion. | 拉爾夫・沃爾多・愛默生和亨利・大衛・梭羅等作家認為鐵路對民主**助益**良多，卻又認為鐵路是一項可疑之物。 |
| In its **manifestation** of speed and noise, the railroad was a despoiler of human nature as well. | **展現**速度和噪音的過程中，鐵路也同時掠奪了人的本性。 |

| | | |
|---|---|---|
| ☐ **lament**<br>[lə`mɛnt] | 動 **悲慟，悔恨** | **deplore** |
| ☐ **realm**<br>[rɛlm] | 名 **範疇，領域**<br>◆ 同義字很多，常出。 | **domain**<br>**field**<br>**area** |
| ☐ **novel**<br>[`navḷ] | 形 **新穎的，新奇的**<br>◆ 也可以當名詞，意思是「小說，長篇故事」。 | **new** |
| ☐ **obsess**<br>[əb`sɛs] | 動 **使著迷；使困擾**<br>◆ 名詞是 obsession（揮之不去的想法，縈繞於心）。 | **possess**<br>**haunt** |
| ☐ **stationary**<br>[`steʃə,nɛrɪ] | 形 **安裝固定的；靜止不動的**<br>◆ 務必注意 stationary 和 stationery（文具；信箋）只有一個字母不同。 | **immovable**<br>**motionless**<br>**still** |
| ☐ **vessel**<br>[`vɛsḷ] | 名 **（大）船；器皿；血管，導管，脈管**<br>◆ 考過數次和同義字 craft（船）的問題。 | **ship**<br>**boat**<br>**craft** |
| ☐ **economy**<br>[ɪ`kanəmɪ] | 名 **節省（錢等）；經濟狀況；經濟體系**<br>◆ 記得從上下文來判斷 economy 的意思。 | **thrifty**<br>**saving** |
| ☐ **demolish**<br>[dɪ`malɪʃ] | 動 **毀壞；拆除（建築物）** | **destroy**<br>**ruin** |
| ☐ **dormant**<br>[`dɔrmənt] | 形 **休眠的；暫時不活動的**<br>◆ 可能會出現在與火山相關的題目中。 | **inactive**<br>**sleeping**<br>**hibernating** |

| | |
|---|---|
| Historians **lamented** the role that the new frenzy for business was playing in eroding traditional values. | 歷史學家對新興的貿易狂熱在侵蝕傳統價值觀中所扮演的角色感到**遺憾**。 |
| The literature in which the railroad plays an important role belongs to popular culture rather than to the **realm** of serious art. | 有鐵路在其中扮演重要角色的文學，隸屬於大眾文化而非嚴肅藝術的**範疇**。 |
| The engine that became standard on western steamboats was of a different and **novel** design. | 成了西部蒸氣船標準配備的引擎，具有與眾不同且**新穎的**設計。 |
| The self-educated son of a Delaware farmer, Evans became **obsessed** early on by the possibilities of mechanized production and steam power. | 身為無師自學的德拉瓦州農夫之子，埃文斯很早就對機械化生產及蒸氣動力的可能性**著迷**不已。 |
| As early as 1802, he was using a **stationary** steam engine of a high-pressure design in his mill. | 早在 1802 年他就在他的磨坊裡使用高壓設計的**固定式**蒸氣引擎。 |
| In shallow western rivers, the weight of a **vessel** and its engine was important. | 在狹淺的西部溪流中，**船隻**和引擎的重量相當重要。 |
| The main advantages of low-pressure engines were safe operation and fuel consumption **economy**. | 低壓引擎的主要優點在於操作安全且**節省**燃料消耗。 |
| In 1980, 70% of Mount Saint Helens' ice cover was **demolished**. | 1980 年時聖海倫山上 70% 的冰層覆蓋遭到**破壞**。 |
| During the long, **dormant** intervals, glaciers eventually reduce volcanic cones to rubble. | 冰河在漫長的**休眠**期裡最後將火山錐削減成碎石。 |

MP3 068

| | | |
|---|---|---|
| □ **compact** [kəm`pækt] | 動 **使緊密，壓緊** | **compress** **pack** |
| □ **equilibrium** [ˏikwə`lɪbrɪəm] | 名 **平衡，均勢** | **balance** **stability** |
| □ **discharge** [dɪs`tʃɑrdʒ] | 動 **排放（氣體等）；釋放；使免除；卸貨** ◆ 字義非常多，例如 The patient was discharged from a hospital.（該病患出院了。） | **release** **eject** |
| □ **smother** [`smʌðɚ] | 動 **悶住，使窒息；抑制** | **extinguish** **suffocate** |
| □ **alter** [`ɔltɚ] | 動 **改變；修改** ◆ 同義字很多，常出：在 Writing 中可以替換使用。 | **change** **transform** |
| □ **burgeon** [`bɝdʒən] | 動 **迅速成長；萌芽** ◆ 從「使長出新芽」的意思而來。曾在從上下文判斷字義的同義字題型中出現過。 | **develop quickly** |
| □ **celestial** [sə`lɛstɪəl, sɪ`lɛstʃəl] | 形 **天的，天空的** ◆ 反義字是 terrestrial（陸地上的；地球上的）。 | **heavenly** |
| □ **permeate** [`pɝmɪˏet] | 動 **遍布；浸透** ◆ 會出現在地質學、社會學等領域的考題中，請記熟。另外也要注意拼字和發音。 | **penetrate** |
| □ **eject** [ɪ`dʒɛkt] | 動 **噴出；彈射出；驅逐** | **emit** **expel** |
| □ **inherit** [ɪn`hɛrɪt] | 動 **經遺傳而獲得；繼承（遺產等）** ◆ 在一般的同義字題型中常出現。 | **acquire** **take over** |

| | |
|---|---|
| Snow accumulating yearly in Rainier's summit craters is **compacted** and compressed into a dense form of ice called firn. | 歷年累積於雷尼爾山頂火山口的冰雪被擠壓成一種稱作「粒雪」的高密度冰。 |
| To maintain the cave system, the elements of fire under the ice must remain in **equilibrium**. | 為了維持洞穴系統，冰層下的火元素必須維持平衡。 |
| If too much volcanic heat is **discharged**, the crater's ice pack will melt entirely away. | 如果過多火山高溫被釋放出來，火山口的冰袋將會完全融化。 |
| The ice pushes against the enclosing crater walls and **smothers** the present caverns. | 冰雪壓住圍起來的火山壁並悶住現有的洞穴。 |
| The change in a factory system radically **altered** the nature of work during the half century between 1870 and 1920. | 在 1870 到 1920 年這半個世紀間，工廠制度的改變徹底改變了工作的本質。 |
| During this time, the number of huge plants like Baldwin Locomotive Works in Philadelphia **burgeoned**. | 此一時期類似費城鮑德溫火車頭製造廠的大型工廠數量迅速增加。 |
| Stars may be spheres, but not every **celestial** object is spherical. | 星星可能是球狀物，但並不是每個天體都是球形。 |
| When the jets strike the highly rarefied gas that **permeates** intergalactic space, the fast-moving electrons lose their highly directional motion. | 當噴射流擊向遍布銀河間的極稀薄氣體時，快速運動的電子會失去其極具方向性的運動方式。 |
| Why should a galaxy **eject** matter at such tremendous speeds in two narrow jets? | 一個銀河為何會如此高速地以兩條狹長噴射流的形式彈射出物質來呢？ |
| The sculptural legacy that the new United States **inherited** from its colonial predecessors was far from a rich one. | 新美國從其殖民祖先手中繼承的雕刻遺產乏善可陳。 |

| | | |
|---|---|---|
| ☐ **slab**<br>[slæb] | 名 **厚石板，厚的切片** | **block**<br>**thick flat piece** |
| ☐ **commission**<br>[kə`mɪʃən] | 動 **委託，交付…任務** | **assign**<br>**contract** |
| ☐ **patriot**<br>[`petrɪət] | 名 **愛國者**<br>◆ 在美國歷史上，則和 loyalist（擁護英國派）互成對比。 | **nationalist** |
| ☐ **tolerate**<br>[`tɑlə͵ret] | 動 **忍受，容忍**<br>◆ 同義字很多，常出，其中以 stand 較常出現在會話題型中。 | **endure**<br>**bear**<br>**withstand**<br>**put up with** |
| ☐ **replenish**<br>[rɪ`plɛnɪʃ] | 動 **補充**<br>◆ 原為「再加滿」之意。 | **supply**<br>**restock** |
| ☐ **dehydrate**<br>[di`haɪ͵dret] | 動 **（身體）脫水，失水**<br>◆ 字首 de- 表示「分離，除去」的意思。hydrate（水化合物；氫氧化物）與字首 hydro-（與水有關的）相關。 | **lose too much water** |
| ☐ **intoxication**<br>[ɪn͵tɑksə`keʃən] | 名 **中毒；酒醉** | **poisoning**<br>**drunkenness** |
| ☐ **pasture**<br>[`pæstʃɚ] | 名 **牧草地** | **grazing**<br>**meadow** |

| | |
|---|---|
| Stone carvers engraved their motifs of skulls and crossbones and other religious icons of death into the gray **slabs**. | 石刻家將骷髏和大腿骨交叉的圖案，以及其他宗教上的死亡象徵刻在灰色的**石板**上。 |
| In the 1770s, Charleston, South Carolina **commissioned** the Englishman Joseph Wilton to make marble statues of William Pill. | 1770 年代南卡羅來納州的查爾斯頓市，**委託**英國人約瑟夫・威爾頓製作數尊威廉・畢爾的大理石雕像。 |
| Wilton made a lead equestrian image of King George that was erected in New York in 1770, which was later torn down by zealous **patriots**. | 威爾頓製作了一尊喬治國王騎馬的鉛製塑像，於 1770 年豎立於紐約，後來遭到狂熱的**愛國分子**拆除。 |
| One strategy of large desert animals is to **tolerate** the loss of body water to a point that would be fatal for non-adapted animals. | 大型沙漠動物的一項對策就是**忍受**身體水分的流失，程度之劇對非適應性動物而言足以致命。 |
| An important adaptation of large desert animals is the ability to **replenish** this water loss in one drink. | 大型沙漠動物一項重要的適應性調整，就是具備一次飲水就**補足**此水分流失的能力。 |
| A very **dehydrated** person cannot drink enough water during one session. | 嚴重**脫水**的人不可以一口氣把水喝足。 |
| The human stomach is not sufficient for large quantities of water, thus leading to the rapid diluting of body fluids that causes death by water **intoxication**. | 人的胃不足以容納大量的水，因而會導致體液迅速稀釋，造成水**中毒**死亡。 |
| The tolerance of water loss enables these animals to stray far away from watering holes and obtain food from grazing sparse and far-flung **pastures**. | 對水分流失的忍耐力讓這些動物得以遠離水源，並能從稀少且遙遠的**草原**中獲取食物。 |

| | | |
|---|---|---|
| ☐ **whereby** [hwɛr`baɪ] | 副 **藉此，由此**<br>◆ 為一個關係副詞。 | **by which** |
| ☐ **impose** [ɪm`poz] | 動 **強加（法律等）於；課徵（稅等）**<br>◆ 後面常接 on...，例如 We impose human civilization on nature.（我們將人類文明強加在大自然中。） | **inflict** |
| ☐ **spur** [spɝ] | 動 **激勵；疾馳**<br>◆ 也可作名詞，意思是「馬刺」，即裝在牛仔靴後跟，用來刺激馬腹部的東西。 | **stimulate**<br>**hasten**<br>**urge** |
| ☐ **municipal** [mju`nɪsəpḷ] | 形 **市政的；市的** | **civil**<br>**of a city** |
| ☐ **subsidize** [`sʌbsə,daɪz] | 動 **給予補助或津貼**<br>◆ 也會和動詞 finance（提供資金，為…籌措資金）同時出現在同義字題型中。 | **aid**<br>**support** |
| ☐ **exempt** [ɪg`zɛmpt] | 形 **被豁免的，免除義務或責任的**<br>◆ 請記住 be exempt from...（從…被豁免）的用法。 | **excused** |
| ☐ **circulation** [,sɝkjə`leʃən] | 名 **發行量；循環**<br>◆ 考生通常較熟悉「循環」的意思，因此「發行量」反而成為出題重點。 | **issue**<br>**cycle** |
| ☐ **dedicate** [`dɛdə,ket] | 動 **（將時間、精力等）奉獻給，致力於**<br>◆ 也有「為…舉行落成儀式或揭幕式」的意思。 | **devote** |

| | |
|---|---|
| Rent control is the system **whereby** the local government tells building owners how much rent they can charge their tenants. | 房租管制是一種制度，地方政府**藉此**告知房屋所有人可向承租人收取多少房租。 |
| In 1943, the federal government **imposed** rent controls to help solve the problem of wartime housing shortages. | 1943 年聯邦政府**強制**推行房租管制來協助解決戰時住宅短缺的問題。 |
| Rent controls were **spurred** by the inflation of the 1970s. | 房租管制乃是受到 1970 年代通貨膨脹的**刺激**。 |
| In 1979 Santa Monica's **municipal** government ordered landlords to roll back their rents to the levels charged in 1978. | 1979 年聖塔莫妮卡**市**政府命令房東將房租降回 1978 年的水準。 |
| In New York City, except for government-**subsidized** construction, the only rental units being built are luxury units. | 在紐約市，除了政府**補助**的營建工程以外，唯一建造的租賃單位都是豪華單位。 |
| New office rental space and commercial developments are **exempt** from rent controls. | 新的辦公租賃空間和商業開發區**免受**房租管制。 |
| By 1892, the **circulation** of *the Ladies' Home Journal* had reached an astounding 700,000. | 到了 1892 年，《婦女家庭雜誌》的**發行量**大得驚人，高達 70 萬份。 |
| Edward Bellamy's *Looking Backward* gave rise to the growth of organizations **dedicated** to the realization of his vision of the future. | 愛德華·貝拉米的《回顧》促使那些**致力於**實現他未來願景的企業成長。 |

| | | |
|---|---|---|
| ☐ **insulation**<br>[͵ɪnsə`leʃən] | 名 隔離，孤立；絕緣<br>◆「絕緣」之意也常出現在考題中。 | isolation<br>quarantine |
| ☐ **optical**<br>[`ɑptɪkḷ] | 形 光學的；視力的<br>◆ 別忘了 optical 還有「視力的」的意思。另外，optometrist 是指「驗光師」。 | using light as a means |
| ☐ **associate**<br>[ə`soʃɪ͵et] | 動 使相關；聯想；結交<br>◆ 曾經考過「結交」的意思，請注意。 | link<br>connect |
| ☐ **stiffen**<br>[`stɪfṇ] | 動（使）變得堅硬；使僵硬 | solidify<br>harden |
| ☐ **induce**<br>[ɪn`djus] | 動 引起；引誘<br>◆ 曾考過從上下文選出同義字 cause 的題目。 | cause |
| ☐ **locomotion**<br>[͵lokə`moʃən] | 名 移動；運動（力） | movement<br>motion |
| ☐ **exert**<br>[ɪg`zɝt] | 動 施加；盡（力）；發揮<br>◆ 和名詞 exertion（努力；骨折；發揮）都是很重要的單字。 | apply |
| ☐ **furnish**<br>[`fɝnɪʃ] | 動 提供；布置<br>◆ 如果公寓「附家具」的話，可以用 furnished（附家具的）來形容，如 completely furnished（家具齊備）。 | equip<br>provide |
| ☐ **resin**<br>[`rɛzɪn] | 名 樹脂 | pitch<br>gum |
| ☐ **intricate**<br>[`ɪntrəkɪt] | 形 錯綜複雜的，難懂的 | complex |

| | |
|---|---|
| The printed word was intruding on the **insulation** that had characterized United States society from an earlier period. | 印刷文字侵擾了早期美國社會特有的隔離狀態。 |
| Glass can be decorated in multiple ways and its **optical** properties are exceptional. | 玻璃有多種裝飾方法，而它的光學特質非比尋常。 |
| Glass lacks the crystalline structure normally **associated** with solids, and instead retains the random molecular structure of a liquid. | 玻璃缺少一般與固體相關聯的晶體結構，卻保有液體任意的分子結構。 |
| As molten glass cools, it progressively **stiffens** until rigid. | 隨著熔融玻璃的冷卻，它會逐漸僵化直到變堅硬為止。 |
| Uneven cooling **induces** internal stresses in glass. | 冷卻不均會使玻璃內部產生壓力。 |
| A great deal can be learned from the actual traces of ancient human **locomotion**: the footprints of early hominids. | 人們可從遠古人類運動的實際遺跡——早期原始人的腳印——之中獲得眾多資訊。 |
| The pressures **exerted** along the foot indicated that the hominids had been walking slowly. | 沿著足部施加的壓力顯示出原始人以緩慢的速度行走。 |
| Once again, the results **furnished** possible evidence of bipedalism. | 這些結果再次為雙足步行提供了可能的證據。 |
| Detailed silicon **resin** molds of footprints showed that the footprints were mostly made by bare feet. | 精細的矽樹脂腳印模型證明大部分的腳印都是由赤腳產生的。 |
| The livelihood of each species in the vast and **intricate** assemblage of living things depends upon the existence of other organisms. | 在這浩瀚且錯綜複雜的生物集合體中，任一物種的存活均仰賴其他有機體的存在。 |

| | | |
|---|---|---|
| □ **army**<br>[`ɑrmɪ] | 名（動物、人等的）一大群<br>◆ 廣義來說，an army of..., a lot of... 和 an array of... 都可指同一族群。 | **a large number of** |
| □ **inhibit**<br>[ɪn`hɪbɪt] | 動 抑制，阻礙 | **stop**<br>**interrupt**<br>**check** |
| □ **foreign**<br>[`fɔrɪn] | 形 外來的，外國的；有害的，異質的<br>◆「有害的，異質的」之意常出。 | **alien**<br>**heterogeneous** |
| □ **improvisation**<br>[ˌɪmprəvə`zeʃən] | 名 即興演出，即興創作<br>◆ 常出現在 Reading 中。記得把動詞 improvise（即興做…）一併記下來。 | **ad-lib**<br>**playing by ear** |
| □ **strive**<br>[straɪv] | 動 努力（以獲得…） | **struggle**<br>**endeavor** |
| □ **initially**<br>[ɪ`nɪʃəlɪ] | 副 最初，一開始<br>◆ at first 為同義詞，請特別留意。 | **at first** |
| □ **unadorned**<br>[ˌʌnə`dɔrnd] | 形 簡樸的，未經修飾的<br>◆ 比動詞 adorn（裝飾）還常考。 | **plain** |
| □ **combustible**<br>[kəm`bʌstəbḷ] | 形 可燃性的；易燃的；易激動發怒的<br>◆ 請和名詞 combustion（燃燒；氧化；激昂）一起記下來。 | **inflammable**<br>**flammable**<br>**ignitable** |
| □ **saturate**<br>[`sætʃəˌret] | 動 使飽和；浸透<br>◆ saturation point 是「飽和點」的意思。 | **soak**<br>**drench** |

| | |
|---|---|
| A multitude of microorganisms and an **army** of invertebrates, or creatures lacking a spinal column, make their livings directly at the expense of other creatures. | 眾多的微生物和大群的無脊椎動物（即缺少脊柱的生物），便是直接以犧牲其他生物來謀求自身的生存。 |
| These substances are capable of killing or **inhibiting** the growth of various kinds of bacteria. | 這些物質能夠殺死或抑制多種細菌的滋長。 |
| The immune system recognizes and takes action against **foreign** invaders and transplanted tissues that are treated as foreign cells. | 免疫系統會辨識出外來入侵者和移植組織，將其視為外來細胞，進而採取攻擊行動。 |
| **Improvisation** is the changing of a musical phrase according to the player's inspiration. | 即興演出是指依照演奏者的靈感而更改樂句。 |
| Like all artists, jazz musicians **strive** for an individual style. | 與所有的藝術家相同，爵士樂手力求塑造個人風格。 |
| One distinguishing characteristic of jazz is a rhythmic drive that was **initially** called "hot" and later "swing." | 爵士樂最與眾不同的一項特色便是節奏性動力，起初稱為「熱爵士樂」，後來則稱為「搖擺樂」。 |
| Many early bands played **unadorned** published arrangements of popular songs. | 許多早期的樂團都演奏已發行的簡樸改編流行歌曲。 |
| Burning was explained as the release of phlogiston from **combustible** material into the air. | 燃燒被解釋為燃素自可燃物質釋放到空氣中。 |
| Once the air had become **saturated**, no additional amounts of phlogiston could leave the combustible substance. | 一旦空氣達到飽和，再也沒有多餘的燃素能從可燃物質釋放出來。 |

| 單字 | 字義與說明 | 同義字 |
| --- | --- | --- |
| □ **awkward**<br>[ˋɔkwɚd] | 形 **生硬的，笨拙的**<br>◆ awkward 與 I'm all thumbs.（我很笨拙。）中 all thumbs（笨手笨腳的，一竅不通的）的意思相同。 | **clumsy** |
| □ **ascribe**<br>[əˋskraɪb] | 動 **歸因於，歸咎於**<br>◆ 用法如 We ascribe air pollution to cars.（空氣汙染肇因於汽車。） | **attribute**<br>**credit** |
| □ **constituent**<br>[kənˋstɪtʃʊənt] | 名 **成分；選民**<br>◆ 是個常考的單字。 | **component**<br>**ingredient** |
| □ **straightforward**<br>[ˌstretˋfɔrwɚd] | 形 **易懂的；率直的；筆直的**<br>◆ 意思很多，請從上下文來判斷這個字的確切意思。 | **intelligible**<br>**simple** |
| □ **ore**<br>[or] | 名 **礦石** | **mineral** |
| □ **beam**<br>[bim] | 名 **樑，橫柱**<br>◆ beam 在 TOEFL iBT 中很常考，尤其出現在 iron beam（鐵樑）、steel beam（鋼樑）等用法中。 | **girder**<br>**plank** |
| □ **viable**<br>[ˋvaɪəbḷ] | 形 **可實行的**<br>◆ 前面大多會搭配 commercially（商業上）一起使用。 | **possible** |
| □ **span**<br>[spæn] | 動 **（橋樑等）跨越**<br>◆ span openings（跨越空間）是典型的用法。 | **bridge**<br>**cross**<br>**extend across** |
| □ **spawn**<br>[spɔn] | 動 **大量產出，大量湧現**<br>◆ 使用於產出像青蛙蛋、鮭魚卵那樣小的蛋時。 | **lay**<br>**produce** |

| | |
|---|---|
| Although the phlogiston theory was self-consistent, it was **awkward**. | 儘管燃素理論能夠自圓其說，卻**十分生硬**。 |
| The theory required that imaginary, even mysterious, properties be **ascribed** to phlogiston. | 該理論有賴於將假想、甚而神祕難解的特性**歸因於**燃素。 |
| Antoine Lavoisier was led to propose a theory of burning that required a **constituent** of air for combustion. | 安東尼・拉瓦錫受到引導而提出一個燃燒理論，指燃燒過程需要一種空氣**成分**方能進行。 |
| Lavoisier's interpretation was more reasonable and **straightforward** than that of the phlogiston theorists. | 拉瓦錫的解釋比燃素理論家所提出的理論更合理且更**簡單易懂**。 |
| Iron production was revolutionized in the early eighteenth century when coke was first used instead of charcoal for refining iron **ore**. | 鐵的生產在 18 世紀早期有了革命性的改變，焦炭首度取代木炭用來提煉**鐵礦**。 |
| With the improvement in refining ore, it was now possible to make cast-iron **beams**, columns, and girders. | 由於礦石提煉方式的改良，現在已經能夠製造出鑄鐵的**樑**、柱和主樑。 |
| Bessemer's process for converting iron into steel made the material more commercially **viable**. | 柏思麥鐵轉鋼製程使此材質在商業上更具**可行性**。 |
| Apart from its low cost, the appeal of iron as a building material lay in its strength, its resistance to fire, and its potential to **span** vast areas. | 除了成本低廉，作為一種建材，鐵的吸引力在於強度、耐火性及其**跨越**廣大區域的潛力。 |
| The use of exposed iron occurred mainly in the new building types **spawned** by the Industrial Revolution. | 將鐵暴露在外的使用方式主要出現在工業革命所**大量產出**的新建築樣式上。 |

| | | |
|---|---|---|
| □ **outweigh**<br>[aʊt`we] | 動 **比…更重要；比…更重**<br>◆ 使用在 Writing 中進行反論之際。 | surpass<br>exceed<br>override |
| □ **house**<br>[haʊz] | 動 **收容，給…房子住**<br>◆ 注意發音！ | accommodate<br>lodge |
| □ **mock**<br>[mɑk] | 動 **嘲笑；模仿**<br>◆ 若是表示「嘲笑」之意，那麼就要注意會考和 ridicule（嘲笑）的同義字問題。 | ridicule |
| □ **aesthetic**<br>[ɛs`θɛtɪk] | 形 **美學的，審美的** | refined<br>artistic |
| □ **meteorite**<br>[`mitɪə,raɪt] | 名 **隕石**<br>◆ 若是畫過天際的「流星」，則稱為 meteor。 | meteor |
| □ **disintegrate**<br>[dɪs`ɪntə,gret] | 動 **碎裂，崩裂** | break up<br>crumble |
| □ **glacier**<br>[`glæsɪɚ, `gleʃɚ] | 名 **冰河**<br>◆ 與冰河有關的文章、演講內容等都很常考。「雪無法融化」是冰河形成的主要原因。 | ice |
| □ **stark**<br>[stɑrk] | 形 **鮮明的，顯而易見的** | sheer<br>absolute |
| □ **hurl**<br>[hɝl] | 動 **用力扔或摔** | fling<br>throw |
| □ **precursor**<br>[prɪ`kɝsɚ] | 名 **先驅，前輩，前身**<br>◆ 可能會考要具體指出所指的事物是什麼。 | predecessor<br>ancestor |
| □ **dogma**<br>[`dɔgmə] | 名 **信條，教義；獨斷之見** | doctrine<br>creed |

| | |
|---|---|
| Iron's practical advantages far **outweighed** its lack of status. | 鐵的優勢在於實用性，遠**比**它缺乏地位**重要**。 |
| Paxton's Crystal Palace was designed to **house** the Great Exhibition of 1851. | 帕克斯頓的水晶宮是設計來容**納** 1851 年的大博覽會。 |
| The iron frames were **mocked** by the artistic elite of Paris as expensive and ugly follies. | 鐵製骨架受到巴黎藝術精英的**嘲笑**，稱其為昂貴又醜陋的建築。 |
| Iron, despite its structural advantages, had little **aesthetic** status. | 儘管鐵有建築優勢，卻少有**美學**地位。 |
| The most easily recognizable **meteorites** are ones of the iron variety. | **隕石**以一些含鐵成分的種類最容易辨識。 |
| Those meteorites might have once made up the core of a large planetoid that **disintegrated** long ago. | 這些隕石可能曾經組成了早已**碎裂**之大型小行星的核心。 |
| One of the best hunting grounds for meteorites is in the **glaciers** of Antarctica. | 南極洲的**冰河**是尋找隕石的最佳場所之一。 |
| In Antarctica, the dark stones stand out in **stark** contrast to the white snow and ice. | 在南極洲，黝黑的石頭明顯可見，與白色的冰雪形成**鮮明的**對比。 |
| Large impacts blasted out chunks of material and **hurled** them toward Earth. | 巨大的撞擊炸出一堆堆的物質，並將之**猛力擲**向地球。 |
| These carbon compounds may have been the **precursors** of life on Earth. | 這些碳化合物可能是地球生物的**先驅**。 |
| These experiments eroded the behaviorist **dogma** that only humans have minds. | 這些實驗削弱了行為主義者認為只有人類具備心智的**信念**。 |

| | | |
|---|---|---|
| ▢ **devise**<br>[dɪ`vaɪz] | 動 設計（計畫、工具等），發明 | invent<br>contrive |
| ▢ **reflection**<br>[rɪ`flɛkʃən] | 名（鏡中等的）映像，（水中等的）倒影<br>◆ 有「反射；反映；深思」等意思，請從上下文判斷正確的字義。 | image<br>picture |
| ▢ **milestone**<br>[`maɪl͵ston] | 名 畫時代的事件，里程碑 | a very important event |
| ▢ **diversity**<br>[daɪ`vɜsətɪ] | 名 多樣性，差異<br>◆ 與形容詞 diverse（種種的，不一樣的）都很常考。 | variety<br>assortment |
| ▢ **jolt**<br>[dʒolt] | 動 使震驚；搖動 | shake |
| ▢ **habitat**<br>[`hæbə͵tæt] | 名 棲息地<br>◆ 不妨由 inhabit（居住）、inhabitant（居民）聯想。 | home<br>range |
| ▢ **runoff**<br>[`rʌn͵ɔf] | 名（無法滲透到土壤中而沿著地面流的）雨水，徑流 | rain |
| ▢ **equate**<br>[ɪ`kwet] | 動 等同於，使相等 | equalize |
| ▢ **inflict**<br>[ɪn`flɪkt] | 動 將（打擊等）加諸於，使遭受（損害等）<br>◆ 表示給予不好之物的動詞。 | deal<br>impose |
| ▢ **flux**<br>[flʌks] | 名 不斷的變化；流動 | flow<br>transition<br>change |

| | |
|---|---|
| In the late 1960s, psychologist Gordon Gallup **devised** a test for the sense of self: the mirror test. | 1960 年代晚期心理學家高登・蓋洛普設計了一個測試自我意識的實驗：鏡子實驗。 |
| If an animal were able to recognize its **reflection** in a mirror as its own "self," then it could be said to possess an awareness of self, or consciousness. | 如果一隻動物能夠認出鏡中的映像是「自己」的話，那麼就可以說牠具有自我認知，或說具有意識。 |
| Gallup's report of the experiment was a **milestone** in our understanding of animal minds. | 蓋洛普的實驗報告是我們認識動物心智的里程碑。 |
| It is only within the past two decades that biological **diversity** has become widely recognized as a critical conservation issue. | 生物多樣性僅在過去 20 年內變成了一個公認的關鍵保育議題。 |
| The high rate of species extinctions in these environments is **jolting**. | 在這些環境中物種滅絕的速度快得令人震驚。 |
| In terrestrial ecosystems and fringe marine ecosystems, the most common problem is **habitat** destruction. | 陸域生態系和邊緣海域生態系中最普遍的問題是棲息地的破壞。 |
| Now humans are beginning to destroy marine ecosystems through other types of activities, such as poisonous waste **runoff**. | 如今人類開始經由有毒廢料徑流等其他活動破壞海域生態系。 |
| Nothing has ever **equated** the magnitude and speed with which the human species is altering the physical and chemical worlds. | 人類改變物理和化學世界的程度及速度，迄今仍未有足匹敵者。 |
| It is the rate of change humans are **inflicting** that will lead to biological devastation. | 將導致生物浩劫的是人類加諸的改變速度。 |
| Life on Earth has continually been in **flux** as slow physical and chemical changes have occurred. | 隨著物理和化學變化慢慢地發生，地球上的生物也持續不斷地變化著。 |

| | | |
|---|---|---|
| □ **genetic**<br>[dʒə`nɛtɪk] | 形 **基因的；遺傳的** | **relating to genes** |
| □ **state**<br>[stet] | 名 **狀態；（美國等的）州；國家** | **condition**<br>**situation** |
| □ **precipitate**<br>[prɪ`sɪpə͵tet] | 動 **使沉澱；使（水氣）凝結成雨、雪等**<br>◆ 請一併將名詞 precipitation（降雨，降雪）記下來。 | **hurl**<br>**fling** |
| □ **modify**<br>[`mɑdə͵faɪ] | 動 **稍微改變；修正；修飾**<br>◆ 同義字很多，常考。 | **change**<br>**alter**<br>**transform** |
| □ **trickle**<br>[`trɪkl̩] | 動 **細細地流**<br>◆ 除了要熟記 trickle 和 seep（滲流）外，也要記住 permeate（滲透）。 | **seep**<br>**percolate** |
| □ **rate**<br>[ret] | 名 **速度；比率；費用**<br>◆ 以「速度」之意最常考。 | **speed**<br>**velocity** |
| □ **fertile**<br>[`fɝtl̩] | 形 **肥沃的，富饒的** | **fruitful** |
| □ **mechanical**<br>[mə`kænɪkl̩] | 形 **機械的；自動的；力學的** | **physical** |
| □ **rear**<br>[rɪr] | 動 **撫養；飼養**<br>◆ 同義字中以 rear 最常被忽略。另外，同義字 grow（發育，生長，長大）不可接受詞。 | **raise**<br>**bring up** |
| □ **scale**<br>[skel] | 動 **攀登**<br>◆ 也可作名詞，有「刻度；比例尺；天平；魚鱗」等多種意思。 | **climb** |

| | |
|---|---|
| Life needs time to adapt—time for migration and **genetic** adaptation within existing species. | 生物需要時間適應，即需要時間遷徙並在現存的物種之中進行基因上的適應性變化。 |
| Water is exceptionally reactive as it is present on Earth in solid, liquid, and gaseous **states**. | 因為水以固體、液體和氣體的狀態存在於地球上，所以具有非比尋常的反應性。 |
| Water dissolves, transports, and **precipitates** many chemical compounds. | 水溶解、搬運並沉澱許多化合物。 |
| Water is constantly **modifying** the face of the Earth. | 水持續不斷地改變著地球的面貌。 |
| Precipitated onto the ground, the water **trickles** down to form brooks, streams, and rivers. | 水冷凝而降落於地面，細流而下形成小溪、小河及河川。 |
| The **rate** at which a molecule of water passes through the cycle is a measure of the relative size of the various reservoirs. | 水分子經歷循環的速度是一種評量各水庫相對大小的標準。 |
| Insoluble ions such as aluminum, iron, and silicon stay where they are and form the thin, **fertile** skin of soil. | 諸如鋁、鐵、矽等不溶性的離子留在原處，形成薄而肥沃的土壤表層。 |
| The erosion of the continents results from two closely linked and interdependent processes, chemical and **mechanical** erosion. | 陸地的侵蝕肇因於兩個緊密相連相依的過程：化學侵蝕和機械侵蝕。 |
| Atlantic puffins use the windswept cliffs of the Atlantic coast of Canada to mate, lay eggs, and **rear** their young. | 大西洋角嘴海雀利用加拿大大西洋海岸強風吹掃的懸崖交配、產卵並養育雛鳥。 |
| Foxes cannot **scale** the sheer rockfaces. | 狐狸無法攀登陡峭的岩壁。 |

| | | |
|---|---|---|
| □ **pose**<br>[poz] | 動 **造成；提出**<br>◆ 注意 pose threat（造成威脅）這個搭配用法。 | **cause**<br>**present** |
| □ **hatch**<br>[hætʃ] | 動 **孵化**<br>◆ 也可作名詞，除了表示「孵化」，也有「（飛機等的）艙口；（汽車等的）天窗」之意。 | **breed**<br>**incubate** |
| □ **chick**<br>[tʃɪk] | 名 **雛鳥，小雞** | **young bird**<br>**chicken** |
| □ **conspicuous**<br>[kən`spɪkjuəs] | 形 **明顯易見的**<br>◆ 在一般的同義字題型中常出現。 | **noticeable**<br>**outstanding**<br>**remarkable** |
| □ **bias**<br>[`baɪəs] | 名 **偏見，先入為主的觀念**<br>◆ 在一般的同義字題型中常出現。 | **prejudice** |
| □ **exorbitant**<br>[ɪg`zɔrbətənt] | 形 **（收費等）過高的，不合理的**<br>◆ out of sight 和 incredible 也有「不合理」的意思，請一併記下來。 | **outrageous** |
| □ **regulate**<br>[`rɛgjə͵let] | 動 **控管；調整**<br>◆「調整」之意很容易被忽略，務必注意。 | **control**<br>**restrain**<br>**adjust** |
| □ **proponent**<br>[prə`ponənt] | 名 **支持者；提議人**<br>◆ 在一般的同義字題型中常出現。 | **advocate**<br>**supporter** |
| □ **content**<br>[kən`tɛnt] | 動 **使滿足**<br>◆ 注意重音位置！作「使滿足」解釋時，重音在第二音節；作「內容」時，為名詞，重音在第一音節。 | **satisfy** |

| | |
|---|---|
| Kittiwakes simply ignore herring gulls, since they **pose** little threat to nests on cliffs. | 三趾鷗完全不把黑脊鷗放在眼裡，畢竟牠們對懸崖上的鳥巢幾乎不構成威脅。 |
| Most gulls keep the nest area clear of droppings, and remove empty eggshells after the chicks have **hatched**. | 大部分的海鷗會維持鳥巢周遭潔淨無鳥糞，並在雛鳥孵化後將空蛋殼移除。 |
| Thanks to gulls' habit of removing empty eggshells after the **chicks** have hatched, the location of the nest is not revealed. | 由於海鷗有在雛鳥孵化後移除空蛋殼的習慣，使得鳥巢的位置不致於洩露。 |
| Kittiwakes' tendency to leave the nest littered with eggshells makes its location very **conspicuous**. | 三趾鷗有讓鳥巢散滿蛋殼的傾向，這使得鳥巢的位置明顯可見。 |
| Throughout the nineteenth century and into the twentieth, citizens of the United States maintained a **bias** against big cities. | 整個 19 世紀直到 20 世紀，美國公民對大城市一直存有偏見。 |
| Reformers feared that privately owned utility companies would charge **exorbitant** rates for these essential services. | 改革運動者擔心私有的公共事業公司會對這些基礎公共設施收取過高的費用。 |
| Some city and state governments responded by **regulating** utility companies. | 某些市政府和州政府以控管公共事業公司作為因應之道。 |
| **Proponents** of these reforms argued that public ownership would insure widespread access to these utilities. | 這些改革的支持者主張，公有權將能確保這些公共事業廣泛為人取得。 |
| Most other cities **contented** themselves with zoning plans for regulating future growth. | 其他大多數的城市對以分區規畫來控管未來發展感到滿意。 |

| | | |
|---|---|---|
| □ **undergo**<br>[ˌʌndɚ`go] | 動 **經歷**<br>◆ undergo change（歷經變化）是常見的搭配用法。 | **experience** |
| □ **terminology**<br>[ˌtɝmə`nalədʒɪ] | 名 **術語，專門用語** | **term**<br>**jargon**<br>**idiom** |
| □ **anonymous**<br>[ə`nanəməs] | 形 **不具名的，作者不詳的** | **obscure**<br>**unknown**<br>**nameless** |
| □ **fluctuation**<br>[ˌflʌktʃʊ`eʃən] | 名 **變動，波動**<br>◆ 字義也屬於「變化」一族；常出現於較嚴肅的考題內容中。 | **change**<br>**instability** |
| □ **reorient**<br>[ri`orɪˌɛnt] | 動 **重定方向**<br>◆ orient 的意思是「朝向東；定…的方位」，所以和方向有關。 | **adapt** |
| □ **provincialism**<br>[prə`vɪnʃəˌlɪzəm] | 名 **偏狹性；地方風格；鄉土性** | **obstinacy** |
| □ **velocity**<br>[və`lasətɪ] | 名 **速度**<br>◆ rate 最常以「速度」之意出題，因此這兩個字有可能同時出現在同義字題型中。 | **rate**<br>**speed** |
| □ **dispatch**<br>[dɪ`spætʃ] | 動 **派遣；發送（電報、信件等）**<br>◆ 派遣人員到某處或做某事時就用這個字。 | **send** |
| □ **freight**<br>[fret] | 名 **（水、陸、空運等的）貨物；運貨** | **transportation**<br>**cargo** |

| | |
|---|---|
| The status of the artist had already **undergone** change by 1776, when a revolution broke out against British rule. | 在 1776 年爆發對抗英國統治的革命之前，藝術家的地位早已**歷經**變化。 |
| The **terminology** by which artists were described at the time suggests their status. | 當時用來形容藝術家的**術語**間接表明了他們的地位。 |
| "Limner" was usually applied to the **anonymous** portrait painter up to the 1760s. | 直到 1760 年代為止，「畫匠」通常用來指稱**不知名的**肖像畫家。 |
| Although subject to **fluctuations** in their economic status, all three portraitists enjoyed sufficient patronage. | 儘管三位肖像畫家的經濟地位常有**變動**，他們都得到了充裕的贊助。 |
| Railroads reshaped the North American environment and **reoriented** North American behavior. | 鐵路改造了北美的環境並為北美的行為活動**重定了方向**。 |
| Railroads have made the people of the United States homogenous, breaking through peculiarities and **provincialisms**. | 鐵路使得美國人民趨於同質，打破了特殊性和**偏狹性**。 |
| The railroad made the **velocity** of transport and economy of scale necessary parts of industrial production. | 鐵路使得運輸**速度**和規模經濟成了工業生產不可或缺的一部分。 |
| The railroad **dispatched** immigrants to unsettled places, drew emigrants away from farms and villages to cities. | 鐵路將移民**送**到無人居住的地方，並遠從農場和鄉村吸引移民來到城市。 |
| Equally important to everyday life were the slow **freight** trains chugging through industrial zones. | 對日常生活同等重要的是，軋軋作響行經工業區的慢速**貨物**列車。 |

| | | |
|---|---|---|
| ▢ **nurture**<br>[ˋnɝtʃɚ] | 動 **使發展；培植** | **develop**<br>**train**<br>**rear**<br>**foster** |
| ▢ **fashion**<br>[ˋfæʃən] | 動 **製作，設計**<br>◆ 這個單字考過很多次。 | **create** |
| ▢ **tribe**<br>[traɪb] | 名 **部落，種族** | **group**<br>**race**<br>**family** |
| ▢ **staple**<br>[ˋstepl̩] | 名 **主要成分；日常必需品**<br>◆ 也可作形容詞，意思是「主要的，重要的」。無論是名詞或形容詞都常考。 | **necessity** |
| ▢ **pliable**<br>[ˋplaɪəbl̩] | 形 **柔韌的，易彎曲的** | **flexible**<br>**supple** |
| ▢ **igneous**<br>[ˋɪgnɪəs] | 形 **（岩石）火成的**<br>◆ 請一併將 igneous rock（火成岩）和 sedimentary rock（沈積岩）記下來。 | **volcanic** |
| ▢ **well**<br>[wɛl] | 動 **（如泉水般）湧出，噴出**<br>◆ 也可作名詞，意思是「井」。 | **spring** |
| ▢ **molten**<br>[ˋmoltən] | 形 **熔融的，熔化的**<br>◆ molten rock 是「熔岩」的意思。 | **melted** |
| ▢ **bury**<br>[ˋbɛrɪ] | 動 **埋藏；埋葬**<br>◆ 注意發音！ | **immerse** |

| | |
|---|---|
| The railroad **nurtured** factory complexes, coal piles, warehouses, and generating stations. | 鐵路促進了工廠園區、煤堆、倉庫和發電廠的發展。 |
| The Native Americans of northern California used the reeds, grasses, barks, and roots around them to **fashion** articles of all sorts and sizes. | 北加州的美國原住民利用周遭的蘆葦、草、樹皮和根部製作各種類型與大小的東西。 |
| The **tribe** made baskets three feet in diameter and others no bigger than a thimble. | 該部落製作直徑三英尺的籃子及其他不比頂針大的東西。 |
| Though other materials were sometimes used, these four were the **staples** of their finest basketry. | 儘管其他材料有時也為人所用，但這四種乃是他們頂級籃筐織品的主要成分。 |
| They wove **pliable** material around the warp. | 他們以柔韌的材質繞著經紗編織。 |
| Any rock that has cooled and solidified from a molten state is an **igneous** rock. | 任何由熔融狀態冷卻凝固而成的岩石都是火成岩。 |
| Periodically, molten material **wells** out of the Earth's interior to invade the surface layers or to flow onto the surface itself. | 熔融物質會定期地從地球內部湧出，入侵表層或流至表面本身。 |
| In its **molten** state, it is called magma as it pushes into the crust and lava when it runs out onto the surface. | 處於熔融狀態時，它若推進到地殼之中便稱作岩漿，若是流出表面則稱作熔岩。 |
| Slow cooling occurs when the crust is invaded by magma that remains **buried** well below the surfaces. | 當一直妥善埋在表層下的岩漿入侵到地殼時，緩慢的冷卻就此發生。 |

| 單字 | 中文釋義 | 同義字 |
|---|---|---|
| □ **contemporary**<br>[kən`tɛmpə͵rɛrɪ] | 形 **當代的；同時代的**<br>◆ 除了已熟知的「當代的，現代的」之意，別忘了還有「同時代的」的意思。 | **coexistent** |
| □ **texture**<br>[`tɛkstʃɚ] | 名 **（岩石等的）紋理，質地；組織；編織方法**<br>◆ 也可翻譯成「觸感」。 | **grain** |
| □ **grained**<br>[grend] | 形 **〔作複合詞用〕晶粒的，成粒狀的**<br>◆ 不妨將這個字想像成是由「穀粒」(grain) 衍生來的。 | **rough** |
| □ **lava**<br>[`lavə] | 名 **熔岩**<br>◆ lava 的發音和 larva（幼蟲）十分像，Listening 時記得從上下文做判斷。 | **molten rock** |
| □ **disproportionate**<br>[͵dɪsprə`porʃənɪt] | 形 **（過高或過低而）不成比例的**<br>◆ 對掌握內容的意思而言是個很重要的單字，因為這個字多半暗示著事情有意料之外的發展。 | **unbalanced**<br>**imbalanced** |
| □ **cutting edge**<br>[`kʌtɪŋ ɛdʒ] | 名 **最前端，尖端；刀刃**<br>◆ 報章雜誌上經常可以見到這個單字。 | **frontier**<br>**leading edge** |
| □ **barter**<br>[`bartɚ] | 名 **以物易物** | **exchange** |
| □ **outbreak**<br>[`aʊt͵brek] | 名 **（戰爭等的）爆發，（暴力行為等的）突然發生**<br>◆ 從動詞片語 break out（爆發，突然發生）演變而來。 | **occurrence**<br>**incidence** |

| | |
|---|---|
| Granite may be found on the surface of the **contemporary** landscape. | 花崗岩可能在現今地貌的表層被發現。 |
| Igneous rocks with this coarse-grained **texture**, that formed at a depth, are called plutonic. | 形成於深處、具有粗粒**質地**的火成岩稱為深成岩。 |
| The resulting rock will be fine-**grained** and appear quite different from granite. | 產生的岩石將會是細**粒**狀，看起來跟花崗岩相當不同。 |
| The black obsidian cliffs of Yellowstone National Park are the result of a **lava** flow of basalt that ran head on into a glacier. | 黃石國家公園的黑曜石崖是玄武岩**熔岩**流止面衝進冰川而造成的。 |
| Although only 1 person in 20 during the Colonial period lived in a city, the cities had a **disproportionate** influence on the development of North America. | 儘管殖民時期每 20 人中僅有一人居住在城市，城市對北美發展的影響卻高得**不成比例**。 |
| These people claimed to be the **cutting edge** of social change. | 這些人自稱走在社會變遷的**最前端**。 |
| As modern capitalism first appeared, money and commercial paper began to be used in place of **barter**. | 當現代資本主義首度出現，金錢與商業本票開始用來取代**以物易物**。 |
| In the fifteen years prior to the **outbreak** of the War for Independence in 1775, more than 200,000 immigrants arrived on North American shores. | 1775 年**爆發**獨立戰爭前的 15 年之間，超過 20 萬名的移民抵達了北美的海岸。 |

| | | |
|---|---|---|
| □ **dictate**<br>[`dɪktet] | 動 **支配；指使；命令**<br>◆ 若在同義字題型中看到這個字，請務必從上下文來仔細推敲意思。 | command<br>impose |
| □ **lace**<br>[les] | 動 **綴以（花邊等）** | border<br>fringe<br>hem |
| □ **breadbasket**<br>[`brɛd͵bæskɪt] | 名 **產糧區，穀類產地**<br>◆ granary 也是「穀倉，糧食盛產區」之意。 | granary |
| □ **optimization**<br>[͵ɑptɪmaɪ`zeʃən] | 名 **最佳化，最佳條件**<br>◆ 注意 optimum（最佳條件）的拼法和 optimization 很像，請一併記下來。 | optimum<br>optimality |
| □ **numerical**<br>[nju`mɛrɪkl̩] | 形 **數字的，以數字表示的** | numeral |
| □ **variable**<br>[`vɛrɪəbl̩] | 名 **變數，可變因素**<br>◆ 反義字是 constant（常數）。 | |
| □ **succinct**<br>[sək`sɪŋkt] | 形 **簡潔的**<br>◆ 同義字群中以 succinct 最容易出錯。 | concise<br>compact<br>brief |
| □ **acclaim**<br>[ə`klem] | 動 **讚揚，歡呼，喝采**<br>◆ 容易因看到 claim（聲稱；要求）而誤解的單字，請從同義字下手來強化記憶。 | admire<br>praise |
| □ **toxic**<br>[`tɑksɪk] | 形 **有毒的；中毒的**<br>◆ poisonous = venomous 的組合題型很多。 | poisonous<br>venomous<br>addictive |
| □ **foremost**<br>[`for͵most] | 形 **第一的；最重要的** | first |

| | |
|---|---|
| The quality of the hinterland **dictated** the pace of city growth. | 腹地的品質支配了都市成長的步伐。 |
| New York and Philadelphia served a rich and fertile hinterland **laced** with a navigable watercourse. | 紐約和費城提供了富饒的腹地，周邊還綴以可供航行的水道。 |
| The regions around the cities of New York and Philadelphia became the **breadbaskets** of North America. | 紐約和費城這些城市的周遭地區變成了北美的穀倉。 |
| Psychologists who study **optimization** compare the actual decisions made by people with theoretical ideal decisions. | 研究最佳化的心理學家將人實際做的決定和理論上的完美決定做比較。 |
| Each consideration is assigned a **numerical** value to reflect its relative importance. | 每個考量點都被指定一個數值以反映其相對重要性。 |
| A worksheet can be especially useful when the decision involves a large number of **variables** with complex relationships. | 當決定涉及到大量關係複雜的變數時，工作表可能會格外有用。 |
| A decision-making worksheet begins with a **succinct** statement of the problem that will help to narrow it. | 決策工作表始於一個簡要的問題陳述，這有助於窄化問題。 |
| Elizabeth Hayden and Rachel Brown copatented one of the most widely **acclaimed** wonder drugs of the post-Second World War years. | 伊莉莎白・海登和瑞秋・布朗共同取得了第二次世界大戰戰後年間，其中一種最廣受讚揚的特效藥專利權。 |
| Scientists had been feverishly searching for an antibiotic **toxic** enough to kill the fungi but safe enough for human use. | 科學家過去一直熱切找尋一種毒性足以殺死真菌、但人類使用安全無虞的抗生素。 |
| The term "Hudson River school" was applied to the **foremost** representatives of nineteenth century North American landscape painting. | 「哈德遜河畫派」一詞用以指19 世紀北美風景畫最初期的代表人物。 |

| | | |
|---|---|---|
| ☐ **reign**<br>[ren] | 動 **統領，當政，支配**<br>◆ 與 rein（韁繩）、rain（雨）的發音都相同。 | **rule**<br>**dominate**<br>**govern** |
| ☐ **faction**<br>[`fækʃən] | 名 **派別**<br>◆ camp 是指「(政治或宗教觀點相同的）陣營、組織」，所以也有類似的意思。 | **group**<br>**sect**<br>**school**<br>**side** |
| ☐ **access**<br>[`æksɛs] | 名 **可接近或使用的機會、權利等**<br>◆ 以 get/have access to + N.（能接近、使用或接觸…）的方式表達。 | **approach** |
| ☐ **accelerate**<br>[æk`sɛlə,ret] | 動 **促進，加速** | **encourage**<br>**increase**<br>**spur** |
| ☐ **stump**<br>[stʌmp] | 名 **演講台；(樹被砍伐後的）殘株** | **platform**<br>**stock** |
| ☐ **medium**<br>[`midɪəm] | 名 **媒介，媒體，宣傳工具**<br>◆ 複數形為 media。 | **vehicle**<br>**means** |
| ☐ **immense**<br>[ɪ`mɛns] | 形 **大規模的，巨大的，廣大的** | **vast** |
| ☐ **emit**<br>[ɪ`mɪt] | 動 **放射出，發散**<br>◆ Writing 時可與 give off 交替使用。 | **give off**<br>**send**<br>**radiate** |
| ☐ **fusion**<br>[`fjuʒən] | 名 **融合；熔合；混合；核子的融合**<br>◆ 動詞 fuse（融合；熔合；混合）也很常出，請一併記住。 | **assimilation**<br>**mixture** |

| | |
|---|---|
| The older painters were securely established in the **reigning** American art organization, the National Academy of Design. | 老一輩畫家的地位在**主導一切**的美國藝術機構——國家設計學院——中已牢牢確立。 |
| One of the results of the conflict between the two **factions** was that the Hudson River school became firmly established in the minds of critics and the public. | 兩個**派別**間衝突的結果之一，便是哈德遜河畫派在評論家和大衆的心中有了穩固的地位。 |
| By giving citizens independent **access** to the candidates, television diminished the role of the political party in the selection of the major party candidates. | 透過給予公民獨立**接觸**候選人**的機會**，電視削弱了政黨在選擇主要政黨候選人上所扮演的角色。 |
| By centering politics on the personality of the candidate, television **accelerated** the citizen's focus on character rather than issues | 由於將候選人的品格置於政治活動的中心，電視**促使**公民更加關注於人格特質而非議題。 |
| The **stump** speech has given way to the 30-second advertisement and the 10-second "sound bite" in broadcast news. | **巡迴競選**演說被 30 秒的廣告和新聞播報裡的 10 秒傳媒精句取而代之。 |
| Because television is an intimate **medium**, speaking through it requires a changed political style that is more conversational. | 因為電視是一種容易親近的**媒介**，所以透過電視發言時需將政治語調改成口語些。 |
| The aurora brilliance is an **immense** electrical discharge similar to that occurring in a neon sign. | 極光光輝是一種類似發生在霓虹燈上的**大規模**放電。 |
| During huge magnetic storms, oxygen atoms **emit** a crimson light. | 在巨大的磁風暴期間，氧原子會**放射**出深紅色的光。 |
| Information about the behavior of plasmas is being applied in attempts to harness energy from the **fusion** of atoms. | 與電漿特性相關的資訊目前被應用於嘗試控制原子**融合**所產生的能量。 |

| | | |
|---|---|---|
| ☐ **influx**<br>[`ɪnflʌks] | 名（人或物）湧入；流入<br>◆ 移民的「湧入」很有可能會考出來。注意上下文中是否有出現 arrival 這個同義字。 | **inflow**<br>**arrival** |
| ☐ **crude**<br>[krud] | 形 未提煉的，天然的；粗糙的 | **unrefined**<br>**natural**<br>**rough** |
| ☐ **intriguing**<br>[ɪn`trigɪŋ] | 形 吸引人的，使好奇的<br>◆ 動詞為 intrigue（激起…的興趣），另外還有「策畫陰謀」的意思。 | **attractive** |
| ☐ **spinal**<br>[`spaɪnl̩] | 形 脊柱的，脊髓的<br>◆ spinal column 和 backbone 都表示「脊柱」的意思。 | |
| ☐ **slot**<br>[slɑt] | 名（電台等的）播放時段；（組織等的）位置<br>◆「播放時段」也可以用 time slot 表達。 | **position** |
| ☐ **accompany**<br>[ə`kʌmpənɪ] | 動 伴奏；伴隨；陪同<br>◆ accompany 通常作及物動詞。 | **back**<br>**follow**<br>**attend** |
| ☐ **rusty**<br>[`rʌstɪ] | 形 生疏的<br>◆ 若要重新熟練、不再生疏的話，可用動詞 brush up（複習，重新練習）表達。 | **poor**<br>**bad**<br>**weak** |
| ☐ **daydream**<br>[`de͵drim] | 動 做白日夢<br>◆ 經常在對話題型中出現。曾和 pay little attention to...（幾乎沒有注意到…）一起出現在同義字題型中。 | **fantasy**<br>**become absent-minded** |
| ☐ **handy**<br>[`hændɪ] | 形 有用的，便於使用的<br>◆ 請將 come in handy（派得上用場）一併記下來。 | **useful**<br>**convenient** |

| | |
|---|---|
| There was a large **influx** of foreign immigrants into the larger cities of the United States during the late nineteenth century. | 19 世紀晚期大規模的外國移民湧入美國的大型城市。 |
| The refining of **crude** oil into kerosene brought additional comforts to urban areas that were unavailable to rural Americans. | 原油提煉而成的煤油為都市地區帶來鄉村美國人得不到的額外舒適享受。 |
| The bustle and social interaction of urban life seemed particularly **intriguing** to those raised in rural isolation. | 對那些生長於孤立鄉村的人而言，都市生活的熙熙攘攘和社會互動似乎格外地引人入勝。 |
| The central nervous system consists of the brain and **spinal** cord. | 中樞神經系統包含腦和脊髓。 |
| I could give you her **slot** on Tuesdays from 7 to 8 if you wanted. | 如果你要的話，我可以替你安插在她每週二，七點到八點之間的時段。 |
| The chorus needs someone to **accompany** them on piano. | 合唱團需要有人擔任鋼琴伴奏。 |
| Lately, I've just been working on the guitar, so I'm a little **rusty** on piano. | 我最近只有練吉他，所以對鋼琴有點生疏。 |
| You want to borrow my notes? Sure, help yourself! But, I should warn you, I spent most of that time **daydreaming**. | 想借我的筆記？當然可以，請自便！不過我必須先提醒你，我大部分的時間都在做白日夢。 |
| I suppose it'll come in **handy** once you start working. | 我想一旦你開始動手，它遲早會派得上用場的。 |

| | | |
|---|---|---|
| ▢ **bulletin**<br>[`bʊlətɪn] | 名 **公告，公報；短訊，快報**<br>◆ 考生比較不熟悉的「短訊，快報」也會考。 | **notice**<br>**journal** |
| ▢ **preservative**<br>[prɪ`zɜvətɪv] | 名 **防腐劑** | **antiseptic** |
| ▢ **appreciation**<br>[ə͵priʃɪ`eʃən] | 名 **欣賞；（善意的）評論；感激**<br>◆ 動詞是 appreciate，有「欣賞，品味；（正確）理解，評價；感激」等意思。 | **understanding** |
| ▢ **varsity**<br>[`vɑrsətɪ] | 名 **（大學）代表隊，校隊**<br>◆ 注意拼字！字首 v 的後面不是 e，而是 a。 | **the main team of a college** |
| ▢ **renovate**<br>[`rɛnə͵vet] | 動 **翻修；恢復** | **remodel**<br>**restore** |
| ▢ **appreciate**<br>[ə`priʃɪ͵et] | 動 **感謝**<br>◆ appreciate 除了可以感謝「人」外，也可以感謝「人以外的對象」。 | **thank** |
| ▢ **assign**<br>[ə`saɪn] | 動 **分配；指派** | **allot**<br>**allocate** |
| ▢ **overwhelm**<br>[͵ovɚ`hwɛlm] | 動 **使不知所措；淹沒；征服**<br>◆ 經常出現於從上下文中找出同義字的考題中。 | **overpower**<br>**embarrass** |
| ▢ **genre**<br>[`ʒɑnrə] | 名 **（繪畫、文學、音樂等的）類型** | **type** |
| ▢ **breakthrough**<br>[`brek͵θru] | 名 **突破，大發現**<br>◆ 如果能研發出 AIDS 的特效藥，那就是一個 breakthrough。 | **penetration**<br>**leap** |
| ▢ **reinforce**<br>[͵riɪn`fɔrs] | 動 **（添加材料）使穩固，加強** | **strengthen** |

| | |
|---|---|
| I saw your note on the **bulletin** board. I thought you already had a roommate! | 我在布告欄上看到你的條子。我還以為你早就有室友了呢！ |
| The smell of our biology lab's chemical **preservative** gives me a headache. | 生物實驗室裡化學防腐劑的味道讓我頭痛。 |
| I just need one more class to complete my schedule. I can't decide between calculus and music **appreciation**. | 我只要再選一門課就搞定課表了，而我在微積分和音樂**欣賞**兩門課之間游移不決。 |
| So, the **varsity** club's planning another fundraiser. Will you be in charge again this year? | 那麼說**校隊**俱樂部正在籌備另一場募款活動，今年還是由你負責嗎？ |
| So, how do you like living in the newly **renovated** dorms? | 那麼你覺得住在新**翻修**的宿舍裡感覺怎樣？ |
| I'd **appreciate** it ... anything to get a good night's sleep. | 只要能讓我一夜好眠，什麼都好，**感謝**！ |
| I would rather have the university **assign** a student to share a room with me. | 我寧願學校**分配**一個學生和我一起住。 |
| Well, I am a little **overwhelmed**. It's strange, though, because I always wanted to go to a big university like this. | 嗯，我有點**不知所措**。這很奇怪，我過去一直很想進入像這種規模大的大學。 |
| What book **genre** gives you the most pleasure to read? | 什麼**類型**的書帶給你最大的閱讀樂趣？ |
| He is best known for his auto plants in Detroit. He made a **breakthrough** in industrial design. | 他最為人所知的就是他在底特律的汽車工廠。他在工業設計方面有所**突破**。 |
| When he started designing auto plants around the turn of the century, **reinforced** concrete had just been invented. | 他在世紀轉換之際開始設計汽車工廠，當時**強化**混凝土才剛發明出來。 |

| | | |
|---|---|---|
| ☐ **sturdy**<br>[ˋstɜdɪ] | 形 **結實的**<br>◆ 同義字很多，而且大多出現在一般的同義字題型中。 | **strong**<br>**solid**<br>**hardy** |
| ☐ **bibliography**<br>[͵bɪblɪˋɑgrəfɪ] | 名 **（書後等的）參考書目**<br>◆ 製作 bibliography 時有一定的規則，有機會時不妨多加留意。 | **list of references** |
| ☐ **sprout**<br>[spraʊt] | 動 **發芽；急速成長**<br>◆ 動詞 burgeon 也有類似的意思。 | **germinate**<br>**shoot**<br>**bud** |
| ☐ **threaten**<br>[ˋθrɛtn̩] | 動 **對…構成威脅，恐嚇** | **intimidate**<br>**menace** |
| ☐ **date**<br>[det] | 動 **鑑定…的年代**<br>◆ 常會出現在與 geology（地質學）有關的 Reading 中。 | **estimate**<br>**calculate** |
| ☐ **interact**<br>[͵ɪntɚˋækt] | 動 **與…互動，相互作用**<br>◆ 不是只有「與…互動」的譯法，也可以根據情況譯成如「進行討論」等。 | **communicate** |
| ☐ **norm**<br>[nɔrm] | 名 **標準，規範**<br>◆ norm 還有「平均數，定額，標準數」的意思。 | **standard** |
| ☐ **lyric**<br>[ˋlɪrɪk] | 名 **歌詞；抒情詩** | **word** |
| ☐ **exotic**<br>[ɛgˋzɑtɪk] | 形 **外國的；異國情調的；珍奇的** | **foreign** |
| ☐ **overlook**<br>[͵ovɚˋlʊk] | 動 **忽視** | **miss** |
| ☐ **immobilize**<br>[ɪˋmobə͵laɪz] | 動 **使不動，使固定** | **stick** |

| | |
|---|---|
| Not only were his buildings **sturdy** and fireproof, but they were also cheap to put up. | 他的建築不只結實、防火，建造成本也很低廉。 |
| There were some books and articles I included in my **bibliography** that you might want to look up at the library. | 我的參考書目裡涵蓋了一些書籍和文章，或許你會想去圖書館找看看。 |
| They may have noticed that some of the seeds **sprouted** when they were dropped. | 他們可能已經注意到有一些種子在播種當時就發芽了。 |
| The new idea is that farming developed in the richest land areas and that the people who started it weren't being **threatened** by starvation. | 新的看法是：農業發展於最富饒的土地區域，而那些開始務農的人民不受飢餓的威脅。 |
| This is a new, more accurate method of **dating** a small piece of something, like a grain of corn or wheat. | 這是一種新穎且更精確的方法，用來測定像玉米粒或小麥粒這類穀粒的年代。 |
| Only later do babies start to **interact** with people. | 要到晚些時候嬰兒才會開始與人互動。 |
| It is through play that infants learn to adapt to the **norms** of the rules of their social groups. | 正是透過遊戲使得幼兒學著適應其社會群體中的規則標準。 |
| The name "Blues" comes from the loneliness and sorrow typically expressed in the songs' **lyrics**. | Blues 一名源自於典型表現在歌詞中的寂寞與悲傷。 |
| It is fashionable among ornithology students to study rare and **exotic** species. | 研究鳥類的學生之間流行著研究稀有的外國品種。 |
| I often think that everyday birds are simply **overlooked**. | 我常常覺得日常生活中的鳥類完全遭到忽視。 |
| You can trap a larger animal like a bear and **immobilize** it with a tranquilizer gun. | 你可以設陷阱捕捉像熊那樣的大型動物，然後用麻醉槍讓牠們動彈不得。 |

| | | |
|---|---|---|
| □ **garbage** [ˋgarbɪdʒ] | 名 **垃圾，廢物**<br>◆ garbage 原本是指「廚房裡的剩菜殘羹」。同義字很多，常考。 | **trash**<br>**rubbish**<br>**litter**<br>**refuse** |
| □ **litter** [ˋlɪtɚ] | 動 **亂丟垃圾使凌亂**<br>◆ dump 也有「亂丟（垃圾）」的意思。 | **scatter**<br>**mess** |
| □ **launch** [lɔntʃ] | 動 **發射（衛星、飛彈等）；（新船等）下水**<br>◆ 同義字很多。launch 有強烈的「開始（進行）」的涵義。 | **rocket**<br>**shoot off**<br>**embark** |
| □ **strand** [strænd] | 名 **線，繩** | **string** |
| □ **molecule** [ˋmaləˏkjul] | 名 **分子** | **particle** |
| □ **grant** [grænt] | 動 **（依法）授予，給予**<br>◆ 基本上是帶正面涵義的單字，但盡量還是從上下文判斷為佳。 | **give**<br>**accept** |
| □ **retreat** [rɪˋtrit] | 動 **退卻，撤退** | **retire**<br>**back up**<br>**withdraw** |
| □ **probe** [prob] | 名 **無人太空探測船；探測；調查**<br>◆ probe 也可以作動詞，意思是「（進行）探測；（做）調查」。 | **investigation**<br>**examination** |
| □ **malfunction** [mælˋfʌŋkʃən] | 動 **故障，機能不全**<br>◆ 字首 mal- 的意思是「不好的，不良的」，如 malnutrition（營養失調）、malady（疾病；弊病）等。 | **break down** |

| | |
|---|---|
| They are attracted by people who produce enormous amount of **garbage**. | 牠們受到製造大量**垃圾**的人們所吸引。 |
| One reason that park grounds are frequently more **littered** than people's backyards is that no one owns them. | 公園地經常比民眾的後院更**髒亂**，原因之一便是公園地不歸任何人所有。 |
| Old satellites, orbiting the Earth out of the control of the space agency that **launched** them, are the main sources of pollution in space. | 繞著地球運行的老舊衛星在脫離了當初**發射**它們的太空局的掌控之後，便成了太空汙染的主要來源。 |
| Spiders leave a thin **strand** of sticky material on the outer parts of their webs. | 蜘蛛會在外圍的蜘蛛網上留下細細一**條**的黏性物質。 |
| This material is made up of compounds that draw water **molecules** out of the air. | 構成這種物質的是多種會將水**分子**從空氣中吸出的化合物。 |
| The Homestead Act of 1862 **granted** one hundred sixty acre plots to settlers. | 1862 年的宅地法**授予**墾荒者 160 英畝的小塊土地。 |
| The cattle charged the fence but quickly **retreated**. | 牛群朝柵欄衝去，但旋即**退卻**。 |
| Galileo was launched in 1989, but we had to wait until the end of 1995 for the spacecraft and its **probe** to reach Jupiter. | 伽利略號發射於 1989 年，但一直等到 1995 年年底，這艘太空船和附屬的**無人太空探測船**才抵達木星。 |
| We realized that one of the antennas that were supposed to transmit data had **malfunctioned**. | 我們發現其中一條照理該傳輸資料的天線發生**故障**。 |

| | | |
|---|---|---|
| ☐ **saw**<br>[sɔ] | 動 鋸<br>◆ 曾經考過名詞 sawdust（鋸木屑）。 | **cut** |
| ☐ **injustice**<br>[ɪn`dʒʌstɪs] | 名 不義之舉，不公正 | **illegality**<br>**wrong** |
| ☐ **conflict**<br>[`kanflɪkt] | 名 衝突，矛盾<br>◆ 同義字很多，常考。 | **opposition**<br>**collision**<br>**struggle**<br>**strife** |
| ☐ **endow**<br>[ɪn`daʊ] | 動 賦予（才能等）；捐贈<br>◆ endow 基本上都用在好的方面。和 give 相關的同義字很多，都很常考。 | **give**<br>**grant**<br>**confer**<br>**bestow** |
| ☐ **legitimate**<br>[lɪ`dʒɪtəmɪt] | 形 合法的，合理的 | **valid**<br>**proper**<br>**appropriate** |
| ☐ **consent**<br>[kən`sɛnt] | 名 同意，贊成<br>◆ consent 不論作動詞或名詞，重音都在第二音節上。 | **acceptance**<br>**assent**<br>**nod** |
| ☐ **artifact**<br>[`artɪˏfækt] | 名 手工藝品 | **handiwork**<br>**antiquity** |
| ☐ **discard**<br>[dɪs`kard] | 動 拋棄，放棄<br>◆ give up, abandon, relinquish 也都有「拋棄，放棄」的意思。 | **dump**<br>**throw away** |
| ☐ **underlying**<br>[ˏʌndɚ`laɪɪŋ] | 形 潛在的，隱含的；基本的<br>◆ 沒有意義精確的同義字，所以要盡量從上下文來判斷。 | **hidden**<br>**potential**<br>**latent**<br>**connotative** |

| | |
|---|---|
| An art historian discovered that two famous paintings, now held in different museums, were originally parts of the same painting, probably **sawed** apart by some greedy art dealer. | 一位藝術史學家發現，現今由不同博物館收藏的兩張著名畫作原為同一畫作的局部，很可能是遭某位利慾薰心的藝術商鋸開來的。 |
| The opposition announced the **injustice** of the government before the public. | 反對黨當眾宣告政府的不義之舉。 |
| Without question, American colonists saw the **conflict** in terms of political issues. | 美洲的殖民地居民肯定目睹到了涉及種種政治議題的矛盾衝突。 |
| We are all **endowed** by our creator with certain inalienable rights. | 我們的造物者賦予了我們全體某些不可剝奪的權利。 |
| The colonists had a new vision of what made political authority **legitimate**. | 殖民地居民對於政治權力的合法性何以產生有了新的見解。 |
| They thought that a legitimate government required the **consent** of those who were being governed. | 他們認為合法的政府必須獲得被治理者的許可。 |
| We've discussed the proper way to dig for **artifacts** at an archaeological site. | 我們已經討論過在考古遺址處挖掘手工藝品的恰當方式為何。 |
| They finally **discarded** the long-held custom when they realized it was humiliating to some foreigners. | 當他們意識到這對某些外國人而言是一種羞辱時，他們終於屏棄了這個由來已久的習俗。 |
| For animals, a beautiful face and body are reliable indicators of **underlying** quality. | 對動物而言，美麗的臉蛋和軀體是評估潛在特質相當可靠的指標。 |

| | | |
|---|---|---|
| □ **symmetry**<br>[`sɪmɪtrɪ] | 名（左右）對稱，調和<br>◆ 反義字是 asymmetry（不對稱）。 | harmony<br>balance<br>equilibrium |
| □ **literally**<br>[`lɪtərəlɪ] | 副 確實地；照字面地<br>◆ 主要是用來加強語氣。 | actually<br>indeed |
| □ **harsh**<br>[harʃ] | 形 嚴酷的，嚴厲的<br>◆ 同義字中的 hard 有「嚴厲的；困難的；堅硬的；費力的」等多種意思，請從上下文來判斷。 | hard<br>severe |
| □ **phenomenal**<br>[fə`namən]] | 形 異常的；自然現象的<br>◆ 乍看之下可能會覺得和「自然現象」沒有什麼關連，所以要多加注意。名詞是 phenomenon（自然現象）。 | incredible<br>very impressive |
| □ **emerge**<br>[ɪ`mɜdʒ] | 動 出現，露出<br>◆ 也可用來描述從記者會的會場上出來的情景，如 emerge from the press conference（從記者會現身）。 | appear<br>show<br>rise |
| □ **larva**<br>[`larvə] | 名 幼蟲 | pupa |
| □ **axis**<br>[`æksɪs] | 名 軸；軸線<br>◆ 還有「（國家間的）中心，軸心國」的意思，所以也有可能出現在與歷史相關的考題中。 | shaft<br>stem |
| □ **reservoir**<br>[`rɛzə·,vwar, `rɛzə·,vɔr] | 名 水庫，蓄水池<br>◆ 同義字很多，常考。另外，也可指水最終流入處，如 lake, ocean 等，請多加注意。 | receptacle |
| □ **crater**<br>[`kretə·] | 名（隕石）坑；火山口<br>◆ 在 Listening 的考題中常會考火山口或火口湖的直徑問題。 | hollow<br>depression |

| | |
|---|---|
| Many species appear to look for at least one classic characteristic of beauty, mainly **symmetry**. | 許多物種似乎會找尋至少一項古典美的特徵，主要是**左右對稱性**。 |
| There are **literally** hundreds of inventions that make our lives a little easier, a little more convenient. | **確實**有數百種的發明使我們的生活變得容易些、方便些。 |
| The thicker the fur, the **harsher** the winter is predicted to be. | 皮毛愈厚，預料冬天會**愈嚴酷**。 |
| Amphibians have endured **phenomenal** changes with the Earth, all of which adds to its mystery and concern. | 兩棲類動物承受了地球的**異常**變化，所有的變化都增添了地球的神祕感和對它的關切。 |
| When lower animals like ants, flies, or sea urchins **emerge** from eggs, they don't look at all like their parents. | 像螞蟻、蒼蠅或海膽這類低等動物破殼**而出**時，看起來跟父母一點也不像。 |
| After about a month in this stage, a butterfly **larva** spins a cocoon of silk around itself. | 約莫處於這個階段一個月後，蝴蝶**幼蟲**會在自身周圍吐絲結繭。 |
| One day is the amount of time the Earth needs to complete rotation on its **axis**. | 一天就是地球繞著地**軸**完整旋轉一圈所需的時間。 |
| Since 1950, human beings have built about ten thousand artificial **reservoirs** all over the world. | 人類自 1950 年起就已在世界各地建造了一萬座左右的人造**水庫**。 |
| At that time, most scientists thought that the **craters** of the moon had been created by volcanic action. | 當時大部分的科學家都認為月球上的**坑洞**是由火山運動造成的。 |

| | | |
|---|---|---|
| □ **lunar** [`lunɚ] | 形 **月球的，月亮的**<br>◆ 另外還有「(光等) 蒼白的，淡薄的」的意思。 | relating to the moon |
| □ **thesis** [`θisɪs] | 名 **(有理論根據的) 論點**<br>◆ 也有「(學位的) 論文」之意，所以在與校園相關的考題中要多加注意。 | proposition<br>theme |
| □ **inspire** [ɪn`spaɪr] | 動 **鼓舞；給予靈感；激發**<br>◆ 為方便記憶，可以將 inspire 和同義字 encourage 一起記。 | impress<br>move<br>stir<br>encourage |
| □ **confirm** [kən`fɝm] | 動 **證明正確性，證實**<br>◆ 同義字很多，所以在同義字的題目中要多從上下文判斷。和同義字 verify 的組合較常見。 | verify |
| □ **cram** [kræm] | 動 **塞進，填滿**<br>◆ 也可用於「(為了考試等) 拚命強記知識」的情況，如 cram for the test (臨時抱佛腳準備考試)。 | stuff |
| □ **commit** [kə`mɪt] | 動 **投注 (時間或金錢)；犯 (罪)**<br>◆ 考生可能較熟悉 dedicate, devote 這兩個同義字。 | entrust<br>dedicate |
| □ **count** [kaʊnt] | 動 **依靠，指望**<br>◆ 從原意「計數，數數目」衍生有「將…什麼計算在內；指望」的意思。此外，count 也有「有價值或有重要性」的意思。 | rely<br>depend |
| □ **run** [rʌn] | 動 **經營，管理**<br>◆ run 作及物動詞時也有「使 (機械等) 運作；上映 (電影)」的意思。 | manage<br>operate<br>conduct |

| | |
|---|---|
| He concluded that the **lunar** craters were so uniform that they had to be the result of impacts from falling bodies such as meteorites. | 他從月球上的坑洞如此一致推論出，坑洞必定是由像隕石這類墜落天體所撞擊造成的。 |
| Fifty years later, a graduate student reasserted Gilbert's **thesis**. | 50 年後一位研究生重申了吉伯的論點。 |
| A young geologist who read it was so **inspired** that he persuaded NASA to incorporate geology into the Apollo missions. | 一位年輕的地質學者在閱讀之後受到極大的鼓舞，於是說服美國國家航空暨太空總署將地質學納入阿波羅計畫之中。 |
| The Apollo missions eventually **confirmed** most of Baldwin's ideas, which is astonishing considering that he wasn't a professional scientist. | 阿波羅計畫最後證實了包得文大部分的見解，就他不是一位專業的科學家而言，這著實令人吃驚。 |
| I bet you anything we'll all be **crammed** into the auditorium. | 賭什麼都可以，我賭我們全都會被塞進禮堂裡。 |
| Chris has **committed** the whole weekend to the assignment. | 克里斯整個週末都投入在這份作業上。 |
| You can probably **count** on Tim to help. | 你應能指望得到提姆的幫忙。 |
| With no tuition, how do they **run** the school? | 少了學費，他們怎麼經營學校？ |

| | | |
|---|---|---|
| □ **well-rounded**<br>[ˌwɛlˋraʊndɪd] | 形 **全方位的，面面俱到的** | **comprehensive**<br>**satisfactory** |
| □ **prerequisite**<br>[ˌpriˋrɛkwəzɪt] | 名 **前提，先決條件**<br>◆ 這個字經常出現在學生進行 casual conversation（聊天）的考題中。 | **requirement**<br>**necessity** |
| □ **tow**<br>[to] | 動 **（用鏈、繩等）拖，拉**<br>◆ 在違規停車告示中常出現的單字。towaway zone 是「拖吊區」的意思。 | **pull** |
| □ **humanity**<br>[hjuˋmænətɪ] | 名 **〔通常用複數形〕人文科學**<br>◆ humanity 的前面通常會加上 the。 | **subjects other than those of social sciences and natural sciences** |
| □ **aspiring**<br>[əˋspaɪrɪŋ] | 形 **胸懷大志的，有強烈願望的**<br>◆ 常見的搭配組合有 an aspiring artist（一位有抱負的藝術家）等。 | **ambitious**<br>**eager** |
| □ **breed**<br>[brid] | 名 **（牲畜、植物等的）品種；種類**<br>◆ breeding grounds 是「繁殖地」的意思。 | **kind**<br>**variety**<br>**genealogy** |
| □ **school**<br>[skul] | 名 **（藝術、學問等的）派別**<br>◆ school 還有「魚群」的意思，偶爾也會考。 | **sect**<br>**group** |
| □ **debris**<br>[dəˋbri] | 名 **（被破壞物的）碎片，瓦礫，殘骸**<br>◆ 在地質學的考題中很常出。注意，有時候也會考接近 rubbish（無用之物，垃圾）的意思。 | **rubble** |

| | |
|---|---|
| A college graduate is supposed to be **well-rounded** with a broad education. | 大學畢業生在接受廣泛的教育後應具備了**全方位的**知識。 |
| No, no, there's plenty of room, but there's a **prerequisite**. I've got to take *Introduction to Poetry* before I can take the special course in *Poets of the 1960s*. | 不、不，名額還很多，但是有個**前提**。在我能夠修「1960年代的詩人」這門特殊的課程之前，我必須先修過「詩歌概論」才行。 |
| You're lucky you only got a ticket. Normally, security **tows** any cars that are parked there. | 你很幸運只拿到一張罰單。一般來說，保全會把任何停在那裡的車子**拖**走。 |
| My problem is that I love philosophy, but my dad doesn't want me to get a degree in the **humanities**. | 我的難題是，我熱愛哲學，但我爸不希望我拿一個**人文科學**的學位。 |
| You can learn a lot working in an art gallery, and there's no place like New York for an **aspiring** artist. | 在藝術畫廊裡工作你可以學到很多，而且對一位**胸懷大志的**藝術家來說，沒有任何地方比得上紐約。 |
| He claimed to have discovered a **breed** of crows with superior tool making abilities. | 他宣稱發現了一種烏鴉**品種**，具有優異的工具製作能力。 |
| Abstract Expressionism, which is the main American abstract **school**, is usually associated with the 1950s. | 抽象表現主義是美國抽象畫**派**的主流，通常與1950年代聯想在一起。 |
| More than a thousand tons of **debris** enters the Earth's atmosphere every single day. | 每一天都有超過一千噸的**碎片**進入地球的大氣層。 |

| | | |
|---|---|---|
| ▢ **meteor**<br>[ˋmitɪɚ] | 名 流星<br>◆ 嚴格來說，流星的名稱依所出現的位置依序分成：大氣層外的 meteoroid（流星體）、大氣層內的 meteor（流星）、地面上的 meteorite（隕石）。 | shooting star |
| ▢ **streak**<br>[strik] | 名 線條；一段期間<br>◆ 若指「一段期間」的話，同義字為 spell。 | line |
| ▢ **still**<br>[stɪl] | 形 靜止的<br>◆ 還可作名詞使用，是指「電影的劇照，靜物畫」。 | motionless |
| ▢ **urine**<br>[ˋjʊrɪn] | 名 尿液 | piss |
| ▢ **condensation**<br>[ˏkandɛnˋseʃən] | 名 凝結，冷凝，濃縮<br>◆ 請從上下文來判斷最精確的字義。 | concentration<br>crystallization |
| ▢ **charter**<br>[ˋtʃartɚ] | 名 特許狀，許可證，特權<br>◆ 常出現在有關美國創立初期歷史的考題中。 | authorization<br>approval<br>sanction<br>license |
| ▢ **packed**<br>[pækt] | 形 擠滿…的，充滿…的<br>◆ a packed elevator 是指「非常擁擠的電梯」。 | crowded<br>compact |
| ▢ **parasite**<br>[ˋpærəˏsaɪt] | 名 寄生的動植物 | guest<br>worm |
| ▢ **campaign**<br>[kæmˋpen] | 名 軍事行動；競選活動；一系列的活動<br>◆ 主要用在選舉或政治上，但嚴格來說是表示「為了達到某個目的而進行的一連串活動或行動」。 | activity<br>crusade<br>operation |

| | |
|---|---|
| Most of the meteoroids that hit the Earth's atmosphere melt or break up in the air, causing **meteors**. | 撞擊地球大氣層的流星體大部分會在大氣中熔化或碎裂，形成流星。 |
| The **streaks** of light we see in the sky are meteoroids breaking up. | 我們在天空看見的一道道光線就是碎裂中的流星體。 |
| Now, the **still** lifes of the nineteenth century reveal a great deal about the time in which the artists lived. | 如今 19 世紀的靜物畫透露了諸多關於藝術家所在的時代。 |
| Small animals use **urine** to mark their trails. | 小型動物利用尿液標記牠們的行跡。 |
| It seems that dust particles are an important requirement for **condensation**. | 灰塵微粒似乎是凝結產生的項重要必要條件。 |
| The Hudson Bay Company had a Royal **Charter** that monopolized the area where the operating costs were lowest. | 哈德遜灣公司擁有皇家特許狀，握有此營運成本最低廉地區的專賣權。 |
| When the herds were attacked by the hyenas, the elands deliberately drove their young into the center of a tightly **packed** group, the center being safer than the periphery. | 當羊群遭到土狼攻擊時，大羚羊會刻意將幼羊趕進緊密相偎的群體中央，因為中央比外圍安全。 |
| A **parasite** is an organism that lives in or on another organism called the host. | 寄生蟲是一種有機體，居住於另一種被稱作宿主的有機體的體內或體表。 |
| The sculpture was sometimes arranged in the form of a story to show the success of the events—say the reign of the King or the military **campaign**. | 雕塑品有時以故事的形式編排，用以展示成功的事件，例如君主的統治或軍事戰役。 |

| | | |
|---|---|---|
| □ **encompass**<br>[ɪn`kʌmpəs] | 動 **包含；圍繞** | **surround**<br>**besiege** |
| □ **navigate**<br>[`nævə,get] | 動 **（在海、河上）航行，導航**<br>◆ 形容詞 navigable（可航行的）也常考。 | **steer**<br>**sail** |
| □ **game**<br>[gem] | 名 **獵物，野獸或野禽的肉**<br>◆ big game 是「（獅、象等）大型獵物」之意。 | **animals** |
| □ **exploit**<br>[ɪk`splɔɪt] | 動 **開發，利用；剝削**<br>◆ 有正負兩面的意思，所以要注意上下文的脈絡。另外，在同義字的考題中也要多加注意。 | **utilize**<br>**make the most of**<br>**squeeze** |
| □ **teem**<br>[tim] | 動 **有（大量的…），充滿**<br>◆ 注意別和 team（隊，組）搞混了。 | **be filled**<br>**overflow** |
| □ **elaborate**<br>[ɪ`læbərɪt] | 形 **精良的，精心製作的**<br>◆ 另外還有「費心的」之意，因此要注意區別這兩種意思。 | **precise**<br>**delicate**<br>**sophisticated** |
| □ **identical**<br>[aɪ`dɛntɪkḷ] | 形 **同一的，完全相同的**<br>◆ 有「如出一轍」的涵義。 | **same**<br>**equal**<br>**equivalent** |
| □ **counterpart**<br>[`kaʊntɚ,pɑrt] | 名 **相對應的人或物**<br>◆ 不要直接使用這個中文翻譯，而是要注意在文章中 counterpart 實際所指的事物是什麼。 | **match**<br>**equivalent**<br>**duplicate** |
| □ **density**<br>[`dɛnsətɪ] | 名 **密度；濃度**<br>◆ 請從上下文來判斷是「密度」還是「濃度」。 | **thickness**<br>**concentration** |
| □ **sprawl**<br>[sprɔl] | 動 **散亂地延伸；四肢伸開地坐（或臥）**<br>◆ 也可作名詞，urban sprawl 是「都市擴張」之意。 | **straggle**<br>**loll** |

| | |
|---|---|
| The Northwest Coast **encompasses** all the territory west of the Cascade and Coast Ranges. | 西北岸包含了所有喀斯喀特山脈和海岸山脈以西的領土。 |
| To exploit the sea and the rivers required the development of super craft to **navigate** stormy and rough waters. | 要開發海洋和河川必須先發展出精良的船舶，以航行於狂暴粗野的水域。 |
| The forests were rich with **game** and many edible plant foods. | 森林中有豐富的獵物和許多可食性的植物。 |
| People, over thousands of years, developed techniques and equipment to **exploit** their environment. | 數千年來人們發展技術和工具來開發他們的自然環境。 |
| Streams and coastal waters **teemed** with salmon, halibut, and other varieties of fish. | 溪流和沿海水域有大量的鮭魚、大比目魚和其他種魚類。 |
| That stability allowed the development of a complex social and ceremonial life, and **elaborate** technology. | 那種穩定性使得複雜的社會和儀式生活，以及精良的工藝技術得以發展。 |
| Although the urban expression is similar in the two countries, it is not **identical**. | 儘管兩國的都市外在展現頗為類似，卻非完全相同。 |
| The Canadian city is more compact than its United States **counterpart** of equal population. | 和美國相同人口數的城市（相等城市）相比之下，加拿大的城市較稠密。 |
| A similar population is housed on a smaller land area with a much higher **density**. | 類似的人口數居住於較小的土地面積上，密度高得多。 |
| Form and structure are now lost in the **sprawling** metropolises of the United States. | 形狀與結構如今已消失於這個散亂延伸的美國大都會中了。 |

| 單字 | 中文 | 同義字 |
|---|---|---|
| □ **impact** [`ɪmpækt] | 名（強烈的）影響；撞擊；衝突<br>◆「(強烈的）影響」之意很容易是個盲點，請多加注意。 | influence<br>effect<br>collision<br>shock |
| □ **broaden** [`brɔdn̩] | 動 擴大，擴展<br>◆ Writing 時若要表達「擴大視野」，可寫成 broaden one's horizons。 | spread<br>expand<br>extend<br>deepen |
| □ **coin** [kɔɪn] | 動 創造（新詞）<br>◆ 不常出現在有如字典般相互對應的同義字考題中，反而常出現在從上下文中找出同義字的題型中。 | originate<br>invent<br>create |
| □ **specific** [spɪ`sɪfɪk] | 形 特定的；具體的<br>◆ Be more specific. 是「更具體些」的意思。 | particular<br>explicit<br>definite<br>concrete |
| □ **dune** [djun] | 名 沙丘 | sand hill |
| □ **mitigate** [`mɪtə,get] | 動 減輕（憤怒、痛苦等） | relieve<br>ease |
| □ **substantially** [səb`stænʃəlɪ] | 副 相當，十分地；實質上<br>◆ 也可以用來表示負面的意思，如 substantially lower（相當低）。 | significantly |
| □ **sparse** [spɑrs] | 形 稀疏的<br>◆ 原本是形容「數量少」，如 sparse hair（量少的頭髮）。 | sporadic<br>scattered |
| □ **repertoire** [`rɛpɚ,twɑr] | 名（某演員、音樂家或藝術團體可隨時演出的）所有絕活 | stock<br>accumulation<br>repertory |

| All microphones and sound amplifiers have significant **impacts** on the nature of orchestration and popular vocal styles. | 所有的麥克風和揚聲器對管弦樂編曲和流行聲樂風格的本質產生了深遠的影響。 |
|---|---|
| All microphones and sound amplifiers tend to **broaden** the audience for popular music. | 所有的麥克風和揚聲器往往擴展了流行音樂的聽眾。 |
| The era of the American popular music industry was born—an inevitable result of the electronic age's "mass media," whose term was not yet **coined**. | 屬於美國流行音樂產業的時代誕生了——由電子時代的「大眾媒體」(一個尚未被創造出的詞彙)所造成的必然結果。 |
| Mass media made available kinds of popular music heard previously only in limited geographical areas or by **specific** ethnic and social groups. | 大眾媒體讓多種流行音樂唾手可得，以前這些音樂的聽眾僅止於有限的地理區或特定的種族和社群。 |
| About ten percent of the world's deserts are composed of sand **dunes**, which are driven across the desert by wind. | 全世界的沙漠之中大約有10% 是由沙丘構成，而沙丘是在風的驅逐下越過沙漠的。 |
| Methods to **mitigate** damage to structures from sand dunes include building windbreaks and funneling sand out of the way. | 要減輕沙丘對建築物的破壞，方法包括建築防風牆讓沙子流走。 |
| The length of sand dunes is **substantially** greater than their width. | 沙丘的長度遠大於寬度。 |
| Parabolic dunes form in areas where **sparse** vegetation anchors the side arms. | 拋物線形沙丘形成於有稀疏植被固定在其側面突出的地區。 |
| Hognose snakes have a complex **repertoire** of antipredator mechanisms, of which feigning death is one option. | 豬鼻蛇有一整套複雜的反掠食者機制，而裝死是其中一個選項。 |

| 單字 | 中文解釋 | 同義字 |
| --- | --- | --- |
| ▢ **opt**<br>[ɑpt] | 動 **選擇，決定做某事** | **choose**<br>**select**<br>**pick** |
| ▢ **provoke**<br>[prə`vok] | 動 **激怒，使氣惱**<br>◆ 同義字很多，很容易考。 | **exasperate**<br>**irritate**<br>**tantalize** |
| ▢ **cue**<br>[kju] | 名 **提示，信號**<br>◆ 和 clue（線索）的意思很類似。 | **sign**<br>**signal**<br>**trigger** |
| ▢ **reside**<br>[rɪ`zaɪd] | 動 **居住，定居** | **live**<br>**inhabit**<br>**dwell** |
| ▢ **restless**<br>[`rɛstlɪs] | 形 **靜不下來的，不能安寧的** | **unstable**<br>**uneasy** |
| ▢ **forsake**<br>[fɚ`sek] | 動 **離開；拋棄；革除**<br>◆ desert（拋棄）的意思也很類似，但較有負面涵義。 | **leave**<br>**abandon**<br>**give up** |
| ▢ **chronological**<br>[ˏkrɑnə`lɑdʒɪkl] | 形 **編年的，按時間先後順序排列的**<br>◆ in chronological order（依照年代順序）可能會在 Listening 的題型中出現。 | **sequential**<br>**consecutive** |
| ▢ **raise**<br>[rez] | 動 **提出（問題等）；養育**<br>◆ 基本的意思為「提起」。 | **bring up**<br>**rear** |
| ▢ **prescribe**<br>[prɪ`skraɪb] | 動 **（醫生）開藥；指示**<br>◆ 原指「正式以文書指示」。 | **order**<br>**indicate**<br>**instruct** |

| | |
|---|---|
| When first disturbed, the hognose **opts** for bluffing the predator. | 剛開始受到侵擾時，豬鼻蛇會**選擇**嚇唬掠食者。 |
| When further **provoked**, the hognose drops the bluff and begins to twist its body violently. | 當遭到進一步**激怒**，豬鼻蛇會停止虛張聲勢，然後開始猛烈地扭動身體。 |
| Young snakes are capable of using rather subtle **cues** to make adjustments in their antipredator behavior. | 幼蛇能夠利用相當微妙的**提示**來調整牠們的反掠食行為。 |
| About 80 percent of the population actually **resided** on farms or in small villages. | 實際上約莫 80% 的人口**居住**於農場或小村莊。 |
| The vitality, dynamic quality, variety, and **restless** experimentalism of society is centered in urban communities. | 存於社會之中的生命力、精力旺盛的特性，多變性和**躁動不定的**實驗主義是都市社區的中心。 |
| People **forsook** the countryside and rushed to the larger towns and cities. | 人們**離開**鄉村湧進較大的城鎮。 |
| A **chronological** framework has divided the history of the Anasazi into three Basket Maker stages and six Pueblo stages. | **編年**架構將安納薩吉的歷史畫分成三個籃筐編織時期和六個普埃布羅時期。 |
| This situation **raises** the question of the relative importance of each of these two components. | 這種情況**引發**了關於這兩個構成要素孰輕孰重的問題。 |
| You should have the physician **prescribe** you medicine as soon as possible. | 你應該請醫生**開藥**，愈快愈好。 |

| 單字 | 中文解釋 | 同義字 |
|---|---|---|
| ☐ **overlap** [ˏovɚ`læp] | 動 **部分重疊**<br>◆ 也可作名詞，意思是「重疊，部分一致」。 | ride<br>hang over |
| ☐ **compel** [kəm`pɛl] | 動 **強迫，迫使** | force<br>coerce |
| ☐ **stumble** [`stʌmbl̩] | 動 **意外發現；蹣跚而行；絆倒**<br>◆ 常考。與 run into（偶遇）的意思很類似。 | encounter<br>come across<br>trip<br>fall over |
| ☐ **tedious** [`tidɪəs] | 形 **煩人的，冗長乏味的**<br>◆ 同義字很多，常考。 | boring<br>weary<br>tiresome |
| ☐ **facilitate** [fə`sɪləˏtet] | 動 **使容易**<br>◆ 名詞是 facility（設施），可以想像成「輕鬆處理事物的地方」。 | simplify<br>ease<br>assist |
| ☐ **burden** [`bɝdn̩] | 名 **負擔** | load<br>weight |
| ☐ **grasp** [græsp] | 動 **領悟；握緊**<br>◆ 和動詞 grip（握緊）相同，也可用在物理及精神方面的理解上。 | understand<br>comprehend<br>grip |
| ☐ **spell** [spɛl] | 名 **魔力，魅力；著魔**<br>◆ spell 也有「一段期間」的意思。 | charm<br>incantation<br>magic |
| ☐ **render** [`rɛndɚ] | 動 **使得，使成為**<br>◆ 和 make 同樣都可當作使役動詞使用。 | make<br>cause ... to be |

| | |
| --- | --- |
| Another type, **overlapping** somewhat with voluntary organizations, is the utilitarian organization. | 另一種則是功利型組織，它與志願型組織有部分重疊。 |
| There are coercive organizations—organizations that people are **compelled** to participate in, such as the military, in some countries. | 有所謂的強制型組織，如某些國家的軍隊，人民被迫參與其中。 |
| Thomas Edison, an inventor of the late 1800s, always said that the phonograph was his only real discovery, the only invention he **stumbled** upon rather than deliberately set out to find. | 1800 年代晚期的發明家湯瑪斯‧愛迪生總是說留聲機是他唯一一項真正的發明，唯一一項他意外發現、而非刻意找尋的發明。 |
| A talking machine could be used to replace the **tedious** exchange of letters with the recorded message of the speaker on a phonograph cylinder. | 由於說話者能在留聲機的圓筒上記錄下訊息，留聲機因而能夠取代煩人的信件往返。 |
| Electric appliances **facilitated** the task of managing the larger business organizations of the late nineteenth century. | 電氣用品簡化了 19 世紀末期大型商業組織的管理工作。 |
| When used as a dictating machine, the phonograph promised to further ease the **burden** of business administration by mechanizing correspondence. | 若將留聲機當成口述錄音機使用，留聲機可望透過通信機械化進一步減輕企業管理的負擔。 |
| Edison had **grasped** the idea of mass production using standardized parts. | 愛迪生完全了解使用標準化零件以便量產的道理。 |
| The television set casts its magic **spell**, freezing speech and action, turning the living into silent statues so long as the enchantment lasts. | 電視機施展它神奇的魔力，凍結談話和動作，將活生生的東西變成沉默的雕像，只要魔咒一直持續的話。 |
| The needs of adults are being better met than the needs of children, who are effectively shunted away and **rendered** untroublesome. | 比起孩童而言，成人的需求可獲得較佳的滿足。孩童的需求一般被敷衍掉且被認為不麻煩。 |

| | | |
|---|---|---|
| ☐ **extract**<br>[ɪk`strækt] | 動 **取出，拔出，析取**<br>◆ 就廣義而言，remove（搬開；去掉）是 extract 的同義字。 | **pull out**<br>**distill**<br>**excerpt** |
| ☐ **destine**<br>[`dɛstɪn] | 動 **注定**<br>◆ 名詞為 destiny（命運，定數）。 | **doom** |
| ☐ **feature**<br>[`fitʃɚ] | 名 **特徵，特色**<br>◆ 同義字很多。 | **characteristic**<br>**distinction**<br>**trait** |
| ☐ **confront**<br>[kən`frʌnt] | 動 **面臨**<br>◆ 以被動態 be confronted with...（面臨著…）表達的方式很常見，相當於 be faced with...。 | **face** |
| ☐ **depression**<br>[dɪ`prɛʃən] | 名 **（經濟）蕭條；沮喪**<br>◆ 指景氣、精神、物體的「蕭條」。 | **recession**<br>**dent**<br>**gloom** |
| ☐ **handle**<br>[`hændḷ] | 動 **處理，管理**<br>◆ handle 也可作名詞使用，意思是「把手」。 | **deal with**<br>**tackle** |
| ☐ **flourish**<br>[`flɝɪʃ] | 動 **長得茂盛，興旺，繁榮**<br>◆ 大多是正面涵義，但也有「揮舞（武器）；誇耀（物品）」等用於負面涵義的情況。 | **thrive**<br>**prosper** |
| ☐ **algae**<br>[`ældʒi] | 名 **藻類**<br>◆ 常考。此為複數形，單數形為 alga [`ælgə]。 | |
| ☐ **tidal**<br>[`taɪdḷ] | 形 **潮汐的，受潮汐影響的**<br>◆ tidal wave 正確來說是指「滿潮」，而非「海嘯」。 | **relating to the regular rising and falling of the ocean** |

| | |
|---|---|
| Capuchin monkeys **extracted** the nutmeat by inserting sticks into the shell openings and removing it. | 藉由將小樹枝插入殼縫並除去果殼，僧帽猴取出了核仁。 |
| The tiny pupa is **destined** to become a brightly colored moth. | 小巧的蛹注定會變成色彩斑斕的蛾。 |
| The caterpillar chews its way out of the leaf and moves actively about on the surface, appearing to assess the leaf's **features**. | 毛毛蟲邊咀嚼邊爬出葉子並在葉面上活躍地移動著，似乎在評估葉子的特徵。 |
| The most profound mystery **confronting** physics at the end of the twentieth century is neatly captured in a Charles Addams cartoon. | 物理學在 20 世紀末所面臨到的最深奧謎團被巧妙地捕捉入查爾斯・亞當斯的一幅漫畫中。 |
| The United States experienced a severe economic **depression** during the 1930s. | 美國在 1930 年代期間遭逢了嚴重的經濟蕭條。 |
| For more than a century, such matters had been **handled** by ten different committees, officials, and departments. | 一個世紀多以來，已有 10 個不同的委員會、官員和部門負責處理過這類事件。 |
| Growing where the water is warm, shallow, salty, and calm, mangrove trees **flourish** in fine-grained soils rich in nutrients. | 紅樹林生長在溫暖、狹淺、鹽質且平靜的水裡，在養分豐富的細質土壤中長得枝繁葉茂。 |
| The roots of some species of mangrove create surfaces on which **algae**, barnacles, and other organisms can settle. | 某些種類的紅樹林其根部創造了藻類、藤壺和其他有機體能夠定居的表面。 |
| Other species of fish, such as jacks and barracuda, can move far up **tidal** streams during dry periods, feeding on the rich food produced by the forest. | 例如傑克魚、梭魚等其他種類的魚，在乾季期間可以深溯受潮汐影響的溪流，享用森林所生產的豐富食物。 |

| Word | Meaning | Synonyms |
|---|---|---|
| □ **crucial**<br>[`kruʃəl] | 形 決定性的，至關重要的<br>◆ 意指 very important（極重要）。 | decisive<br>critical |
| □ **score**<br>[skor] | 名 樂譜；配樂；得分；分數；二十；許多<br>◆ 為多義字，除了「得分；分數」的意思外，還有 scores of meanings（許多的意思）。這裡的 score 是由「二十」衍生出「多數」之意。 | note<br>notation |
| □ **preeminent**<br>[pri`ɛmɪnənt] | 形 卓越的，超群的 | distinguished<br>outstanding |
| □ **roam**<br>[rom] | 動（無目的地）漫遊<br>◆ 在國外某些特定地點使用 cellular phone（手機）就稱為 roaming（國際漫遊）。 | wander<br>stroll<br>ramble |
| □ **prestigious**<br>[prɛs`tɪdʒɪəs] | 形 聲望高的<br>◆ prestigious 就廣義來說有許多同義字。 | famous<br>admired<br>first-class |
| □ **pueblo**<br>[`pwɛblo] | 名 印地安人的集團住宅或部落；普埃布羅族<br>◆ Reading 特別常考，請記下來。 | |
| □ **soak**<br>[sok] | 動 吸收；浸泡；滲透<br>◆ 右頁例句中 soak up 的意思是「吸收，攝取」，同義字是 absorb。 | penetrate<br>seep<br>moisten |
| □ **liner**<br>[`laɪnɚ] | 名 襯裡，襯墊 | lining<br>reverse |
| □ **scorching**<br>[`skɔrtʃɪŋ] | 形 熾熱的 | exceedingly hot |

| | |
|---|---|
| The nature of the work gave painters a **crucial** economic advantage over the engraver, composer, or writer. | 工作性質使得畫家比雕刻家、作曲家或作家更具備了決定性的經濟優勢。 |
| Prints, musical **scores**, novels, or plays could be imported cheaply, but personal portraits could not. | 印刷品、樂譜、小說或劇本能夠低價進口，個人肖像卻不能。 |
| Only the **preeminent** painters managed to establish themselves for very long in one place. | 只有卓越的畫家才能做到長久安身立命於一處。 |
| Most painters belonged to the large band of traveling artists, actors, and musicians who **roamed** the colonies. | 大部分的畫家都屬於這個在殖民地漫遊的旅行藝術家、演員和音樂家的大隊伍。 |
| The relative costliness and demand of the work made painting in colonial America a competitive and **prestigious** profession. | 由於作品相對昂貴而且需求又高，繪畫在殖民時代的美國是一個競爭激烈且聲望頗高的職業。 |
| Southwestern dwellings, called **pueblos**, built above ground level, used the same heat-retention principle. | 西南部的房舍是印第安普埃布羅族村落，蓋在比地面水平還高的地方，應用相同的保溫原理。 |
| Their thick adobe walls **soaked** up heat from the sun during the day, and at night radiated warmth into the rooms. | 他們厚實的土磚牆在白天吸收來自太陽的高溫，夜間則將熱能輻射進入房間。 |
| In the Northern Plains, tents made of animal skins had an inner **liner** that created an insulating air pocket. | 在北部平原區上，以獸皮製成的帳篷具有內部襯墊，製造出一個阻隔熱氣流出的氣室。 |
| In **scorching** weather, they frequently splashed the cover with water; evaporation lowered the shaded area's temperature by ten degrees or more. | 他們在熾熱的天氣裡經常用水噴灑棚子；蒸發作用讓陰影處的氣溫下降 10 度以上。 |

| | | |
|---|---|---|
| □ **humidity**<br>[hju`mɪdətɪ] | 名 **溼氣，溼度**<br>◆ 在一般的同義字題型中常出現。 | **moisture**<br>**dampness** |
| □ **trait**<br>[tret] | 名 **特徵，顯著的特點**<br>◆ 發音、拼字、字義都很重要。 | **characteristic**<br>**distinction** |
| □ **missionary**<br>[`mɪʃə,nɛrɪ] | 名 **傳教士** | **propagandist** |
| □ **stimulus**<br>[`stɪmjələs] | 名 **刺激**<br>◆ 複數形為 stimuli [`stɪmjə,laɪ]。 | **incentive**<br>**spur**<br>**inspiration** |
| □ **entrepreneur**<br>[,antrəprə`nʊr,<br>,antrəprə`nɝ] | 名 **企業家** | |
| □ **timepiece**<br>[`taɪm,pis] | 名 **時鐘，座鐘** | **clock**<br>**watch** |
| □ **account**<br>[ə`kaʊnt] | 動 **占（相當的）部分**<br>◆ 右頁例句中 account for 是「占（比例）」的意思，後面通常會接 30% 這類的數字。 | **occupy**<br>**take** |
| □ **afford**<br>[ə`ford] | 動 **供給，給予**<br>◆ 還有「能力足以做某事」之意，通常和 can, be able to 連用。 | **give**<br>**provide** |
| □ **profusion**<br>[prə`fjuʒən] | 名 **大量，豐富**<br>◆ 最常以 a profusion of...（大量的…）的方式表達。 | **abundance** |

| | |
|---|---|
| In the Southeast, where **humidity** as well as heat was a problem, houses needed as much airflow as possible. | **溼氣**加上高溫在東南部是個問題，房屋盡可能地需要空氣的流動。 |
| At times, soldiers serve as intermediaries in spreading a cultural **trait**. | 士兵有時成了傳播文化**特徵**的媒介。 |
| In the nineteenth century, western **missionaries** brought western-style clothing to such places as the Africa and Pacific islands. | 19 世紀時西方**傳教士**將西式服裝帶進非洲和太平洋島國等地。 |
| US President George W. Bush repeated his call for Congress to pass a **stimulus** package that would cut taxes by USD$60 billion to USD$75 billion. | 美國總統喬治・布希再度要求國會通過**刺激**方案，此方案將使減稅金額從 600 億美元擴增為 700 億美元。 |
| Clocks were made in the United States long before **entrepreneurs** began to produce them in large numbers in factories. | **企業家**開始在工廠裡大量生產時鐘以前，時鐘早已在美國製造生產。 |
| Clockmakers, working in small shops, produced small numbers of **timepieces**; their clocks were works of art. | 在小店鋪裡工作的鐘錶師傅製作了少量的**時鐘**，個個都是藝術品。 |
| By 1800, wooden clocks **accounted** for the majority of American clock production. | 到了 1800 年木製時鐘**占**了美國時鐘產量的大部分。 |
| Of all the musical riches that exist in our lives, the orchestra **affords** us the most varied source of genuine listening pleasure. | 在所有存在於我們生活裡的音樂財富中，管弦樂團**提供**了最多樣的來源，讓我們得以獲得純粹的聆聽喜悅。 |
| The great orchestras of the world can now reach even the most remote areas due to a **profusion** of recorded performances. | 由於有**大量**的錄音演奏，甚至連最偏遠的地區目前也能欣賞到全球頂尖交響樂團的演奏。 |

| 單字 | 中文意思與說明 | 同義字 |
|---|---|---|
| □ **occupy**<br>[ˋɑkjəˏpaɪ] | 動 **居（某地位）；占領**<br>◆ 在與戰爭有關的題目中，就有可能是指「占領」的意思。 | **take**<br>**stand**<br>**account for**<br>**dominate** |
| □ **invaluable**<br>[ɪnˋvæljəbl̩] | 形 **寶貴的，無價的**<br>◆ 注意，字首的 in- 並不是表示否定的意思。 | **highly useful** |
| □ **plane**<br>[plen] | 名 **平面** | **level**<br>**surface**<br>**smooth** |
| □ **seep**<br>[sip] | 動 **滲漏，滲出**<br>◆ 常考，尤其在與地質學相關的考題中一定會出現。動詞 permeate（滲入，滲透）的意思也很接近。 | **trickle**<br>**percolate**<br>**leak** |
| □ **dissolve**<br>[dɪˋzɑlv] | 動 **溶解** | **melt**<br>**thaw** |
| □ **crevice**<br>[ˋkrɛvɪs] | 名 **（牆壁、岩石等的）裂縫** | **crack**<br>**split**<br>**chasm**<br>**crevasse** |
| □ **collapse**<br>[kəˋlæps] | 動 **崩塌**<br>◆ 常出現在地質學的考題中。 | **fall down**<br>**crumble**<br>**crush** |
| □ **rubble**<br>[ˋrʌbl̩] | 名 **碎石，瓦礫**<br>◆ 比較常考 debris（碎片，瓦礫，殘骸），不過建議還是把 rubble 記下來。 | **debris** |

| | |
|---|---|
| Both in a musical and sociological sense, the orchestra today **occupies** a central position in our cultural lives. | 從音樂和社會學的意義看來，今日的交響樂團在我們的文化生活裡**占據**了核心地位。 |
| A look at the evolution of the orchestra provides us with **invaluable** insight into the development of music. | 檢視交響樂團的演化讓我們對音樂的進展有了**寶貴的**了解。 |
| It is along these **planes** of weakness that caverns develop. | 大洞穴正是沿著這些弱**面**發展而成的。 |
| Rain, snowmelt, and other ground water containing carbon dioxide **seeps** or flows downward along cracks, joints, fault planes, and fissures. | 雨水、融雪和其他含有二氧化碳的地下水沿著裂縫、節理、斷層面和微裂向下**滲流**。 |
| This water actually constitutes a weak form of carbonic acid and slowly **dissolves** the limestone. | 這些水事實上形成了弱碳酸溶液，緩慢地將石灰岩**溶解**。 |
| This dissolving action enlarges the cracks, joints, and **crevices** into passageways, rooms, or huge halls. | 這種溶解作用使裂縫、節理和**岩縫**擴寬成通道、房間或大型廳堂。 |
| This water acts on the walls of the room, gradually expanding the chamber by dissolving the walls away and causing the ceiling to **collapse**. | 這些水作用於房間的牆壁上，溶解牆壁使之逐漸擴大，接著造成頂部**崩塌**。 |
| The ceiling **rubble** is then attacked by the water, which in turn dissolves and carries it away. | 頂部**碎石**接著受到水的侵襲、溶解，然後帶走。 |

| | | |
|---|---|---|
| ☐ **diminish** [də`mɪnɪʃ] | 動 **降低，減少**<br>◆ 同義字很多。 | **reduce**<br>**decrease**<br>**lessen**<br>**dwindle** |
| ☐ **identify** [aɪ`dɛntə͵faɪ] | 動 **辨別，鑑別出**<br>◆ identify 的意思就是 recognize and name something。 | **recognize**<br>**name**<br>**single out** |
| ☐ **perch** [pɝtʃ] | 名 **鳥類的棲息處，棲木** | **roost** |
| ☐ **feed** [fid] | 動 **以…為食**<br>◆ consume（吃或喝；消耗；浪費）視情況也有可能是 feed 的同義字。 | **eat**<br>**devour** |
| ☐ **rodent** [`rodənt] | 名 **（如鼠、兔等的）齧齒類動物** | |
| ☐ **tactics** [`tæktɪks] | 名 **策略，手段；戰術** | **strategy**<br>**game**<br>**plan** |
| ☐ **restriction** [rɪ`strɪkʃən] | 名 **限制，約束** | **limit**<br>**restraint**<br>**constraint** |
| ☐ **invariably** [ɪn`vɛrɪəbəlɪ] | 副 **不變地**<br>◆ 常考。注意，在非選擇題的同義字題型中，考生答對的比率很低。 | **always without exception** |
| ☐ **mill** [mɪl] | 名 **工廠**<br>◆ 也可指「磨坊，製粉廠」。 | **factory**<br>**plant**<br>**work** |

| | |
| --- | --- |
| First, we should tackle the issue of how to **diminish** greenhouse gas emissions. | 首先，我們應該解決如何**減少**溫室氣體排放量這個議題。 |
| The best approach is to observe the eagles and **identify** the prey they capture. | 最佳方式是觀察老鷹和**辨別**其捕捉的獵物。 |
| The vast diversity of prey that eagles exploit is exemplified by the variety of prey remains found at their nests or under their feeding **perches**. | 老鷹捕食的獵物極其多樣，例證在於鳥巢中或進食**棲木**下所發現的各種獵物殘骸。 |
| Eagles are distributed widely throughout the world and **feed** on prey of any size. | 老鷹的分布遍及全球，以各種大小的獵物**為食**。 |
| Bald eagles are known to eat small **rodents**, but they have also been known to dine on beached whales. | 一般人都知道禿鷹不僅吃小型**嚙齒動物**，也吃擱淺的鯨魚。 |
| Their food habits can change daily or seasonally and from one location to next, and their varied foraging **tactics** mean that their diet will also be diverse. | 牠們的飲食習慣可能每日或隨季節變化，也可能因地而異，而牠們多樣的掠食**策略**意味著牠們的飲食也將變化多端。 |
| The only **restriction** eagles face is in the location in which they seek their prey. | 老鷹面臨的唯一**限制**在於牠狩獵的地點。 |
| When a choice is available, bald eagles **invariably** select fish over other prey. | 有所選擇時，禿鷹**必定**先選擇魚類而非其他獵物。 |
| The early textile **mills** marketed their own products and constructed their own machinery. | 早期的紡織**工廠**銷售自家產品並建造自家機器。 |

| | | |
|---|---|---|
| ▢ **regional**<br>[`ridʒənl̩] | 形 區域性的，地域性的 | local<br>provincial |
| ▢ **outgrowth**<br>[`aʊt͵groθ] | 名（自然的）結果、產物<br>◆ 同義字 consequence, outcome 很常考。 | result<br>consequence<br>outcome |
| ▢ **incentive**<br>[ɪn`sɛntɪv] | 名 激勵，動機<br>◆ incentive contract 是「獎勵契約」的意思。 | stimulus<br>inducement<br>encouragement |
| ▢ **harness**<br>[`harnɪs] | 動 利用（瀑布等自然之力）產生動力<br>◆ 簡明易懂的例句如 We harness the river to generate electricity.（我們利用河川生產電力。） | exploit<br>utilize<br>control |
| ▢ **innovation**<br>[͵ɪnə`veʃən] | 名 創新，革新 | reform<br>novelty<br>change<br>alternation |
| ▢ **impede**<br>[ɪm`pid] | 動 阻礙，阻止<br>◆ 廣義而言，hold up（阻礙，阻擋）和 delay（延誤，耽擱）都是同義字。 | obstruct<br>hamper<br>hinder<br>block |
| ▢ **radiation**<br>[͵redɪ`eʃən] | 名 輻射；輻射能 | emission<br>radioactivity |

| | |
|---|---|
| The essential features of the Industrial Revolution were mechanization, specialization, and a trend from local to **regional** and national distribution. | 工業革命最重要的特色包括機械化、專門化，以及從本地性轉成區域性、全國性配送的趨勢。 |
| United States industrial technology was in part copied from Europe, especially England, and was, in part, an **outgrowth** of the efforts of American inventors, skilled mechanics, and entrepreneurs. | 美國的工業技術有一部分是自歐洲——尤其是英國——複製而來，有一部分則是美國的發明家、技工和企業家奮鬥之下的產物。 |
| Manufacturers found an impelling **incentive** for mechanization in the relative scarcity and high cost of domestic labor. | 在相對缺乏且昂貴的國內勞力之中，製造商找到了進行機械化的動機。 |
| Another incentive was the presence of cheap waterpower that machinery could easily **harness**. | 另一項動機是廉價水力的存在，機械便於用來產生動力。 |
| In the United States, such conditions provided many inducements for mechanical **innovation**. | 這樣的條件在美國為機械創新提供了許多誘因。 |
| The relative youth of the society meant that there were few established political and social structures that would be likely to **impede** technological change. | 這個社會相對年輕，意味著可能阻礙技術革新的既有政治和社會結構為數稀少。 |
| The tall buildings, concrete, and asphalt of cities absorb and store greater quantities of solar **radiation** than do the vegetation and soil typical of rural areas. | 城市裡的高聳建築、混凝土和柏油比鄉村地區常見的植物和泥土，吸收且儲存更大量的太陽輻射能。 |

MP3 102

| | | |
|---|---|---|
| □ **attribute** [ə`trɪbjut] | 動 **將…歸因於**<br>◆ 實用的例句如 The doctor attributed her quick recovery to her physical fitness.（醫生將她快速恢復健康歸因於她的身體體質好。） | **ascribe** |
| □ **intrigue** [ɪn`trig] | 動 **激起…的興趣**<br>◆ intrigue 很常考。在 Writing 時可以把 It interested me.（它讓我感興趣。）替換成 It intrigued me.。 | **attract**<br>**interest**<br>**fascinate**<br>**charm** |
| □ **geometric** [ˌdʒɪə`mɛtrɪk] | 形 **幾何的，幾何學上的** | **formal** |
| □ **scan** [skæn] | 動 **細細檢視**<br>◆ 也有「粗略瀏覽（報紙、書本等）」的意思。 | **examine**<br>**investigate**<br>**scrutinize** |
| □ **orbit** [`ɔrbɪt] | 動 **繞著軌道運行**<br>◆ 也可作名詞，意思是「軌道」。 | **revolve**<br>**circle** |
| □ **reasoning** [`rizənɪŋ] | 名 **推論，推理**<br>◆ 動詞 reason 的意思是「推論，推理」。 | **inference**<br>**deduction** |
| □ **address** [ə`drɛs] | 動 **對…提出（意見或書面陳述）** | **discourse**<br>**lecture**<br>**orate** |
| □ **exhibit** [ɪg`zɪbɪt] | 動 **展現，顯示** | **express**<br>**display**<br>**manifest**<br>**show** |

| | |
|---|---|
| Part of the urban temperature rise must also be **attributed** to waste heat from such sources as home heating and air conditioning, power generation, industry, and transportation. | 都市溫度的上升，部分也必須**歸因於**來自家庭冷暖氣、發電廠、工業、交通運輸等地方所產生的廢熱。 |
| The development of advanced radio telescopes has allowed astronomers to attempt to answer questions that have long **intrigued** scientists, philosophers, and laypersons alike. | 高級電波望遠鏡的發明讓天文學家得以嘗試回答長久以來**吸引**科學家、哲學家和一般人的問題。 |
| One plan envisioned the building of huge canals in the desert in the shape of easily recognizable, **geometric** symbols. | 有一項計畫想像在沙漠中建造外形為**幾何**圖像且容易辨識的巨型運河。 |
| One half of this search plan calls for using radio telescopes in its Deep-Space Network to repeatedly **scan** the entire sky. | 這項搜尋計畫有一半需要在其深空網路之中，運用電波望遠鏡反覆**檢視**整個天空。 |
| The other half of the search plan involves using its 1,000-foot telescope to listen to nearby stars similar to the Sun that may have Earthlike planets **orbiting** around them. | 該搜尋計畫的另一半需要使用其一千英尺的望遠鏡來傾聽鄰近類似太陽，並有像地球般行星**繞行**的星體。 |
| The power of the imagination is every bit as important as the power of deductive **reasoning**. | 想像力和演繹**推理**能力同等重要。 |
| The long history of a concept's development or any of the unproductive approaches that were taken by early mathematicians are not always **addressed** in mathematics courses. | 數學課上不見得會**提到**數學觀念的冗長發展史，或提到早期數學家所用之任何徒勞無功的作法。 |
| One way we can learn a lot about mathematics, and in the meantime find enjoyment in the process, is by studying numerical relationships that **exhibit** unusual patterns. | 一種讓我們能更了解數學，同時也能在過程中找到樂趣的方法，就是研究**呈現**於罕見模式中的數字關係。 |

| | | |
|---|---|---|
| ☐ **inductive**<br>[ɪn`dʌktɪv] | 形 **歸納的**<br>◆ 意即從具體的事物導出一般性的事物。 | **generalizing** |
| ☐ **excavate**<br>[`ɛkskə,vet] | 動 **挖掘，發掘** | **dig up**<br>**unearth**<br>**mine** |
| ☐ **overhang**<br>[`ovɚ,hæŋ] | 名 **突出部分，懸垂之處** | **projection** |
| ☐ **posterity**<br>[pɑs`tɛrətɪ] | 名 **後世，子孫**<br>◆ 常考。容易和其他單字混淆，請邊聽 MP3 邊跟述來幫助記憶。 | **descendant**<br>**offspring** |
| ☐ **sequence**<br>[`sikwəns] | 名 **連續，一連串** | **series**<br>**succession** |
| ☐ **millennium**<br>[mɪ`lɛnɪəm] | 名 **一千年，千禧年**<br>◆ 注意單複數的變化是字尾由 -um 變成 -a，medium/media（媒介，媒體，宣傳工具）也是相同的變化。 | **a period of one thousand years** |
| ☐ **attain**<br>[ə`ten] | 動 **達到，實現**<br>◆ 同義字很多，常考。 | **reach**<br>**accomplish**<br>**achieve**<br>**realize** |
| ☐ **nuance**<br>[nju`ɑns] | 名 **（意見、顏色、感情等的）細微差異** | **shade**<br>**subtlety** |

| | |
| --- | --- |
| This is an example of **inductive** reasoning since the prediction is based on a large number of observed cases. | 由於該預測是根據觀察大量的實例而來，所以是一個歸納推理的實例。 |
| Much of our knowledge of the earliest hunters and gatherers was found by **excavating** abandoned living sites. | 我們對早期獵人和採集者的許多知識是藉由挖掘遭到遺棄的居住遺址而獲得的。 |
| These groups of people favored lakeside camps or convenient rock **overhangs** for protection from predators and the elements. | 這幾群人偏好湖畔露營地，或是便於躲避掠食動物和惡劣氣候侵擾的突出岩石地。 |
| The gently rising waters of a prehistoric lake slowly covered the bone caches and preserved them for **posterity**, with the tools lying where they had fallen. | 史前湖泊的湖水和緩地上升，慢慢地淹沒骨骸埋藏處，伴隨當初散落其處的工具一併留給後世子孫。 |
| The **sequence** of occupation layers can be uncovered almost undisturbed from the day of abandonment. | 連續的居住層在出土之際可能幾乎都還維持著被遺棄當時的樣貌。 |
| Higher population densities and more lasting settlements left more conspicuous archaeological sites from the later **millennia** of human history. | 在人類歷史往後的數十年間，較密集的人口與較長久的定居，留下了更多惹人注目的考古遺址。 |
| It appears that female humpback whales **attain** sexual maturity when they are between four and five years old. | 母座頭鯨似乎在四到五歲時達到性成熟。 |
| In the wild, the **nuances** of cetacean pregnancy and birth are rarely seen by human observers. | 在野外，人類觀察者很少分辨得出鯨類懷孕和產子的細微差異。 |

| | | |
|---|---|---|
| □ **shroud** [ʃraʊd] | 動 **覆蓋，遮蔽**<br>◆ 小心，不要看錯成 shoulder（肩膀）。 | hide<br>conceal<br>veil<br>wrap<br>cover |
| □ **solitary** [`saləˌtɛrɪ] | 形 **孤獨的，單獨的**<br>◆ 名詞 solitude（孤獨，單獨）也要一併記下來。 | lonely<br>lone<br>alone<br>lonesome |
| □ **vertical** [`vɜtɪkl] | 形 **垂直的，豎立的**<br>◆ 反義字是 horizontal（水平的，橫的）。 | upright<br>perpendicular<br>erect |
| □ **pop** [pɑp] | 動 **突然出現，突然行動**<br>◆ 右頁例句中 pop up 也是「突然出現，突然發生」的意思。 | appear<br>show<br>emerge |
| □ **allocate** [`æləˌket] | 動 **分配，分派** | assign<br>allot<br>distribute |
| □ **concrete** [`kankrit] | 形 **具體的，明確的**<br>◆ 反義字是 abstract（抽象的）。 | specific |
| □ **discipline** [`dɪsəplɪn] | 名 **學科**<br>◆ 另有「紀律，教養」之意，也常考。 | academic subject |
| □ **credit** [`krɛdɪt] | 名 **榮譽，功勞**<br>◆ give someone credit 是「歸功於某人」的意思。 | merit<br>responsibility |
| □ **paradigm** [`pærəˌdaɪm] | 名 **思維模式**<br>◆ 也有「模範，範例」之意，所以也可代換成 example, model。 | methodology<br>method |

| | |
|---|---|
| Perhaps because of a tendency to give birth under the cover of darkness, the actual birth is still **shrouded** in mystery. | 或許由於傾向在黑暗的保護下生產，實際的生產過程仍籠罩著一層神祕的面紗。 |
| For more than a minute, the **solitary** female gray whale is vertical in the water, her head down, with flukes held stiffly about six feet above the surface. | 落單的母灰鯨在水中直立，頭朝下，尾鰭直挺挺地突出水面六英尺高，整個過程超過一分鐘之久。 |
| The calf submerges as its mother whale returns to her **vertical** position but reappears as the mother rests belly-up, just beneath the surface. | 當母鯨回歸垂直姿勢時，幼鯨會潛入水裡；當母鯨淺沉於水面下、腹部朝上休息時，幼鯨則會再出現。 |
| Within thirty seconds the calf **pops** up to the surface, separate from its mother for the first time. | 幼鯨在 30 秒之內突然現身水面，首次與母鯨分開。 |
| Political science deals with the ways in which society **allocates** the right to use legitimate power. | 政治學論及社會以哪些方法分配使用正當權力的權利。 |
| The subject matter should be something **concrete**, specific, and easily identified. | 主題應當是具體、明確且容易確認的事物。 |
| That subject matter is claimed as the central object of study of some other established **discipline**. | 那個主題宣稱是某一已確立之學科的主要研究對象。 |
| **Credit** for the first conceiving of the Earth as a spaceship usually goes to the inventor and philosopher Buckminster Fuller. | 「首位將地球想像為一艘太空船」的榮耀通常歸給發明家暨哲學家巴克敏斯特・富勒。 |
| All these qualities make the spaceship **paradigm** far better than other proposed **paradigms** for modeling a dynamic society on a finite planet. | 所有這些特性使得太空船思維模式遠比其他被提出來的思維模式，更適合用來模擬一個位於有限行星上的動態社會。 |

| | | |
|---|---|---|
| ☐ **pesticide**<br>[ˋpɛstɪˏsaɪd] | 名 **殺蟲劑**<br>◆ pest 是「害蟲，有害之物」的意思，而字根 -cide 表示「殺」之意。其他字根為 -cide 的單字還包括 gonocide（大屠殺）、homicide（殺人）、suicide（自殺）等。 | **insecticide**<br>**agricultural chemicals** |
| ☐ **incorporate**<br>[ɪnˋkɔrpəˏret] | 動 **結合，合併**<br>◆ 常考，務必記熟。 | **combine**<br>**unite**<br>**integrate** |
| ☐ **monitor**<br>[ˋmɑnətɚ] | 動 **監控** | **check**<br>**watch** |
| ☐ **restore**<br>[rɪˋstor] | 動 **使恢復**<br>◆ 同義字很多，常出現在同義字的考題中。 | **recover**<br>**return**<br>**retrieve**<br>**revive** |
| ☐ **yield**<br>[jild] | 動 **屈服，讓出（權利、地位等）**<br>◆ yield 有兩個基本的意思，即「生產（作物等）」與「屈服，讓出」。 | **surrender**<br>**give way**<br>**give up** |
| ☐ **advocate**<br>[ˋædvəˏket] | 動 **提倡，鼓吹，主張**<br>◆ 也可作名詞，意思是「提倡者，支持者」。 | **maintain**<br>**support** |
| ☐ **census**<br>[ˋsɛnsəs] | 名 **人口普查** | |
| ☐ **figure**<br>[ˋfɪgjɚ] | 名 **數字；外形；人物**<br>◆ 字義很多，要從上下文來仔細判別。常出現在會話或演說的題型中。 | **number**<br>**shape**<br>**person** |

| | |
|---|---|
| An increasing number of people are advocating a switch from chemical **pesticides** to more organic approaches to raising and protecting the world's food supply. | 愈來愈多的人提倡不用化學殺蟲劑，而改用較有機的方式來增加且保護全球糧食來源。 |
| Although IPM (Integrated Pest Management) **incorporates** the use of some pesticides, its primary control measures are non-chemical. | 雖然綜合性害蟲管理結合了些許殺蟲劑的使用，但它主要屬於非化學性的控制措施。 |
| Fields are carefully **monitored** for damage, and appropriate control measures are applied only when pests reach an economically damaging level. | 田野的損失正在小心翼翼地監控中，然而只有在害蟲達到造成經濟損失的程度時才採取適當的控制措施。 |
| By introducing natural control methods, farmers can actually **restore** areas to more natural systems and thus help reclaim land that has become unproductive. | 藉由採行自然的控制方法，農夫確實能使許多區域恢復為較天然的狀態，因而幫助已然荒蕪的土地重現生機。 |
| Being speechless, John **yielded** to Dr. Bryant's arguments. | 約翰啞口無言地屈服於布萊恩博士的論點之下。 |
| An increasing number of people are **advocating** a switch from chemical pesticides to more organic approaches to raising and protecting the world's food supply. | 愈來愈多的人提倡不用化學殺蟲劑，而改用較有機的方式來增加且保護全球糧食來源。 |
| Before the eighteenth century, there were no known public national **censuses**. | 在 18 世紀以前各地皆無公開的全國人口普查。 |
| Any **figures** indicating a nation's military and economic power were guarded as state secrets. | 任何顯示出一個國家軍事和經濟力量的數字都被作為國家機密而嚴加守護。 |

| 單字 | 中文意思與說明 | 同義字 |
|---|---|---|
| □ **comprehensive**<br>[ˌkamprɪˋhɛnsɪv] | 形 **無所不包的，廣泛的**<br>◆ 請一併將 Comprehensive Test Ban Treaty (CTBT)（全面禁止核子試驗條約）記下來。 | **inclusive**<br>**all-embracing**<br>**extensive** |
| □ **representation**<br>[ˌrɛprɪzɛnˋteʃən] | 名 **代表者；議員團**<br>◆ 字尾 -tion 的特別之處在於可以用來表示「代表者」這類的人。 | **representative**<br>**delegate** |
| □ **constitution**<br>[ˌkanstəˋtjuʃən] | 名 **憲法**<br>◆ 另外還有「構成，組織；體格；制定」等意思。 | |
| □ **preliminary**<br>[prɪˋlɪməˌnɛrɪ] | 形 **初步的，初期的，預備的**<br>◆ 校園對話中談論選修科目時，有可能會出現 preliminary list（科目預選單）一詞。 | **preparatory**<br>**spare**<br>**reserve** |
| □ **detect**<br>[dɪˋtɛkt] | 動 **發現，察覺**<br>◆ detector 是「發現者；探測器」的意思。另外，lie detector 是指「測謊器」。 | **find**<br>**discover**<br>**spot** |
| □ **catastrophic**<br>[ˌkætəˋstrafɪk] | 形 **災難性的；激變的** | **disastrous**<br>**devastating**<br>**tragic** |
| □ **asteroid**<br>[ˋæstəˌrɔɪd] | 名 **小行星**<br>◆ 常出現在 TOEFL iBT 的考題中。 | **a small planet** |
| □ **track**<br>[træk] | 動 **追蹤；探知**<br>◆ 也可作名詞使用，意思是「行蹤；足跡；道路」。Dialogue, Lecture, Reading 等都有可能會考 track 的動詞和名詞用法。 | **trail**<br>**trace**<br>**detect** |
| □ **subject**<br>[səbˋdʒɛkt] | 動 **使遭受；使服從**<br>◆ 會在從上下文中找出同義字的題目裡出現。 | **subdue**<br>**conquer**<br>**subordinate** |

| | |
|---|---|
| A different kind of accounting was the goal in the earliest recorded **comprehensive** census of a population and its food supply. | 最早出現於紀錄裡的人口與其糧食供給**全面**普查，其目標是一種不同種類的會計。 |
| Representative governments have required periodic public censuses of population in order to determine **representation**. | 代議制政府需要定期性的公開人口普查以便決定**代表**。 |
| The framers of the **Constitution** of the United States of America pioneered in this area by providing for a national census every ten years. | 美國**憲法**的制定者在此領域當開路先鋒，為每 10 年一次的全國普查提供了法律依據。 |
| In 1776, during the American Revolution, the committee working on a **preliminary** body of laws for the new nation proposed the requirement of a census every three years. | 在 1776 年美國革命期間，為這個新國家制定**初步**法律主體的委員會提出了每三年一次人口普查的要求。 |
| Astronomers did not **detect** asteroid 1989 FC until it was already moving away from the Earth. | 直到小行星 1989 FC 已遠離地球而去，天文學家才**注意到**它的存在。 |
| Though a collision with the Earth would have been **catastrophic**, a fluke of orbital geometry might have lessened the impact a little. | 雖然撞擊地球原本會鑄成**大災難**，但軌道幾何的偏差可能減緩了些許的衝擊力。 |
| The **asteroid's** approach was rather slow compared to other celestial objects. | 和其他天體相較之下，這顆**小行星**的靠近速度相當緩慢。 |
| To avoid the danger of an asteroid collision, the threatening body would first have to be **tracked** by telescopes and radar. | 為防止小行星撞擊的危險，望遠鏡和雷達將必須優先**追蹤**具威脅性的物體。 |
| Within the Earth's crust, rock exhibits a plastic or fluid character if **subjected** to great forces. | 在地殼內，岩石若**遭受**強大的外力，就會展現出具可塑性或流體的特性。 |

| | | |
|---|---|---|
| ☐ **fraction**<br>[ˋfrækʃən] | 名 **一點兒，碎片**<br>◆ 也可表示數學上的「分數」。 | **bit**<br>**piece**<br>**fragment** |
| ☐ **crust**<br>[krʌst] | 名 **地殼；硬的表面**<br>◆ 地球從地表開始，名稱依序是 crust（地殼）、mantle（地幔）、core（地核）。 | **shell**<br>**skin**<br>**rind** |
| ☐ **fold**<br>[fold] | 名 **（地層的）褶曲；摺疊**<br>◆ 在地質學的考題中常出。有可能會在描述山脈、洞窟內部等的文章中出現。 | **crease**<br>**gather**<br>**pleat** |
| ☐ **stabilize**<br>[ˋstebə͵laɪz] | 動 **使穩定；使平衡**<br>◆ 形容詞為 stable（穩定的；可靠的）。 | **settle**<br>**firm**<br>**steady** |
| ☐ **distribute**<br>[dɪˋstrɪbjʊt] | 動 **分配，分發**<br>◆ 字義本身不難，但常在同義字的考題中出現。 | **hand out**<br>**deliver**<br>**ration** |
| ☐ **till**<br>[tɪl] | 動 **耕（地）**<br>◆ 拼法和作連接詞或介系詞的 till 一樣。 | **cultivate**<br>**plow** |
| ☐ **fertilizer**<br>[ˋfɝtə͵laɪzɚ] | 名 **肥料**<br>◆ 由 fertilize（施以肥料；使…肥沃）衍生而來。 | **manure** |
| ☐ **decline**<br>[dɪˋklaɪn] | 動 **下降，減少，衰退；拒絕，婉謝**<br>◆ 記得一併將「拒絕，婉謝」之意記下來。對於不熟悉的字義，請記在筆記本裡。 | **decrease**<br>**descend**<br>**deteriorate**<br>**refuse** |

| | |
|---|---|
| These folds, or wrinkles, may be less than a **fraction** of an inch wide or they may be several miles in width. | 這些褶曲，或稱摺皺，可能少於一英寸那麼一丁點寬，抑或可能有數英里寬。 |
| Folding in the Earth's **crust** partly accounts for the formation of many mountain ranges, such as the Appalachian Mountains. | 地殼內的褶曲作用有一部分說明了許多山脈的形成，例如阿帕拉契山脈。 |
| The **folds** in these mountains were originally formed during the Appalachian Revolution, roughly 200 million years ago. | 這些山脈中的褶曲最初形成於阿帕拉契造山運動期間，約莫是兩億年前。 |
| In recent geologic periods, these folds have become **stabilized**, that is, they have not significantly been further distorted, pushed together, or pulled apart. | 在最近的地質紀裡，這些褶曲已逐漸穩定下來，也就是說，它們並未受到進一步顯著的扭曲、推擠或撕裂。 |
| The objective of agriculture is to collect and store solar energy as food energy in plant and animal products, which are then **distributed** to serve as food for humans. | 農業的目的在於收集太陽能，並將之以食物能源的形式儲存於動植物產品中，隨後這些產品被四處分配而作為人類的糧食。 |
| Farmers spend fossil-fuel energy and electric energy in **tilling** the soil, fertilizing, irrigating, harvesting, and processing. | 農夫將化石燃料能源和電能用於耕耘土壤、施肥、灌溉、收割和加工。 |
| The first major contributions that energy made to farming were in the use of commercial **fertilizer**, an energy-intensive product. | 能源對農業所做的第一個主要貢獻就是商用肥料的使用，而商用肥料是一種能源密集的產品。 |
| During the period from 1900 to 1971, the size of the average farm in the United States more than doubled while the farm population **declined** to one-third of its 1900 level. | 在 1900 年到 1971 年期間，美國一般農田的大小增加了兩倍多，而農場人口卻下降到 1900 年水準的三分之一。 |

| | | |
|---|---|---|
| □ **critical**<br>[ˋkrɪtɪkḷ] | 形 **關鍵的**<br>◆ crucial（決定性的）也有類似的意思。 | **important** |
| □ **trace**<br>[tres] | 動 **追蹤；探查**<br>◆ track（追蹤；追捕）也有類似的意思。 | **follow** |
| □ **mine**<br>[maɪn] | 動 **挖掘，開採（礦石）**<br>◆ 也可以作名詞使用，意思是「礦；地雷」。coal mine 是「煤礦」之意。 | **dig**<br>**bore** |
| □ **extinction**<br>[ɪkˋstɪŋkʃən] | 名 **滅絕，絕種**<br>◆ become extinct 和 die out 也都是「滅絕」之意，請一併記下來。 | **extermination** |
| □ **markedly**<br>[ˋmarkɪdlɪ] | 副 **明顯地，顯著地** | **remarkably**<br>**strikingly**<br>**significantly**<br>**notably** |
| □ **bill**<br>[bɪl] | 名 **廣告，海報**<br>◆ bill 若出現在對話中，主要是考「帳單；紙鈔」之意；若出現在演講中，主要是考「鳥嘴；法案」之意。 | **advertisement**<br>**publicity**<br>**flier** |
| □ **precede**<br>[prɪˋsid] | 動 **在…之前，先於**<br>◆ 形容詞 preceding（在前的，在先的；上述的）常考。 | **antecede**<br>**go before**<br>**predate** |
| □ **deliberate**<br>[dɪˋlɪbərɪt] | 形 **刻意的，蓄意的** | **conscious**<br>**intentional** |
| □ **repel**<br>[rɪˋpɛl] | 動 **擊退**<br>◆ 常考同義字。形容詞 repellent（逐退的）也常考。 | **drive**<br>**ward off**<br>**defy**<br>**keep off** |

| | |
|---|---|
| The use of commercial fertilizer is a **critical** factor in the ability to increase crop yield per unit of land cultivated. | 商用肥料的使用是能夠使每單位耕種土地的作物產量增加的關鍵因素。 |
| Geologists can measure geologic time by **tracing** fossils through the rock strata, or layers. | 地質學家可以藉由穿透岩層追溯化石來測定地質年代。 |
| Geologists could determine where to **mine** coal by studying the fossil content of rocks. | 藉由研究岩石的化石含量，地質學家能夠決定該於何處開採煤礦。 |
| Nineteenth century geologists defined the boundaries of the geologic timescale by looking at both large and small **extinctions** of different groups of species. | 19 世紀的地質學家以不同物種群滅絕的大小規模來畫定地質年表的分界線。 |
| By the mid-eighteenth century, the variety of American figureheads increased **markedly** and a national style began to emerge. | 到了 18 世紀中葉，美國船首像的種類明顯增加，並且開始展現出一種國家風格。 |
| While the makers of most ship carvings remained anonymous, the work of some craftspeople has been documented through primary sources such as **bills of sale** or customs house records. | 儘管大部分船隻雕刻的作者姓氏不詳，某些工匠的作品卻已透過出貨單或海關紀錄等早期來源記錄了下來。 |
| The crouching action that **precedes** takeoff is known as an “intention movement.” | 起飛前的蹲伏動作被稱為「意志動作」。 |
| Other forms of communication have evolved through such patterns of behavior being modified into **deliberate** signals. | 別種溝通形式則由這類行為模式稍加修改後進化成刻意信號。 |
| Most commonly, displays are used to advertise a territory, **repel** a rival, and attract a mate. | 誇示行為最常用在宣告領域、驅逐敵人與吸引配偶上。 |

| | | |
|---|---|---|
| □ **periodically** [ˌpɪrɪˋadɪkəlɪ] | 副 **定期地**<br>◆ 也要記住名詞 periodical（定期刊物，雜誌），這時 magazine（雜誌）就是同義字了。 | **intermittently**<br>**regularly** |
| □ **prevailing** [prɪˋvelɪŋ] | 形 **盛行的；占優勢的**<br>◆ 動詞 prevail（盛行；占優勢）也常考。 | **dominant**<br>**predominant** |
| □ **laden** [ˋledn̩] | 形 **充滿的，裝滿的** | **filled**<br>**loaded** |
| □ **split** [splɪt] | 動 **分裂，切開** | **divide**<br>**part**<br>**tear**<br>**crack** |
| □ **latitude** [ˋlætəˌtjud] | 名 **緯度**<br>◆ longitude 是「經度」之意。 | |
| □ **liability** [ˌlaɪəˋbɪlətɪ] | 名 **不利的事情，缺點；負債；責任**<br>◆ 常會從上下文中考同義字。另外，在「這個單字具體是指哪一句呢？」這類的考題中也會出現。 | **disadvantage**<br>**debt**<br>**obligation** |
| □ **soar** [sor] | 動 **（物價、利益等）急速高升**<br>◆ 也有「高飛，翱翔」的意思。 | **rise**<br>**ascend** |
| □ **deteriorate** [dɪˋtɪrɪəˌret] | 動 **（品質等）惡化**<br>◆ 例如像在「經過日積月累，玻璃的品質惡化了」這樣的文章當中，deteriorate 就出現過數次。 | **become worse**<br>**decline** |

| | |
|---|---|
| Whales and dolphins glide through the water, **periodically** rising to the surface to breathe. | 鯨魚和海豚在水裡滑行前進，定期浮上水面呼吸。 |
| The eastward rotation of the Earth produces the **prevailing** trade winds, blowing east to west at the equator. | 地球向東自轉產生了盛行的貿易風，在赤道附近由東向西吹送。 |
| The huge mass of water moves fast, chilled by water from the Antarctic Region, but **laden** with masses of plankton. | 這股龐大的水體移動快速，被來自南極地區的海水冷卻，卻滿載著大量的浮游生物。 |
| This cold, swift current is **split** when it strikes the southwestern extremities of the three southern continents. | 這股冰冷且快速的洋流在撞擊三塊南方大陸的西南末端之後分裂。 |
| Part of this same cool eastward-flowing current, enriched with water from higher **latitudes**, is diverted north along the southwest coast of South Africa. | 同樣這股向東流的冰涼洋流受到較高緯度水流的滋潤後，一部分沿著南非的西南海岸轉向北方。 |
| Other architects thought that wood had serious **liabilities** and were thus attracted to solid constructions of stone, brick, or concrete. | 其他的建築師認為木材有嚴重的缺陷，因而深受石頭、磚塊或水泥等硬質建築的吸引。 |
| Their choice was based on economic reasons—when the price of wood **soared**, as it occasionally did, they questioned the financial advantages of timber. | 他們的選擇乃是基於經濟上的考量。當木材的價格飛漲（偶而會發生），他們質疑木材是否有金錢上的優勢。 |
| Other architects pointed out that unlike the materials used in solid construction, timber **deteriorated** quickly, needed constant upkeep, and attracted harmful insects and rodents. | 其他的建築師指出，與其他硬質建築所用之材料不同的是，木材惡化得很快，需持續保養，還會引來有害的昆蟲和囓齒動物。 |

| | | |
|---|---|---|
| ☐ **masonry**<br>[ˋmesənrɪ] | 名 **石造建築；石造工程** | **stone**<br>**brick** |
| ☐ **precedent**<br>[ˋprɛsədənt] | 名 **先例**<br>◆ 注意形容詞 unprecedented（無先例的，空前的）也是常考的單字之一。 | **antecedent**<br>**example**<br>**custom**<br>**practice** |
| ☐ **nucleus**<br>[ˋnjuklɪəs] | 名 **原子核；核心；中心** | **center**<br>**core** |
| ☐ **neutral**<br>[ˋnjutrəl] | 形 **中性的；中立的，公正無私的** | **indifferent**<br>**impartial**<br>**neuter** |
| ☐ **offset**<br>[ˋɔfˏsɛt] | 動 **抵銷，補償** | **balance**<br>**compensate**<br>**make up** |
| ☐ **stray**<br>[stre] | 形 **游離的；迷路的**<br>◆ stray sheep 即是「迷途羔羊」。 | **wandering**<br>**lost** |
| ☐ **retain**<br>[rɪˋten] | 動 **保有，維持**<br>◆ 有此一說：Champions retain their belts.（優勝者保留冠軍腰帶。） | **hold**<br>**save**<br>**maintain** |
| ☐ **hive**<br>[haɪv] | 名 **蜂巢** | **beehive** |
| ☐ **mature**<br>[məˋtjʊr] | 動 **成熟** | **grow up**<br>**ripen** |

| | |
|---|---|
| These arguments were reinforced by the fact that **masonry** could be considered just as natural as wood. | **石造建築**恰可被視為和木材一樣天然的主張更加強化了這些論點。 |
| There were many fruitful, historical **precedents** for the use of these materials. | 這些材料的使用在歷史上有許多成功的**先例**。 |
| By looking at examples of atoms, one discovers that each contains an equal number of electrons and protons within their **nuclei**. | 透過檢視原子的樣本，我們發現每顆原子的**原子核**裡容納了相同數量的電子和質子。 |
| When in this condition, the atom is considered to be in its balanced state (sometimes referred to as the **neutral** state). | 在此情形下，原子被視為處於平衡狀態（有時被稱作**中性**狀態）。 |
| When the balanced condition is upset, the number of negative charges no longer **offsets** the number of positive charges, thus the atom is left with a net charge. | 當平衡狀態受到擾亂，負電荷的數量與正電荷的數量不再相互**抵銷**，原子因而帶有淨電荷。 |
| When an atom picks up a **stray** electron, it has one additional negative charge that is not offset by a corresponding positive charge. | 當原子獲得一顆**游離**電子，它便擁有一個多餘負電荷，而這個多餘負電荷無法被其相對的正電荷抵銷。 |
| The ion still **retains** all the basic characteristics of the original atom since the protons in the nucleus are not disturbed. | 由於原子核裡的質子並未受到擾亂，離子仍舊**保有**原始原子的所有基本特性。 |
| The majority of members are workers, sterile females who, as the name implies, do most of the work around the **hive** or dwelling place. | 大部分的成員是工蜂，也就是不孕的雌蜂，牠們如其名所示，負責**蜂巢**或居住地周圍大部分的工作。 |
| As a honeybee **matures**, it assumes different tasks, depending on its age and physiological state. | 蜜蜂發育**成熟**後會根據年齡和生理狀態擔負起不同的任務。 |

| 單字 | 中文解釋 | 同義字 |
| --- | --- | --- |
| □ **gland** [glænd] | 名 **腺**<br>◆ lymph gland 是「淋巴腺」之意。 | |
| □ **forage** [`fɔrɪdʒ] | 動 **搜尋（糧草）**<br>◆ forage 也可作名詞使用，意思是「飼料，糧草」。 | hunt<br>search<br>scavenge |
| □ **ensure** [ɪn`ʃur] | 動 **確保，保證得到**<br>◆ 買保險時會用 insure（投保，給⋯保險）這個字。 | make sure<br>guarantee<br>assure |
| □ **duplicate** [`djupləˌket] | 動 **複製；複寫**<br>◆ 字首 du- 表示「二個的，雙重的」的意思。 | copy<br>reproduce<br>replicate |
| □ **credential** [krɪ`dɛnʃəl] | 名 **資格證明書；信用狀** | certificate<br>license<br>warrant<br>authorization |
| □ **elastic** [ɪ`læstɪk] | 形 **有彈性的；伸縮自如的**<br>◆ elastic 也可作名詞，意思是「橡皮帶，鬆緊帶」。此外，rubber band 和 elastic band 都指「橡皮筋」。 | flexible<br>pliable |
| □ **inhabit** [ɪn`hæbɪt] | 動 **居住於，棲息於**<br>◆ 為及物動詞，後面不需要接介系詞。 | live in/on<br>dwell in/on |
| □ **refine** [rɪ`faɪn] | 動 **琢磨（技術等）；精製** | improve<br>purify |

| | |
|---|---|
| Honeybees assume this position as the nursing **glands** in their heads become active and secrete various nutritive substances for growing bees. | 當蜜蜂頭部裡的育幼腺變得活躍，蜜蜂便會承接此職，分泌各種營養物質給發育中的蜜蜂。 |
| Two or three weeks after emerging from their hive cells, worker bees are ready to leave the hive and **forage** for nectar and pollen. | 從蜂巢巢室現身後兩到三個禮拜，工蜂準備好要離開蜂巢找尋花蜜和花粉了。 |
| Guard bees take stations near hive entrances with antennae poised to touch entering bees in order to **ensure** that they are colony members rather than outsiders intending to rob their honey. | 守衛蜂在蜂巢入口處附近站崗，伸好觸角觸摸進入蜂巢的蜜蜂，以確認其為蜂群成員，而非試圖盜取蜂蜜的外來者。 |
| Because there was no negative, as in modern film, the image, called a daguerreotype, was unique and could not be **duplicated**. | 由於不像現代軟片有底片，被稱為達蓋爾式相片的影像是獨一無二且無法複製的。 |
| Philadelphia's **credentials** as an early center of photography were further established by the exhibitions of daguerreotypes in 1839. | 1839 年的達蓋爾式相片展進一步確立了費城作為早期攝影中心的資格。 |
| If the two ingredients are brought together in a bread mix, the result is a spongy mass consisting of tiny gas bubbles, each enclosed in an **elastic** skin of gluten. | 如果這兩種原料混雜於麵包預拌粉中，會產生由小氣泡組成的海綿團，每顆小氣泡都被包裹在麩質的彈性外層裡。 |
| From approximately 300 B.C. to A.D. 1540, three major cultural groups **inhabited** the Southwest. | 大約從西元前 300 年到西元 1540 年，有三個主要的文化群體居住於西南部。 |
| The Hohokam settled in southern Arizona along the Gila, Salt and Santa Cruz rivers where they **refined** the artistry of creating jewelry from shells. | 荷荷康人沿著亞利桑那州南部的希拉河、索爾特河和聖克魯斯河定居，在那裡他們利用貝殼創作首飾的技術日益精進。 |

| | | |
|---|---|---|
| ☐ **dominate**<br>[ˋdɑmə͵net] | 動 **支配，控制**<br>◆ 同義字很多，請多加注意。 | **rule**<br>**govern**<br>**control**<br>**reign** |
| ☐ **emigrate**<br>[ˋɛmə͵gret] | 動 **移居他國，移民**<br>◆ 是「從本國移居他國」的意思，要注意與 immigrate（從外國移居本國）的區別。 | **migrate**<br>**settle** |
| ☐ **envision**<br>[ɪnˋvɪʒən] | 動 **想像**<br>◆ 注意 envision 與同義字 visualize（想像）的組合。 | **visualize**<br>**picture**<br>**conceive of**<br>**envisage** |
| ☐ **call**<br>[kɔl] | 名 **（裁判員的）裁定**<br>◆ 右頁例句也可替換成 He passed the exam by a narrow margin.。by a narrow margin 是「以些微差距」之意。 | **decision** |
| ☐ **whereabouts**<br>[ˋhwɛrə͵baʊts] | 名 **所在之處，行蹤**<br>◆ 通常使用複數形。 | **dwelling place**<br>**residence** |
| ☐ **enigmatic**<br>[͵ɛnɪgˋmætɪk] | 形 **謎樣的，難解的** | **mysterious** |
| ☐ **china**<br>[ˋtʃaɪnə] | 名 **瓷器** | **porcelain**<br>**pottery** |
| ☐ **bogus**<br>[ˋbogəs] | 形 **假的，偽造的** | **counterfeit**<br>**phony**<br>**false**<br>**fake** |
| ☐ **phase**<br>[fez] | 動 **分階段實施、計畫或安排**<br>◆ 常以 phase out（逐步淘汰）的形式出現。 | **gradually introduce**<br>**gradually stop** |

| | |
|---|---|
| Glassware that was made in England **dominated** the early North American market. | 英格蘭製的玻璃器皿支配了早期的北美市場。 |
| Glassmakers were discouraged from **emigrating** because if English-quality glass were produced in the colonies, the home industry would be threatened. | 如果有英國品質的玻璃在殖民地生產，那麼本國產業將會受到威脅，因此玻璃製造工人難以移民他國。 |
| The founders of the settlement **envisioned** a glass factory to provide goods for commercial trade. | 殖民地創建者構想的是一間供應商業貿易貨品的玻璃工廠。 |
| He passed the exam with the least possible score. What a close **call**! | 他以最低分通過了這個考試，真是驚險！ |
| Three days later, still only one clue to their **whereabouts** was found. | 三天過後還是只尋獲一個與他們行蹤有關的線索。 |
| There has been much speculation about this **enigmatic** episode in early American history. | 人們對於早期美國歷史裡的這個謎樣事件一直有著諸多揣測。 |
| Once the artist captured the shade on paper, it could be transferred onto ivory, plaster, **china**, or glass. | 藝術家一旦在紙上捕捉到陰影，便可將之轉移到象牙、灰泥、瓷器或玻璃上。 |
| Those living in the immediate vicinity of the **bogus** Martian invasion appeared to have been the most frightened. | 那些住在假火星人入侵區域附近的人們似乎最為驚恐。 |
| Fortunately, the use of CFCs in aerosols has been **phased** out in most countries. | 所幸大部分的國家已逐漸停止在噴霧器裡使用氟氯碳化物。 |

| 單字 | 中文 | 同義字 |
| --- | --- | --- |
| ☐ **susceptible**<br>[sə`sɛptəbl̩] | 形 **易受…影響或損害的**<br>◆ 請牢記發音。常和 subject 出現在同義字考題中。 | **subject**<br>**sensitive**<br>**responsive** |
| ☐ **abide**<br>[ə`baɪd] | 動 **遵守，忠於**<br>◆ 常以 abide by... 的形式出現。 | **keep**<br>**observe** |
| ☐ **infirmary**<br>[ɪn`fɝmərɪ] | 名 **醫務室，醫院** | **hospital**<br>**clinic** |
| ☐ **scrutinize**<br>[`skrutə͵naɪz] | 動 **仔細或徹底檢查**<br>◆ 注意 scrutinize 與同義字 examine（檢查）的組合。 | **examine**<br>**investigate** |
| ☐ **torso**<br>[`tɔrso] | 名 **軀幹** | **trunk** |
| ☐ **contaminate**<br>[kən`tæmə͵net] | 動 **汙染**<br>◆ 在一般的同義字題型中常出現。 | **pollute** |
| ☐ **fetch**<br>[fɛtʃ] | 動 **賣得（某價錢）；取來，帶來**<br>◆ fetch 的原意是 go, get, and bring something（取來）。 | **sell**<br>**collect** |
| ☐ **deplete**<br>[dɪ`plit] | 動 **用盡（資源等），使枯竭**<br>◆ 可用 ozone depletion（臭氧層耗損）來記 deplete 的名詞用法。 | **empty**<br>**drain**<br>**use up** |
| ☐ **illicit**<br>[ɪ`lɪsɪt] | 形 **非法的**<br>◆ 筆記本上請寫上「= illegal」。 | **illegal** |
| ☐ **loot**<br>[lut] | 動 **搶劫，掠奪**<br>◆ 像 Los Angeles（洛杉磯）的暴動、New Orleans（紐澳良）的颶風災害等，此時就可能會發生 looting（搶劫）事件。 | **plunder**<br>**rob**<br>**snatch** |

| | |
|---|---|
| We need to discover how **susceptible** young people are to change. | 我們必須認識到年輕人多麼容易受變化影響。 |
| The ozone layer will recover completely by the year 2060 as long as we all **abide by** the international agreements and regulations. | 只要我們全體遵守國際協議，到了 2060 年臭氧層將會完全恢復原狀。 |
| I have to go to the **infirmary** to have my callus removed. | 我得去醫務室把我的繭除掉。 |
| The members **scrutinized** the business plan put forth by their peers. | 成員仔細檢視其同事的業務計畫。 |
| The largest and strongest muscles in the body are in the hips, legs, and **torso**. | 人體最大且最強壯的肌肉在臀部、腿部和軀幹。 |
| I turned in my history research paper on a diskette that might be **contaminated**. | 我用了一個可能受到汙染的磁片繳交我的歷史研究報告。 |
| The spice saffron can **fetch** up to sixty dollars per gram. | 藏紅花這種香料一克最高可以賣到 60 美元。 |
| Such activities have seriously **depleted** the stock of national treasures. | 這一類的活動已嚴重耗損了國家寶藏的存量。 |
| **Illicit** trafficking in cultural property has become a massive criminal activity. | 文化資產的非法交易已成為一個大型的犯罪活動。 |
| Works of art are stolen from museums and **looted** from historic buildings. | 藝術品在博物館裡遭竊，也在歷史性的建築中遭劫。 |

MP3 114

| | | |
|---|---|---|
| □ **inventory** [ˋɪnvən͵torɪ] | 名 **存貨清單，詳細目錄**<br>◆ 和 museum（博物館）、library（圖書館）有所關連，因此常考。 | **list**<br>**index** |
| □ **embrace** [ɪmˋbres] | 動 **欣然接受（建議等）；擁抱**<br>◆ 常考同義字，請多注意。 | **accept**<br>**adopt**<br>**welcome** |
| □ **synchronization** [͵sɪŋkrənaɪˋzeʃən] | 名 **同步，時間上一致**<br>◆ 常會出現在像例句那樣，從無聲電影到有聲電影等與變遷相關的英文文章中。 | **simultaneity** |
| □ **knack** [næk] | 名 **本事，技巧，訣竅**<br>◆ 在對話考題中常出。 | **secret**<br>**recipe**<br>**trick**<br>**art** |
| □ **mint** [mɪnt] | 動 **鑄造（硬幣）**<br>◆ mint 的語源為「貨幣」。「皇家造幣局」是 Royal Mint。 | **coin**<br>**cast** |
| □ **drag** [dræg] | 動 **拖曳；緩慢而費力地行動**<br>◆ 常在對話考題中出現，如「腳踏車的輪胎破了，只好用牽的。」這樣的情形。 | **trail**<br>**linger** |
| □ **conical** [ˋkanɪkḷ] | 形 **圓錐形的**<br>◆ 請一併記住名詞 cone（圓錐形）。 | |
| □ **pulmonary** [ˋpʌlmə͵nɛrɪ] | 形 **肺病的；肺部的** | **lung** |
| □ **stethoscope** [ˋstɛθə͵skop] | 名 **聽診器** | |
| □ **ripple** [ˋrɪpḷ] | 名 **漣漪，波紋**<br>◆ 原本是指池水的「漣漪」，之後衍生出「波紋」、「起伏聲，潺潺聲」等意思。 | **wave**<br>**wrinkle** |

| | |
|---|---|
| The police are now stressing the importance of owners making accurate **inventories**. | 如今警方強調物主製作精確**清單**的重要性。 |
| Each film having its own music was not **embraced** by the movie industry. | 電影工業並不**歡迎**每一部電影都擁有各自的音樂。 |
| In 1922, a system that made possible the **synchronization** of recorded sound and image was developed. | 1922 年發展出了能讓錄音和影像**同步**的系統。 |
| She has a **knack** for getting people to donate their time and money. | 她有讓民眾獻出時間和金錢的**本事**。 |
| The Roman treasury **minted** shaved edges of their silver coins into new coins. | 羅馬財政部將邊緣被刮掉的銀幣重**鑄成**新的硬幣。 |
| Even though the course work is more intensive, it doesn't **drag** on the way the regular semesters do. | 課堂作業雖然較密集，但時間不用**拖**得像正常學期般那樣久。 |
| The sinkhole typically takes on a **conical** shape. | 典型的石灰阱呈現**圓錐形**。 |
| You can take this **pulmonary** patient through the entire care process. | 你可以帶這名**肺病**患者去進行整個治療過程。 |
| If you use this interactive computer system, you can listen to the lungs as if you were listening through a **stethoscope**. | 如果你使用這套互動式的電腦系統，就可以像透過**聽診器**一般傾聽肺部的聲音。 |
| When water flows down the inclined ceiling of a cave, mineral solution is deposited in thin trails and builds up a series of **ripples** and folds. | 當水順著洞穴傾斜的頂部往下流，礦物質溶液會沉澱成一條條的細痕並形成一連串的**波紋**和褶痕。 |

| | | |
|---|---|---|
| ☐ **vulnerable**<br>[ˋvʌlnərəbl̩] | 形 **脆弱的，易受傷害的**<br>◆ 反義字是 invulnerable（不會受傷害的），也很常考。 | **weak**<br>**fragile** |
| ☐ **dose**<br>[dos] | 名 **（藥的）劑量，用量**<br>◆ 像 Have you taken large doses of Vitamin C?（你吃了很多維他命 C 嗎？）這樣的句子，常出現在對話考題中。 | |
| ☐ **sport**<br>[sport] | 名 **消遣，娛樂** | **pastime**<br>**amusement** |
| ☐ **obsolete**<br>[ˋɑbsəˏlit] | 形 **過時的**<br>◆ 在一般的同義字題型中常出現。 | **outdated**<br>**old-fashioned**<br>**out of date** |
| ☐ **famish**<br>[ˋfæmɪʃ] | 動 **飢餓**<br>◆ 在對話考題中常出現。 | **starve** |
| ☐ **verify**<br>[ˋvɛrəˏfaɪ] | 動 **查證（屬實）**<br>◆ 注意 verify 與同義字 confirm（證明正確性，證實）的組合。 | **confirm**<br>**prove**<br>**witness** |
| ☐ **outcome**<br>[ˋaʊtˏkʌm] | 名 **結果**<br>◆ outcome 在表示「結果」的同義字中比較容易被忽略。 | **result**<br>**consequence** |
| ☐ **collide**<br>[kəˋlaɪd] | 動 **相撞，碰撞**<br>◆ 為不及物動詞，所以接受詞之前先接介系詞 with。 | **crash**<br>**impact** |
| ☐ **vicinity**<br>[vəˋsɪnətɪ] | 名 **附近**<br>◆ 可能會和同義詞 nearby areas（附近地區）一起出現在考題中。 | **periphery**<br>**neighborhood** |
| ☐ **satire**<br>[ˋsætaɪr] | 名 **諷刺**<br>◆ 在一般的同義字題型中常出現。 | **innuendo**<br>**irony**<br>**sarcasm**<br>**cynicism** |

| | |
|---|---|
| The basic principle of the American juvenile justice system provided for the individualization of treatment and services to **vulnerable** children. | 美國青少年司法制度的基本原則是提供弱勢兒童個別化的處置和服務。 |
| The **dose** method of those pills is to take two tablets every four hours. | 那些藥丸的服用方式是每四小時吃兩粒。 |
| The passenger pigeon was killed relentlessly by colonists, sometimes merely for **sport**. | 旅鴿遭到殖民地居民無情的殺害，有時只是為了消遣。 |
| Unfortunately, the weapons they used at the battle were **obsolete** even for the then prevailing standard. | 不幸的是，即使就當時普遍的標準而言，他們在戰場上所使用的武器也已經過時。 |
| I'm **famished**, but I have a class in five minutes. | 我餓壞了，但是我五分鐘後就有課。 |
| It is impossible to **verify** whether or not his story is true. | 要查證他的說法是否屬實根本不可能。 |
| Which statement do you think best describes the possible **outcome** of the Roman eyesight test? | 你認為哪個陳述最能貼切形容羅馬視力測驗的可能結果？ |
| Two cars **collided** head on in front of his house last night. | 昨晚有兩輛車在他家門前迎頭相撞。 |
| A number of tiny fragments from the meteor have been found in the **vicinity** of the crater. | 有些細小的流星碎片在隕石坑附近被發現。 |
| Mark Twain was a master at combining humor and **satire**. | 馬克・吐溫是一位結合幽默和諷刺的大師。 |

| | | |
|---|---|---|
| ▢ **proprietary** [prə`praɪə,tɛrɪ] | 形 **特許的，專利的，所有的，私人擁有的**<br>◆ 很有可能出現在關於美國殖民史的考題中。 | **private**<br>**possessive**<br>**monopolistic** |
| ▢ **swat** [swɑt] | 動 **打（蒼蠅），猛擊（昆蟲）** | **hit (an insect)** |
| ▢ **blur** [blɝ] | 動 **（使）模糊**<br>◆ 後面要接 -ed, -ing 時，注意 r 必須重複，變成 blurred, blurring。 | **dim**<br>**mist**<br>**film** |
| ▢ **articulate** [ar`tɪkjəlɪt] | 形 **能表達清楚的；（說話時）發音清晰的**<br>◆ 帶有「不是辯才無礙，而是邏輯分明」的涵義。 | **eloquent**<br>**intelligible** |
| ▢ **notoriety** [,notə`raɪətɪ] | 名 **聲名狼藉**<br>◆ 形容詞是 notorious（聲名狼藉的）。 | **disrepute**<br>**infamy**<br>**bad publicity** |
| ▢ **blackout** [`blæk,aut] | 名 **停電；封鎖消息** | **power failure** |
| ▢ **reunion** [ri`junjən] | 名 **（朋友、家人、校友等的）重聚**<br>◆ family reunion 的意思是「與家人重聚」。 | **meeting once again**<br>**alumni meeting** |
| ▢ **audition** [ɔ`dɪʃən] | 動 名 **試演，試唱**<br>◆ 可作動詞或名詞使用。 | **try out** |
| ▢ **hassle** [`hæsl̩] | 名 **麻煩事；激烈爭論** | **annoyance**<br>**fuss**<br>**argument** |

| | |
|---|---|
| A **proprietary** colony was under the control of an individual, the proprietor. | 特許殖民地受所有者一人所控制。 |
| Possibly, some of you have been frustrated while trying to **swat** a fly. | 你們之中可能有人曾經在試圖打蒼蠅的時候感到挫折沮喪。 |
| Because of the huge number of lenses that make up a compound eye, it sees an image that is **blurred**. | 複眼是由數量眾多的晶體所組成，因此複眼所看到的影像模糊不清。 |
| He was **articulate** enough to join one of the best debating clubs in the US. | 他的口條清晰有條理，足以加入美國首屈一指的辯論社。 |
| Winchester rifles were the ones of note and **notoriety** in the American West. | 溫徹斯特來福槍在美國西部毀譽參半。 |
| The storm last night damaged some of the neighbors' roofs and caused a **blackout** in the community. | 昨晚的暴風雨損壞了部分鄰居的屋頂並造成社區停電。 |
| Mr. Updike's class of 1990 had an alumni **reunion** after a long interval. | 阿普戴克先生 1990 年所教的班級在間隔多年後舉辦了一場校友聚會。 |
| Have you ever **auditioned** for this type of part in a play? | 你曾在戲裡試演過這類型的角色嗎？ |
| Checking out a dormitory is sometimes a big **hassle**, because you might be charged for damages you didn't make. | 辦理退宿有時候是個大麻煩，因為你可能被要求賠償不是你造成的損壞。 |

| | | |
|---|---|---|
| □ **remedy**<br>[ˋrɛmədɪ] | 動 **治療；補救**<br>◆ 通常會以 illness（疾病）、problem（問題）等當受詞。此外，也有名詞的用法。 | **treat**<br>**cure**<br>**improve**<br>**reform** |
| □ **devour**<br>[dɪˋvaʊr] | 動 **貪婪地吃**<br>◆ eat, ingest, consume 廣義上來說也算是同義字。 | **gorge oneself on** |
| □ **hinder**<br>[ˋhɪndɚ] | 動 **妨礙，阻止**<br>◆ hinder 用在負面方面，而 prevent（預防，阻止）」則用在正面方面。 | **interfere**<br>**prevent**<br>**disturb** |
| □ **withstand**<br>[wɪðˋstænd] | 動 **經得起，承受**<br>◆ 在一般的同義字題型中常出現，大多是像從五個答案選項中選擇答案的題型。 | **endure**<br>**bear**<br>**put up with**<br>**tolerate** |
| □ **prairie**<br>[ˋprɛrɪ] | 名 **大草原**<br>◆ *Little House on the Prairie*《草原小屋》是迪士尼在 2005 年所推出的一部電視迷你影集。 | **grassland**<br>**meadow** |
| □ **unprecedented**<br>[ʌnˋprɛsə͵dɛntɪd] | 形 **空前的，史無前例的**<br>◆ 乍看之下 novel（新奇的）似乎和 unprecedented 不相關，但就廣義來說是其同義字。 | **original**<br>**novel**<br>**unheard-of** |
| □ **outrageous**<br>[aʊtˋredʒəs] | 形 **駭人聽聞的，無法無天的**<br>◆ 常出現在與物價相關的話題中。 | **exorbitant**<br>**intolerable**<br>**unreasonable** |
| □ **ethical**<br>[ˋɛθɪkl̩] | 形 **道德上的，合乎道德的**<br>◆ 名詞是 ethics（倫理學；道義）。 | **moral** |
| □ **wean**<br>[win] | 動 **使（嬰兒、動物等）斷奶**<br>◆ 請記住 wean one's young（使雛鳥斷奶）這個用法。 | **stop feeding a baby its mother's milk** |

| | |
|---|---|
| Nature would exert the ability to **remedy** human destruction if it were given enough time. | 如果給予大自然充分的時間，大自然將運用它的能力醫治人類的破壞。 |
| If it were not for this faculty, sea cucumbers would **devour** all the food available in a short time. | 若非具有此能力，海參會在短時間內把所有可及的食物一掃而空。 |
| An architect must consider whether the design **hinders** or enhances the use of the building. | 建築師必須考慮到設計是否會妨礙或增強建築物的使用。 |
| An architect must consider whether the materials will **withstand** wear from weather on the outside and wear from use on the inside. | 建築師必須考慮到材料是否經得起外部天候和內部使用的磨損。 |
| Wright felt that low homes emphasizing horizontal lines blended well with the Midwestern **prairies**. | 萊特覺得，使地平線分外突出的低矮房屋與中西部大草原和諧交融。 |
| Mass transportation exerted **unprecedented** effects on the nation's economy. | 大眾運輸對國家的經濟產生了空前的影響。 |
| The statesman made an **outrageous** comment on the delicate issue between the two nations. | 該政治家針對兩國之間的敏感議題發表了駭人聽聞的評論。 |
| Some business schools ask their applicants about the experience of an **ethical** dilemma in their statement of purpose. | 有些商業學校會在讀書計畫裡詢問申請者有關道德兩難的經驗。 |
| Some female birds leave their nests before they **wean** their young. | 有些母鳥會在雛鳥斷奶前就拋棄鳥巢。 |

| | | |
|---|---|---|
| □ **fungi** [ˋfʌndʒaɪ, ˋfʌŋgaɪ] | 名 **菌類，真菌**<br>◆ 為 fungus [ˋfʌŋgəs] 的複數形，但是單數形並不常考。另外，fungi 有兩種發音，要小心。 | |
| □ **metabolize** [məˋtæbə͵laɪz] | 動 **使新陳代謝** | **change food into energy** |
| □ **hibernate** [ˋhaɪbɚ͵net] | 動 **冬眠** | **hole up** |
| □ **posture** [ˋpastʃɚ] | 名 **姿勢，舉止** | **attitude**<br>**position**<br>**pose** |
| □ **sedimentary** [͵sɛdəˋmɛntərɪ] | 形 **沉積的**<br>◆ 請一併將 sedimentary rock（沉積岩）和 igneous rock（火成岩）記下來。 | **accumulating** |
| □ **treason** [ˋtrizn̩] | 名 **叛國，通敵** | **rebellion**<br>**insurrection** |
| □ **prosaic** [proˋzeɪk] | 形 **缺乏靈感的，乏味的，平凡的**<br>◆ 在同義字的考題中 prosaic 的答對率很低，建議找簡單一點的同義字一起記。 | **dull**<br>**tedious**<br>**boring** |
| □ **unwarranted** [ʌnˋwɔrəntɪd] | 形 **無理由的，無根據的**<br>◆ 常出現在否定句中形成雙重否定的情況，如右頁例句所示。 | **unjustified**<br>**unjust** |
| □ **elude** [ɪˋlud] | 動 **躲避**<br>◆ 常考單字之一，務必記住。 | **avoid**<br>**evade** |

| | |
|---|---|
| The algae provide the **fungi** with food through photosynthesis. | 藻類透過光合作用提供**菌類**食物。 |
| The bacteria around the black smokers are able to **metabolize** the minerals. | 黑煙囪周圍的細菌能夠**代謝**礦物質。 |
| A bear **hibernating** in the winter is comparable with the sea cucumber living at a low metabolic rate. | 冬天**冬眠**的熊與存活於低代謝率狀態的海參相似。 |
| In its normal swimming **posture**, a shark's fins are outstretched to its sides. | 在正常的泳**姿**下，鯊魚的鰭會朝兩側展開。 |
| Oil and gas are trapped within porous **sedimentary** rocks. | 石油和天然氣被堵在多孔透水的**沉積**岩裡。 |
| Aaron Burr was faced with **treason** charges when President Jefferson was in office. | 傑弗遜總統當政時，亞隆・布爾以**叛國**罪名遭到起訴。 |
| Darwin was actually a sober and **prosaic** man, having no eureka moment in the manner of Archimedes in his tub. | 達爾文實際上是個嚴肅認真、**靈感闕如的**人，不曾有過像阿基米德在澡盆裡瞬間靈感乍現的經驗。 |
| The reason why wariness for an octopus is not **unwarranted** is that some types of octopuses are poisonous. | 審慎防範章魚不**無道理**，因為有些種類的章魚具有毒性。 |
| One technique that the octopus uses when **eluding** danger is to eject a volume of dark-colored ink. | 章魚用以**躲避**危險的技倆之一是噴出大量的深色墨汁。 |

| 單字 | 中文意思與說明 | 同義字 |
| --- | --- | --- |
| □ **flee**<br>[fli] | 動 **逃走，逃避**<br>◆ 動詞變化為 flee, fled, fled。名詞為 flight，和動詞 fly（飛行）的名詞同形。另外要注意的是，flee 的發音和 flea（跳蚤）相同。 | **escape**<br>**run away**<br>**avoid** |
| □ **replicate**<br>[ˋrɛplɪˏket] | 動 **複製**<br>◆ 單字延伸記憶：replica（複製品，模型）。 | **duplicate**<br>**copy** |
| □ **tag**<br>[tæg] | 動 **緊跟，尾隨**<br>◆ 也可以作名詞，意思是「標籤」。不妨從名詞來聯想。 | **follow**<br>**trail** |
| □ **counterfeit**<br>[ˋkaʊntɚfɪt] | 形 **偽造的，假冒的**<br>◆ 常考同義字的單字之一。 | **fake**<br>**bogus**<br>**false** |
| □ **premiere**<br>[prɪˋmɪr] | 名 **（戲劇、電影等的）首演，首映**<br>◆ 也可作動詞使用，意思是「首演，首映」。 | **opening**<br>**first night** |
| □ **undermine**<br>[ˏʌndɚˋmaɪn] | 動 **削弱，暗中破壞**<br>◆ under（往下）+ mine（挖掘） | **weaken**<br>**impair**<br>**ruin** |
| □ **nocturnal**<br>[nɑkˋtɝnl] | 形 **夜間（活動）的**<br>◆ 意即 active during the night。 | **nightly** |
| □ **friction**<br>[ˋfrɪkʃən] | 名 **摩擦（力）**<br>◆ friction 為不可數名詞。如例句所示，常和 resistance（阻力）一起出現。 | **rub**<br>**attrition**<br>**conflict** |
| □ **duration**<br>[djʊˋreʃən] | 名 **時間長度，持續時間**<br>◆ 常用來表示一堂課的時間長度。 | **continuance**<br>**term**<br>**spell**<br>**period** |

| | |
|---|---|
| The ink temporarily clouds the water and confuses the sense of smell of the attacker while the octopus quickly **flees**. | 趁墨汁暫時讓水體混濁且攻擊者的嗅覺混淆之際，章魚迅速逃離。 |
| The new paper money was easy for counterfeiters to **replicate**. | 複製新款紙幣對偽鈔製造者而言輕而易舉。 |
| Agents **tag** along with the president's children on dates and any type of social events. | 無論是約會或是任何社交場合，幹員都會緊緊跟隨著總統的孩子。 |
| Because the new paper money was easy to replicate, **counterfeit** bills flooded the country. | 因為新式紙幣容易複製，這個國家偽鈔氾濫。 |
| The unanticipated success of *The Iceman Cometh* led to the **premiere** of *A Long Day's Journey into Night*. | 《賣冰人來了》出乎意料的成功促成了《長夜漫漫路迢迢》的首映。 |
| American income from shipbuilding and commerce declined abruptly, **undermining** the entire economy of its urban areas. | 美國來自造船和貿易的收入驟降，削弱了都市地區的整體經濟。 |
| Scorpions live in dry areas and are **nocturnal**. | 蠍子居住於乾燥地區，而且只在夜間活動。 |
| New materials make sportswear more comfortable and protective and can increase performance by decreasing **friction** and resistance. | 新材質讓運動服變得更舒適、更具保護功能，而且還能減少摩擦力和阻力，提升表現。 |
| One factor affecting latitudinal variations in heating is the **duration** of daylight. | 高溫隨緯度變化，其中一個影響因素是日照的長短。 |

| | | |
|---|---|---|
| ☐ **maternal**<br>[mə`tɝnl̩] | 形（似）母親的；母系的<br>◆ paternal 或 fatherly 是「(似) 父親的；父系的」之意。 | motherly |
| ☐ **polygon**<br>[`palɪˏgan] | 名 多邊形，多角形<br>◆ poly- 表示「多（數）」。 | |
| ☐ **kinetic**<br>[kɪ`nɛtɪk] | 形 運動（引起）的<br>◆ kinetic energy 是「動能」之意。 | locomotive |
| ☐ **stationery**<br>[`steʃəˏnɛrɪ] | 名 文具；信紙<br>◆ 為了方便和 stationary（靜止不動的）區別，記單字時可用「文具有e」來幫助記憶。 | writing materials<br>writing utensils |
| ☐ **elliptical**<br>[ɪ`lɪptɪkl̩] | 形 橢圓形的<br>◆ 在演講等題型中可能會替換成 oval（橢圓形的）。請在這個字旁邊標註「= oval」。 | oval |
| ☐ **apply**<br>[ə`plaɪ] | 動 塗，敷<br>◆ apply paint 是「塗顏料，塗油漆」的意思。 | paint |
| ☐ **nomad**<br>[`nomæd] | 名 遊牧者；流浪者 | wanderer |
| ☐ **thaw**<br>[θɔ] | 動 融化，融解<br>◆ 有關國外冷凍食品解凍的考題中一定會出現這個字。 | melt |
| ☐ **ingestion**<br>[ɪn`dʒɛstʃən] | 名 攝取<br>◆ 常考，同義字也常考。 | eat<br>consume |
| ☐ **consume**<br>[kən`sjum] | 動 吃或喝；消費，消耗<br>◆「吃」之意常考，但很容易被忽略，請務必記下來。 | use<br>eat |

| | |
|---|---|
| The female American alligator is not a very **maternal** animal. | 雌美洲短吻鱷不是很有**母愛的**動物。 |
| **Polygons** are many-sided figures, with sides that are line segments. | **多邊形**是多邊的幾何圖形，有著由線段構成的邊。 |
| If the hammer is moving downward, this shows **kinetic** energy. | 如果鐵鎚往下移動，這就展現了**動能**。 |
| "Did you find the flowered **stationery** you wanted?" "No, I had to settle for the pale blue." | 「你找到你要的綴花**信紙**了嗎？」「沒有，我得勉強接受這個淡藍色的。」 |
| **Elliptical** galaxies show little or no structure and vary from moderately flat to spherical in general shape. | **橢圓**星系幾乎沒有顯現出任何結構，一般形狀從中度扁平到球形都有。 |
| The artists might **apply** the paint roughly to depict the group of battered old things. | 畫家可能以粗略**塗抹**顏料的手法來描繪一組老舊不堪的東西。 |
| The history of human civilization began when people changed from being wandering **nomads** into being farmers. | 人類文明的歷史自人類從漫遊的**遊牧者**轉為農民開始。 |
| A thin surface layer may **thaw** if air temperatures above freezing occur in the summer. | 夏天如果出現高於冰點的氣溫，薄薄的表層可能會**融化**。 |
| Most animals take into their bodies pre-formed organic molecules by **ingestion**, that is, by eating other organisms or organic material. | 大部分的動物**攝取**已形成的有機分子，也就是說，食用其他有機體或有機物質。 |
| The diversity of animal life on the Earth today is the result of over half a billion years of evolution from those first ancestors who **consumed** other life forms. | 今日地球上多樣的動物生命，是那些**食用**其他生命形式的早期祖先五億多年來的演化結果。 |

| | | |
|---|---|---|
| ☐ **edible**<br>[ˋɛdəbl̩] | 形 **可食用的** | eatable |
| ☐ **deficit**<br>[ˋdɛfəsɪt] | 名 **赤字；缺乏**<br>◆ trade deficit 是「貿易赤字」之意。反義字是 surplus（盈餘；過剩）。 | minus<br>shortage<br>red |
| ☐ **organic**<br>[ɔrˋgænɪk] | 形 **有機（體）的；器官的；基本的**<br>◆ 別忘了 organic 還有「器官的」和「基本的」的意思。 | natural<br>biological<br>fundamental |
| ☐ **pier**<br>[pɪr] | 名 **橋墩；碼頭** | wharf<br>jetty |
| ☐ **lateral**<br>[ˋlætərəl] | 形 **橫（向）的；側面的**<br>◆ lateral thinking 是「水平思考」之意。 | side<br>sideways |
| ☐ **legible**<br>[ˋlɛdʒəbl̩] | 形 **清晰易讀的**<br>◆ 對話題中最常出的單字之一。反義字是 illegible（難辨認的）。 | readable |
| ☐ **flattering**<br>[ˋflætərɪŋ] | 形 **奉承的，討人歡喜的**<br>◆ 請一併記住下面的表達方式：I'm flattered you say so.（聽到你這麼說我感到很榮幸。） | complimentary |
| ☐ **ignoble**<br>[ɪgˋnobl̩] | 形 **卑鄙的，不名譽的，可恥的** | mean<br>despicable<br>dishonorable |
| ☐ **weathering**<br>[ˋwɛðərɪŋ] | 名 **風化作用**<br>◆ 動詞為 weather（風化，侵蝕）。 | |
| ☐ **murky**<br>[ˋmɜkɪ] | 形 **暗沉的，陰鬱的**<br>◆ 如果覺得 murky 很容易忘記，可以找個比較熟悉的同義字一起背。 | gloomy<br>depressing |

| | |
|---|---|
| Farming started when people discovered that certain grasses produced **edible** seeds, which could be planted to produce a new crop. | 當先民發現某些禾本科植物能產出可食用的種子，而且還可加以種植產出新作物，農業就此展開。 |
| Many states are suffering from **deficits** because the slowing economy has reduced sales tax revenues. | 經濟發展趨緩導致營業稅稅收減少，讓許多州為赤字所苦。 |
| Animals cannot construct **organic** molecules from inorganic chemicals, as plants can during photosynthesis. | 動物無法像植物一樣在光合作用中將無機化合物合成為有機分子。 |
| The pressure is received by the **piers**, the two vertical structures on either side of the opening. | 壓力由橋墩接收，橋墩就是這兩個位於開口兩側的直立結構。 |
| The arch is supported only from the sides, the downward pressure being transformed into **lateral** thrust through the piers. | 橋拱僅由兩側支撐，向下的壓力透過橋墩轉變成側向推力。 |
| Professor Jones will accept handwritten reports as long as they are **legible**. | 只要手寫的報告清晰易讀，瓊斯教授就會接受。 |
| The woman's supervisor said something **flattering**. | 女子的上司說了一些諂媚奉承的話。 |
| Some people say anonymity on the Internet might reinforce an **ignoble** part of the human capability. | 有些人表示，網路上的匿名可能會強化人類能力中卑鄙的部分。 |
| **Weathering** is a process that breaks up or disintegrates rocks. | 風化作用是一種使岩石破碎或崩解的過程。 |
| The principal colors of the Victorian period were **murky** shades of brown, red, lavender, and purple. | 維多利亞時期的主要顏色是褐色、紅色、淡紫色和紫色的暗沉色調。 |

| 單字 | 中文釋義 | 同義字 |
| --- | --- | --- |
| □ **rage**<br>[redʒ] | 名 **流行；盛怒；(傳染病等的)肆虐**<br>◆ 大家通常較熟悉「盛怒」和作動詞時的「(傳染病等）肆虐」之意。 | **fury**<br>**wrath**<br>**angry**<br>**fashion** |
| □ **cement**<br>[sɪˋmɛnt] | 動 **使結合在一起** | **join** |
| □ **expel**<br>[ɪkˋspɛl] | 動 **將…除名；驅逐**<br>◆ 對話題中可能會用 kick out 來表達，而在選擇題部分或許就會用 expel。 | **kick out**<br>**eject** |
| □ **cereal**<br>[ˋsɪrɪəl] | 名 **穀類（食品）**<br>◆ Kellogg（家樂氏）是目前市面上一家很有名的營養穀片製造商。 | **grain** |
| □ **temperate**<br>[ˋtɛmprɪt] | 形 **溫帶的；溫和的；適度的**<br>◆ 在一般的同義字題型中常出現。 | **moderate**<br>**mild** |
| □ **hardy**<br>[ˋhardɪ] | 形 **耐寒的；堅強的**<br>◆ 兩種意思都要記起來。 | **strong**<br>**sturdy** |
| □ **dough**<br>[do] | 名 **生麵團**<br>◆ 美國有一家生產椒鹽脆餅的廠商叫作 Dough Boys Pretzel Factory。 | **paste** |
| □ **mural**<br>[ˋmjʊrəl] | 名 **壁畫**<br>◆ 也可作形容詞，意思是「牆壁（上）的」。 | **wall painting** |
| □ **stagnate**<br>[ˋstægnet] | 動 **停滯，不發展**<br>◆ stagflation 是經濟學術語，意思是「停滯性通貨膨脹」。 | **stand** |
| □ **subduction**<br>[səbˋdʌkʃən] | 名 **(地質學的）隱沒作用**<br>◆ 是 TOEFL iBT 常考的單字之一。 | |

| In those days, the Russian Ballet was the **rage**, and the dazzling colors of the ballet became the colors of high fashion. | 俄羅斯芭蕾在那個時代**蔚為風潮**，而芭蕾舞絢爛的色彩成了流行時尚的色彩。 |
|---|---|
| The shells may be dissolved and thus supply much of the lime that **cements** marine rocks. | 貝殼可能被溶解，因而提供了許多**黏合**海洋岩石的石灰。 |
| Professor Rubin **expelled** three students last semester, including my roommate. | 魯賓教授上學期將三名學生**除名**，其中一位是我室友。 |
| Bread and **cereals** have a long history of about 10,000 years. | 麵包和**穀類**已有一萬年左右的長遠歷史了。 |
| The most important grain crop in today's **temperate** regions is wheat. | 小麥是當今**溫帶**地區最重要的穀類作物。 |
| Rye is the **hardiest** cereal and is more resistant than wheat to cold, pests, and disease. | 黑麥是**最耐寒的**穀類，比小麥更能抵抗寒冷、害蟲和疾病。 |
| Primitive bread was simply flour **dough** dried on heated stones. | 原始的麵包不過就是個在高溫石塊上乾掉的**生麵團**。 |
| A **mural** has to endure conditions like the wall being washed. | **壁畫**必須承受得起像壁面遭到刷洗等各種狀況的考驗。 |
| I've seen companies with the pyramid structure **stagnate** when the management becomes as rigid as the management structure. | 我曾見過當經營階層變得跟管理結構一樣僵化死板，金字塔結構的企業就此**停滯不前**。 |
| The process of rocks being "swallowed" or forced back into the Earth's mantle is called **subduction**. | 岩石遭到「吞沒」或擠進地函的過程稱為**隱沒作用**。 |

| | | |
|---|---|---|
| □ **trigger**<br>[ˋtrɪgɚ] | 動 **引發**<br>◆ 可以從「扣扳機（開槍）」來聯想。 | **prompt** |
| □ **seedling**<br>[ˋsidlɪŋ] | 名 **幼苗，苗木**<br>◆ 是 botany（植物學）的必考單字。 | **sapling** |
| □ **germination**<br>[ˏdʒɝməˋneʃən] | 名 **發芽**<br>◆ germ 除了指「細菌，病菌」外，還有「胚芽；發芽」的意思。 | **shoot**<br>**sprouting** |
| □ **penetrate**<br>[ˋpɛnəˏtret] | 動 **滲透；穿透**<br>◆ 常考「穿透」之意。 | **permeate**<br>**pierce** |
| □ **allergic**<br>[əˋlɝdʒɪk] | 形 **過敏的**<br>◆ 請以 be allergic to pollen（對花粉過敏）的方式記下來，還可以學到 pollen（花粉）這個單字。 | **intolerant** |
| □ **buoyancy**<br>[ˋbɔɪənsɪ] | 名 **浮力**<br>◆ 可以從 buoy（救生圈；浮標）來聯想。 | **flotation** |
| □ **respiratory**<br>[ˋrɛspərəˏtorɪ] | 形 **呼吸作用的**<br>◆ 名詞是 respiration（呼吸作用）。 | **breathing** |
| □ **pluck**<br>[plʌk] | 動 **叼，啄，拔** | **pick** |
| □ **illiteracy**<br>[ɪˋlɪtərəsɪ] | 名 **文盲**<br>◆ 與反義字 literacy（識字）都很常考。 | **ignorance** |
| □ **contact**<br>[ˋkɑntækt] | 名 **關係，門路，接觸**<br>◆ 也可作及物動詞，意思是「聯繫，接觸」。 | **touch**<br>**association**<br>**connection** |
| □ **mandatory**<br>[ˋmændəˏtorɪ] | 形 **必修的；義務的；命令的**<br>◆ 反義字是 elective（選修的）。 | **required** |

| | |
|---|---|
| The small incident involving some African Americans and Koreans **triggered** riots and looting. | 牽連到若干非裔美國人和韓國人的一場小事件引發了暴動和搶劫。 |
| The **seedling** pushes its tiny roots outward into the soil in order to anchor itself. | 幼苗向外延伸它細小的根部，深入土壤之中以固定自己。 |
| **Germination** requires a special combination of temperature and light. | 發芽需要溫度和光線的特殊組合。 |
| The germination of the plant begins when water **penetrates** the seed's outer coating and reaches inside to the live embryo. | 當水穿透種子外殼到達活胚芽，植物的發芽於是啓動。 |
| It is beautiful now that all the flowers are blooming, but they irritate my nose. I'm **allergic** to pollen. | 所有的花都開了，真漂亮，不過卻害我的鼻子不舒服。我對花粉過敏。 |
| For birds to dive, reducing **buoyancy** is a concern. | 鳥類要俯衝，減少浮力是重點。 |
| Some water birds compress their feathers and **respiratory** air sacs to force out air. | 有些水鳥會壓緊羽翼和呼吸氣囊來擠出空氣。 |
| The frigatebird can **pluck** its food from the water without getting wet. | 軍艦鳥可以在不沾濕身體的情況下從水裡叼走食物。 |
| **Illiteracy** was very high in the mostly rural South, while in the more urbanized North it was barely five percent. | 在大部分的南部鄉下文盲的比例非常高，在較為都市化的北部卻幾乎不到 5%。 |
| Thanks to this assignment, we have made various professional **contacts**. | 多虧了這份作業，我們結交了許多職場上的熟人門路。 |
| Advanced accounting is **mandatory** in your program. | 高等會計在你的課程中列為必修課程。 |

| | | |
|---|---|---|
| □ **tendon**<br>[`tɛndən] | 名 **肌腱**<br>◆ 單字延伸記憶：tendonitis（肌腱炎）。 | **sinew** |
| □ **peer**<br>[pɪr] | 動 **仔細看，盯著看**<br>◆ 後面通常會加上 at。 | **gaze**<br>**stare** |
| □ **localize**<br>[`lokə,laɪz] | 動 **限於某範圍**<br>◆ localize 常常會和 earthquake（地震）、storm（暴風雨）一起出現。 | **limit** |
| □ **rabies**<br>[`rebiz] | 名 **狂犬病，恐水病**<br>◆ 不是複數形，拼法原本就是如此；為不可數名詞。 | |
| □ **caulk**<br>[kɔk] | 動 **填塞（縫隙）** | **fill**<br>**insulate** |
| □ **top-notch**<br>[,tap`natʃ] | 形 **頂尖的，一流的** | **first-rate**<br>**the most excellent** |
| □ **disguise**<br>[dɪs`gaɪz] | 動 **偽裝，假扮**<br>◆ 詞性包括動詞和名詞，是個很常考的單字。 | **camouflage**<br>**sham** |
| □ **peck**<br>[pɛk] | 動 **以喙啄**<br>◆ 可以從 woodpecker（啄木鳥）來聯想。另外，pecking order 表示「啄食的順序」或「長幼有序」之意。 | **pick**<br>**poke** |
| □ **vaccinate**<br>[`væksə,net] | 動 **接種疫苗**<br>◆ 單字延伸記憶：vaccine（疫苗）。 | **inoculate** |
| □ **camouflage**<br>[`kæmə,flaʒ] | 名 **偽裝，掩飾**<br>◆ 會和同義字 disguise 一起出現在考題中。 | **disguise**<br>**trick** |

| | |
|---|---|
| She was suffering from a swollen **tendon**. | 她受肌腱腫脹之苦。 |
| Starlings push the tip of the bill into the Earth, force it open, and **peer** down the hole for insects. | 椋鳥將鳥喙尖端推進土裡並強行撥開，朝洞仔細找蟲子。 |
| Unless accompanied by movements of the ocean floor, the effects of earthquakes are usually **localized**. | 除非伴隨海床運動，否則地震的影響通常僅限於局部地區。 |
| Bats are the most likely carriers of **rabies** in our area. | 在我們這個地區蝙蝠是狂犬病最可能的傳播媒介。 |
| To avoid having bats in your house, find all possible entry points and close them by **caulking** the gap. | 為預防家裡出現蝙蝠，找出所有可能進入屋內的入口點，然後填塞裂縫將之封閉。 |
| We had a **top-notch** pitcher last year, but he graduated. | 去年我們有一位頂尖的投手，不過他畢業了。 |
| The detective wore a false mustache to **disguise** himself. | 偵探戴了假鬍子來偽裝自己。 |
| The bird starts **pecking** at leaves in the hope that they are moths. | 小鳥開始啄起葉子來，希望葉子就是蛾。 |
| Please make sure your dogs and cats are **vaccinated** against rabies. | 請確認您的狗和貓已接種了狂犬病疫苗。 |
| Another common insect defense is **camouflage**. | 另一種常見的昆蟲防禦行為是偽裝。 |

| | | |
|---|---|---|
| □ **startle**<br>[`startḷ] | 動 **使驚嚇** | **surprise** |
| □ **apprehensive**<br>[ˌæprɪ`hɛnsɪv] | 形 **憂慮的，恐懼的**<br>◆ 如右頁例句所示，後面接 about，意思同 be concerned about...。 | **concerned**<br>**anxious**<br>**afraid** |
| □ **peril**<br>[`pɛrəl] | 名 **危險**<br>◆ 在一般的同義字題型中常出現。 | **danger**<br>**hazard**<br>**jeopardy** |
| □ **disposal**<br>[dɪ`spozḷ] | 名 **處分的自由；處置**<br>◆ 請將這個單字的慣用說法記下來。 | **command**<br>**clearance** |
| □ **tangible**<br>[`tænʤəbḷ] | 形 **明確的；可觸知的**<br>◆ 在一般的同義字題型中常出現。 | **palpable**<br>**perceptible**<br>**evident** |
| □ **bewilder**<br>[bɪ`wɪldɚ] | 動 **使困惑，使狼狽** | **dismay**<br>**upset** |
| □ **deplore**<br>[dɪ`plor] | 動 **譴責；對…感到遺憾，哀嘆**<br>◆ 常和動詞 complain（控訴）一起出現在考題中。 | **lament**<br>**regret**<br>**criticize** |
| □ **withhold**<br>[wɪð`hold] | 動 **扣留，保留**<br>◆ 會和動詞 suspend（中止，暫緩）一起出現在考題中。 | **suspend**<br>**hold** |
| □ **pragmatic**<br>[præg`mætɪk] | 形 **實用的** | **practical**<br>**down-to-earth**<br>**realistic** |
| □ **plaintiff**<br>[`plentɪf] | 名 **原告，起訴人**<br>◆ 反義字是 defendant（被告）。 | **accuser**<br>**suitor** |

| | |
|---|---|
| That reporter and his assistants burst into tenements, **startling** the destitute residents. | 那位記者和助理們突然闖進公寓，嚇壞了貧困的住戶。 |
| He is **apprehensive** about his interview for the summer internship. | 他為了暑期工讀的面試感到憂慮不安。 |
| Her baby's life was in great **peril** because he was suffering from various allergies. | 她的寶寶因為罹患了多重過敏症而性命垂危。 |
| Musicians in those days had at their **disposal** music that could be used for any scene in any movie. | 那時的音樂家可以自由使用音樂，因而能將音樂使用在各式電影的各種場景上。 |
| The world of architecture has one huge, very **tangible**, and eye-catching reminder of Sarah's belief in ghosts. | 建築界裡有一個龐然大物，相當具體且引人注目，使人想起莎拉對鬼魂之說堅信不移。 |
| At first, background music was used only if there was an orchestra on screen because it was believed that people would be **bewildered** about the origin of the sound. | 由於相信民眾會對聲音的來源感到困惑不解，所以背景音樂起初只使用於管弦樂團出現在螢幕上時。 |
| It is hard to discriminate between those forms of aggression which we all **deplore** and those which we must not disown if we are to survive. | 要辨別那兩種攻擊行為並不容易，一種我們會全體譴責，另一種則是我們生存所必需。 |
| No animal is clever enough, when there is a drought, to imagine that the rain is being **withheld** by evil spirits. | 當乾旱發生，沒有一種動物聰明到足以想像雨水乃是遭到邪靈所扣留。 |
| The **pragmatic** function of the woman's question is to ask the man whether or not he needs to be told the location of the housing office. | 該女子問問題的實際作用在詢問男子是否需要被告知住宿組的所在之處。 |
| When Burr was accused of making a treasonable effort, Jefferson was the **plaintiff**. | 布爾被指控企圖通敵的當時，傑弗遜是原告。 |

| | | |
|---|---|---|
| □ **presume** [prɪ`zum] | 動 假定…為事實，認定 | suppose<br>calculate<br>estimate<br>presuppose |
| □ **turbulence** [`tɝbjələns] | 名 亂流；湍流；騷亂<br>◆ 常出現在天文學、氣象學的考題中。另外，搭乘飛機時也有可能聽到這個字。 | disorder<br>disturbance<br>storm |
| □ **tariff** [`tærɪf] | 名 關稅<br>◆ 在一般的同義字題型中常出現。 | custom<br>duty |
| □ **tame** [tem] | 動 馴服，使順從<br>◆ 相當常考。 | domesticate |
| □ **merger** [`mɝdʒɚ] | 名（尤指公司、事業等的）合併<br>◆ 請將 merger and acquisition（併購）這個用法記下來。 | amalgamation<br>incorporation<br>consolidation |
| □ **abolish** [ə`balɪʃ] | 動 廢除<br>◆ 同義字很多，以右欄這幾個最常考。 | repeal<br>abrogate<br>do away with |
| □ **ponder** [`pandɚ] | 動 深思<br>◆ 同義字很多。 | contemplate<br>reflect<br>speculate<br>brood |
| □ **perplex** [pɚ`plɛks] | 動 使困惑<br>◆ 為了方便記憶，請和 puzzle（使困惑）一起記。 | puzzle<br>embarrass<br>confuse |
| □ **oxidize** [`aksə,daɪz] | 動 使氧化 | burn |

| | |
|---|---|
| It would be a mistake to **presume** that English is widely spoken in the world because it has some overwhelming intrinsic appeal to foreigners. | 若**以為**全球普遍使用英語是因為英語對外國人有某種無法抗拒的吸引力，那可就錯了。 |
| As **turbulence** may affect the aircraft at any time, please keep your seat belt fastened at all times while you are seated. | 由於**亂流**隨時有可能影響飛機，當您在座位上時請全程將安全帶緊繫。 |
| Jackson was forced to come to grips with the state of South Carolina on the issue of the protective **tariff**. | 傑克遜被迫著手處理南卡羅來納州有關**關稅**保護的議題。 |
| People learned to **tame** the hoofed, wild animals that roamed across the land. | 人們學會了**馴服**在陸地上隨意漫遊的有蹄野生動物。 |
| **Merger** and acquisition has come to be considered a new type of popular business. | **併**購已被視為一種新型的熱門生意。 |
| Massachusetts **abolished** slavery in 1783, and by 1784 the rest of New England had also taken steps to end slavery. | 麻薩諸塞州在 1783 年**廢除**了蓄奴制，到了 1784 年新英格蘭的其他地區也已採取行動終止蓄奴制。 |
| Unfortunately, most students were not interested in **pondering** the autonomy of the university. | 不幸的是，大部分的學生對於**思考**大學自主權一事都興趣缺缺。 |
| Students were **perplexed** by the number of difficult questions on that quiz. | 學生被那次小考的多道難題弄得**頭昏腦脹**。 |
| Any hydrocarbons remaining on the surface are soon **oxidized** by bacteria. | 任何殘留在表面上的碳氫化合物很快就被細菌**氧化**。 |

| Word | Meaning | Synonyms |
|---|---|---|
| ▢ **virtue**<br>[\`vɜtʃʊ] | 名 **優點；美德**<br>◆「美德」和「優點，長處」都很常出現在考題中。 | goodness<br>righteousness<br>merit |
| ▢ **imaginative**<br>[ɪ\`mædʒə͵netɪv] | 形 **想像力豐富的，有創造力的**<br>◆ Writing 中可能會將 imaginative 和 imaginary（想像中的，虛構的）弄錯，請加以區別。 | creative<br>inventive<br>ingenious<br>resourceful |
| ▢ **concede**<br>[kən\`sid] | 動 **承認（失敗等）**<br>◆ 也有「（比賽等）認輸」之意。 | admit<br>acknowledge<br>surrender |
| ▢ **sterilize**<br>[\`stɛrə͵laɪz] | 動 **消毒殺菌；使貧瘠**<br>◆ 從 sterile（貧瘠的）類推就可以推想到「使沒有結果」。 | disinfect |
| ▢ **impair**<br>[ɪm\`pɛr] | 動 **損害（健康、價值等）**<br>◆ 同義字很多，常考。務必連同發音牢記在腦中。 | ruin<br>mar<br>spoil<br>degrade |
| ▢ **philanthropic**<br>[͵fɪlən\`θrapɪk] | 形 **慈善的，博愛的** | charitable<br>humanitarian |
| ▢ **surge**<br>[sɜdʒ] | 動 **（群眾等）如波濤般洶湧而至**<br>◆ 原本是指「海浪洶湧」，後來衍生出「人蜂擁而至」之意。 | rush<br>gush |
| ▢ **embark**<br>[ɪm\`bark] | 動 **從事，著手；乘船**<br>◆ bark 的原意是指「三桅帆船」。字首 en-（放入其中）加在 bark 的前面時，因為碰到發音時要閉嘴巴的 b，所以變成 em-。 | launch<br>venture |

| | |
|---|---|
| Most American universities and their students believe in the **virtue** of tutorial systems. | 大部分的美國大學和學生肯定導師制度的優點。 |
| Wright loved the **imaginative** use of scientific knowledge. | 萊特喜愛科學知識充滿想像力的運用。 |
| The French **conceded** defeat in 1763, and Canada was split into French- and English-speaking regions. | 法國在 1763 年承認戰敗，加拿大因而分裂為法語區和英語區。 |
| In the aseptic process, the food and the package are **sterilized** separately. | 食物和包裝在無菌加工過程中個別消毒殺菌。 |
| The wrong diet can seriously **impair** an athlete's performance and health. | 錯誤的飲食可能會嚴重損害運動員的表現和健康。 |
| They gained prominent positions in business, in literature and law, and in cultural and **philanthropic** institutions. | 他們在商場、文壇和法律界，以及文化和慈善機構中都占有一席之地。 |
| The students **surged** forward together when they noticed the singer. | 學生一看到歌手就同時蜂擁向前。 |
| Jefferson was responsible for the expedition on which Lewis and Clark **embarked**. | 傑弗遜也展開了路易斯與克拉克遠征。 |

| 單字 | 字義 | 同義字 |
|---|---|---|
| ☐ **irrelevant**<br>[ɪ`rɛləvənt] | 形 **不切題的，不恰當的**<br>◆ 和 relevant（切中要點的，適當的）一起搭配時，出題率很高。 | **unsuitable**<br>**inappropriate**<br>**foreign** |
| ☐ **outlook**<br>[`aʊt͵lʊk] | 名 **觀點；瞭望**<br>◆ 的確是與「看」有關的單字，但若不確實由上下文做判斷，很容易會搞錯字義。 | **view**<br>**prospect**<br>**vista** |
| ☐ **exile**<br>[`ɛksaɪl] | 名 **驅逐出境，流放**<br>◆ 請大聲唸並用耳朵把 banishment or exile（放逐或流放）記下來。 | **banishment**<br>**purge**<br>**asylum** |
| ☐ **imaginary**<br>[ɪ`mædʒə͵nɛrɪ] | 形 **想像中的，虛構的**<br>◆ 務必要小心區別 imaginary 和 imaginative，例如 imaginary figure（假想人物）和 imaginative writer（想像力豐富的作家）的不同。 | **unreal**<br>**fanciful**<br>**illusory**<br>**fictitious** |
| ☐ **defiance**<br>[dɪ`faɪəns] | 名 **違抗，藐視，挑戰**<br>◆ 請將動詞 defy（公然反抗，藐視，挑戰）一併記下來。 | **resistance**<br>**opposition**<br>**neglect** |
| ☐ **itinerant**<br>[aɪ`tɪnərənt, ɪ`tɪnərənt] | 形 **流動的；巡迴的**<br>◆ 也可作名詞，意思是「巡迴藝人；四處買賣的商人；傳教士」。 | **wandering** |
| ☐ **oath**<br>[oθ] | 名 **誓約**<br>◆ 在一般的同義字題型中常出現。 | **pledge**<br>**vow** |
| ☐ **doom**<br>[dum] | 動 **注定** | **destine**<br>**ordain**<br>**condemn** |
| ☐ **nuisance**<br>[`njusəns] | 名 **討人厭的事物；騷擾行為** | **trouble**<br>**annoyance** |
| ☐ **whim**<br>[(h)wɪm] | 名 **一時興起的念頭，突發奇想** | **caprice**<br>**fancy** |

| | |
|---|---|
| I'm sick and tired of your **irrelevant** questions. | 我對你那些不切題的問題厭倦極了。 |
| His writings naturally reflected his **outlook** on life. | 他的作品自然反映出他的人生觀。 |
| Penalties consisted primarily of public humiliation, beatings or torture, banishment or **exile**, death, fines, or confiscation of property. | 懲罰主要包括公開羞辱、鞭打或凌虐、流放或驅逐出境、死刑、罰款，或是財產沒收。 |
| One day is the amount of time the Earth needs to spin completely around on its axis, an **imaginary** line that runs through the center of the Earth, from magnetic north to south. | 一天就是地球繞著地軸完整旋轉一圈所需的時間，而地軸是一條從北極到南極穿越過地球中心的假想線。 |
| White Southerners were embittered by Northern **defiance** of the 1850 Federal Fugitive Slave Act. | 南方白人對於北方違抗 1850 年聯邦逃亡奴隸法的事懷恨在心。 |
| **Itinerant** workers move from town to town offering their services to whoever can pay for them. | 流動勞工在城鎮之間不停移動，提供勞務給任何能花錢雇用他們的人。 |
| A friend of the defendant took an **oath** to tell the truth at the trial. | 被告的一名友人宣誓審訊時會陳述事實。 |
| I don't want to be **doomed** to repeat the same mistakes my elder brother made. | 我可不想命中注定重蹈我哥哥所犯的錯誤。 |
| In the late 19th century, wolves were considered a **nuisance** by park visitors. | 狼在 19 世紀晚期被遊園旅客視為眼中釘。 |
| The fundamental law of the land is not easily subject to the **whims** of special-interest groups. | 國家的基本法不會輕易受到特殊利益團體一時興起的念頭所左右。 |

| | | |
|---|---|---|
| □ **outset**<br>[ˋaʊt͵sɛt] | 名 **開始，發端**<br>◆ 請直接記 at the outset（在一開始的時候）。 | beginning<br>start |
| □ **authentic**<br>[ɔˋθɛntɪk] | 形 **可靠的；真實的**<br>◆ 同義字很多。用在正面的意義上。 | real<br>genuine<br>reliable<br>trustworthy |
| □ **finite**<br>[ˋfaɪnaɪt] | 形 **有限的，限定的** | restricted<br>limited |
| □ **prototype**<br>[ˋprotə͵taɪp] | 名 **原型，模範**<br>◆ 請連同名詞 original（原作，原著）一起記。 | original<br>model<br>archetype |
| □ **anchor**<br>[ˋæŋkɚ] | 動 **使固定；用錨繫住**<br>◆ 注意，anchor 很容易考，常出現在描述植物根部的作用上。 | fasten<br>fix<br>berth |
| □ **maneuver**<br>[məˋnuvɚ] | 動 **駕駛使移動；進行（軍事）演習** | operate<br>handle<br>manipulate |
| □ **coherent**<br>[koˋhɪrənt] | 形 **一致的，連貫的；相互密合的**<br>◆ 同義字很多，常考。 | consistent<br>logical<br>connected |
| □ **soothe**<br>[suð] | 動 **使平靜，使鎮定** | calm<br>suppress<br>appease |
| □ **rebel**<br>[rɪˋbɛl] | 動 **反抗，造反** | resist<br>oppose<br>revolt |
| □ **appraise**<br>[əˋprez] | 動 **估價，評價**<br>◆ 這個單字有點難記，不妨跟熟悉的同義字一起記。 | estimate<br>evaluate<br>assess |

| | |
|---|---|
| Our plan of founding a company was doomed at the **outset** because we were short on money. | 由於資金短缺，我們創辦一家公司的計畫一開始就注定失敗。 |
| There are no **authentic** records to verify that a tortoise can live to be more than one hundred years old. | 沒有可靠的紀錄證明陸龜可以活超過 100 歲。 |
| All these qualities make the spaceship paradigm far better than other proposed paradigms for modeling a dynamic society on a **finite** planet. | 所有這些特性使得太空船思維模式遠比其他被提出的思維模式，更適合用來模擬一個位於有限行星上的動態社會。 |
| The Mutoscope was a less sophisticated earlier **prototype** of the Kinetoscope. | 妙透鏡觀影機較不精巧，是西洋鏡觀影機的早期原型。 |
| Parabolic dunes form in areas where sparse vegetation **anchors** the side arms. | 拋物線狀沙丘形成於有稀疏植被固定其側臂的地區。 |
| The flagship, the Santa Maria, was much larger but harder to **maneuver**. | 聖瑪利亞號旗艦分外龐大，但也更難駕駛。 |
| Those cities are marked by a **coherent** central area. | 那些城市的特色是擁有一致的中心地區。 |
| When rain falls steadily against a windowpane, it can have a **soothing** rhythm. | 雨穩定地滴落在玻璃窗上時會產生出一種令人平靜的節奏。 |
| When a child **rebels** against authority, he or she is being aggressive. | 孩子反抗權威時就是在展現侵略性。 |
| That Rembrandt has been **appraised** at five million dollars. | 那幅林布蘭的畫已被估價為 500 萬元。 |

| 單字 | 中文意思 | 同義字 |
| --- | --- | --- |
| □ **dissent** [dɪ`sɛnt] | 動 反對，不同意 | object<br>question<br>remonstrate |
| □ **segregation** [ˏsɛgrɪ`geʃən] | 名 種族隔離；分離，隔離<br>◆ segregation 從以前就不常用，現今則大多用 discrimination（差別，歧視）。 | discrimination<br>isolation<br>quarantine |
| □ **sober** [`sobɚ] | 形 認真嚴肅的；節制的；沒喝醉的 | serious<br>moderate<br>not drunk |
| □ **perish** [`pɛrɪʃ] | 動 死亡，毀滅，腐爛<br>◆ 注意形容詞 perishable（容易腐爛的）也常考。 | die<br>pass away<br>die out<br>rot |
| □ **arbitrary** [`ɑrbəˏtrɛrɪ] | 形 任性的，專斷獨行的<br>◆ 意思完全相符的同義字較少，所以必須從上下文來推敲可能的同義字。 | capricious<br>unreasonable |
| □ **prompt** [prɑmpt] | 動 促使，激起，誘發 | urge<br>encourage<br>induce<br>stimulate |
| □ **preside** [prɪ`zaɪd] | 動 統轄；擔任（議長、司儀等）<br>◆ 意思除了是「擔任（議長等）」外，也用來表示「統轄，管理」之意。 | chair<br>moderate<br>control |
| □ **comply** [kəm`plaɪ] | 動（對法令等的）遵守，服從<br>◆ 名詞是 compliance（遵守，服從）。 | obey<br>abide by<br>observe<br>agree |

| | |
|---|---|
| That faction **dissented** from the policy of the party. | 那個派系**不同意**此政黨的政策。 |
| President Harry Truman gave an executive order to end **segregation** in the armed forces. | 哈利·杜魯門總統下了一道行政命令，終止軍隊裡的**種族隔離**政策。 |
| Darwin was a quiet, **sober** family man who rarely left his house. | 達爾文是一個安靜且**認真嚴肅**的居家型男人，很少離開他的住處。 |
| Thousands of people **perished** by way of a big fire resulting after the earthquake. | 數千人**死**於地震後的大火。 |
| If you have some specific purpose or reason for your action, nobody will consider it **arbitrary**. | 如果你有某個特別的目的或理由可以解釋你的行為，沒有人會認為那是**任性的**舉動。 |
| The incident **prompted** the city officials to make a thorough investigation into domestic child abuse. | 該事件**促使**市府官員針對家庭虐童進行徹底的調查。 |
| The Constitution gives the Vice President no duties aside from **presiding** over the Senate. | 除了**統轄**參議院之外，美國憲法並沒有賦予副總統其他職責。 |
| Many dwellers moved to the city in order to **comply** with a government ordinance. | 為了**遵守**政府法令許多居民遷居到都市。 |

| | | |
|---|---|---|
| □ **personnel**<br>[ˏpɜsə`nɛl] | 名 **全體人員；全體職員；人事部**<br>◆ 若去除「人事」方面的涵義，就會比較難翻譯，所以不妨將 staff（職員）視為同義字。 | **staff** |
| □ **bankruptcy**<br>[`bæŋkrʌptsɪ] | 名 **破產**<br>◆ 容易拼錯，所以 Writing 時要特別小心。 | **crash**<br>**liquidation**<br>**ruin** |
| □ **consecutive**<br>[kən`sɛkjʊtɪv] | 形 **連續不斷的**<br>◆ consecutive wins 是「連勝」之意。 | **successive**<br>**continuous**<br>**serial** |
| □ **criterion**<br>[kraɪ`tɪrɪən] | 名 **準則**<br>◆ 複數形是 criteria。 | **standard**<br>**basis**<br>**norm** |
| □ **whirl**<br>[hwɜl] | 動 **旋轉，迴旋**<br>◆ 單字延伸記憶：whirlpool（漩渦，渦流）。 | **swirl**<br>**spin** |
| □ **testimony**<br>[`tɛstəˏmonɪ] | 名 **證詞；證據**<br>◆ 同義字很多。 | **proof**<br>**certification**<br>**verification**<br>**witness** |
| □ **expire**<br>[ɪk`spaɪr] | 動 **（契約等）期滿，終止** | **end**<br>**finish**<br>**terminate** |
| □ **margin**<br>[`mardʒɪn] | 名 **差距；邊緣；頁邊空白處；利潤**<br>◆ 意思極多，所以必須從上下文中找出最適當的意思。務必記住 by a narrow margin（千鈞一髮，有驚無險）。 | **edge**<br>**brink**<br>**verge**<br>**border**<br>**space** |

| | |
|---|---|
| Firefighters and other rescue workers joined state and city emergency **personnel** searching through the rubble for survivors. | 消防隊員及其他救難人員和州、市緊急救援人員聯合起來，在瓦礫堆中尋找生還者。 |
| Because of the laws governing **bankruptcy**, stocks are more risky than bonds. | 因為有破產管理法條，所以股票的風險比債券還高。 |
| Several **consecutive** years of drought have made life miserable for lettuce farmers in Southern California. | 連續數年的乾旱讓南加州種植萵苣的農夫生活窮困悲慘。 |
| The chart above lists some of the **criteria** to consider when selecting a checking account. | 上面的圖表列出了幾個選擇支票帳戶的考量標準。 |
| It is rather like a heavy object **whirling** around on the end of a piece of string. | 這有點像一個重物在一條繩子的末端打轉。 |
| At the hearings, committee members listened to **testimony** from supporters and opponents of S.837. | 聽證會上委員聆聽著 S.837 號法案支持者和反對者的證詞。 |
| Your credit card has already **expired**. | 您的信用卡已經到期了。 |
| He was elected to be President of the United States of America **by a narrow margin**. | 他有驚無險地當選美國總統。 |

| | | |
|---|---|---|
| □ **ordinance**<br>[`ɔrdɪnəns] | 名 **法令，布告，條例**<br>◆ 如果出現在 TOEFL iBT 的同義字考題中，答案大部分是大分類的 law（法律）。 | **law**<br>**act**<br>**decree**<br>**statute** |
| □ **fierce**<br>[fɪrs] | 形 **凶狠的** | **savage**<br>**ferocious**<br>**cruel** |
| □ **adverse**<br>[æd`vɝs] | 形 **有害的；相反的；敵對的**<br>◆ 帶負面涵義的字。adverse 考出來的機率還蠻高的。 | **unfavorable**<br>**opposing**<br>**hostile** |
| □ **innate**<br>[ɪ`net] | 形 **天生的，固有的**<br>◆ 雖然是個簡單的單字，但還是希望大家能在上下文中確實掌握住它的意思。 | **inborn**<br>**inherent**<br>**natural** |
| □ **virtually**<br>[`vɝtʃʊəlɪ] | 副 **幾乎；實質上，事實上**<br>◆ 作「幾乎」解釋時，可以和同義字 almost（幾乎，差不多）一起記。 | **almost**<br>**nearly**<br>**practically**<br>**as good as** |
| □ **solicit**<br>[sə`lɪsɪt] | 動 **設法獲得，懇求…給予**<br>◆ 請一併記住 solicitor 是「推銷員，業務員」的意思。 | **beg**<br>**entreat**<br>**press**<br>**nag** |
| □ **leak**<br>[lik] | 動 **洩漏** | **seep**<br>**ooze**<br>**drip**<br>**trickle** |
| □ **agent**<br>[`edʒənt] | 名 **因子，使產生變化的人事物** | **force**<br>**vehicle**<br>**cause** |
| □ **nominal**<br>[`nɑmən!] | 形 **微不足道的；名義上的**<br>◆ 記得也可表示「名義上的，有名無實的」。 | **minimal**<br>**small** |

| | |
|---|---|
| A good citizen should comply with a government **ordinance**. | 一個好公民應該遵守政府的法令。 |
| The thylacine was a large, dog-like animal with striped sides and an enormous mouth lined with **fierce** teeth. | 袋狼是一種大型的類犬動物，有著條紋側邊和一個滿口利齒的巨大嘴巴。 |
| Large shifts in population had the most **adverse** effect on the Midwest. | 人口密度的巨大轉變對中西部造成了最有害的影響。 |
| It is this **innate** knowledge that explains the success and speed of language acquisition. | 正是這種與生俱來的知識解釋了語言習得的成功和速度。 |
| The Sun, the closest star to the Earth, is the source of **virtually** all of Earth's energy. | 太陽是最接近地球的恆星，也是地球上幾乎所有能量的來源。 |
| Students were unable to **solicit** any support from the university. | 學生無法從大學校方那裡獲得任何支援。 |
| If the President has to tell Congress, the information is more likely to **leak** out and ruin the plan. | 如果總統必須告知國會，那麼訊息很可能外洩而毀了計畫。 |
| Condensation from the clouds provides the essential **agent** of continental erosion: rain. | 雲層的凝結為大陸侵蝕提供了不可或缺的因子：雨水。 |
| The material is then ordered and checked out through this interlibrary loan system, which costs the user only a **nominal** shipping fee. | 透過這個館際互借系統，資料被預定、借出，只花費使用者少許的運費。 |

| 單字 | 解說 | 同義字 |
| --- | --- | --- |
| ☐ **abuse** [ə`bjus] | 名 動 **濫用；虐待**<br>◆ 常考單字，動詞發音是 [ə`bjuz]。雖然帶有明顯的負面涵義，但還是建議大家多從上下文來判斷它的意思。 | **exploit**<br>**misuse**<br>**misapply**<br>**pervert** |
| ☐ **barely** [`bɛrlɪ] | 副 **幾乎沒有，僅僅**<br>◆ 為否定用法，但因為常翻譯成「好不容易…」此肯定說法，反而容易造成誤解。 | **narrowly**<br>**by a hair**<br>**scarcely**<br>**hardly** |
| ☐ **withdraw** [wɪð`drɔ] | 動 **退出；將（提議等）收回；將（訴訟）撤回**<br>◆ 就廣義而言，withdraw 的同義字相當多。 | **retreat**<br>**draw back**<br>**pull out**<br>**secede** |
| ☐ **coverage** [`kʌvərɪdʒ] | 名 **新聞報導**<br>◆ media coverage 的意思是「媒體報導」。 | **news**<br>**report** |
| ☐ **postulate** [`pastʃə͵let] | 動 **假設；要求**<br>◆ 為方便記憶，請找個熟悉的單字一起記。 | **assume**<br>**take for granted** |
| ☐ **raid** [red] | 名 **襲擊，搜捕** | **attack**<br>**incursion**<br>**assault** |
| ☐ **sluggish** [`slʌgɪʃ] | 形 **行動遲緩的，反應遲鈍的**<br>◆ 在一般的同義字題型中常出現。 | **lazy**<br>**tardy**<br>**slow** |
| ☐ **redundant** [rɪ`dʌndənt] | 形 **累贅的，冗長的，多餘的**<br>◆ 比如 new innovation（新作法）就是 redundant 的例子。 | **wordy**<br>**repetitious**<br>**superfluous**<br>**surplus** |

| | |
|---|---|
| The need for strong presidential leadership must be balanced against the need to protect ourselves against the **abuse** of power. | 總統擁有強大領導才能的必要性與保護自身對抗濫權的必要性必須加以權衡比較。 |
| A little more than 100 years ago there were no automobiles, and bicycles had **barely** been invented. | 100 多年以前汽車尚不存在，而腳踏車幾乎還沒被發明。 |
| The remainder of the constitution was largely based on that of the Union from which the states of the lower South were **withdrawing**. | 憲法的其他部分主要是依據聯邦政府的憲法，造成南方各州將退出該憲法。 |
| Recognizing the power of television's pictures, politicians craft televisual, staged events, called pseudo-events, designed to attract media **coverage**. | 意識到電視影像的力量，政治人物精心製作電視演出的事件（構作假事件），專門用來吸引媒體的報導。 |
| It has been **postulated** that the immune system responds only when it receives signals from injured cells. | 一直以來都假設免疫系統只有在接收到受損細胞的信號時才會產生反應。 |
| White Southerners were alarmed by the **raid** at Harpers Ferry, West Virginia, led by the white abolitionist John Brown. | 南方白人飽受西維吉尼亞哈普斯渡口突擊事件的驚嚇，此由贊成廢除白人奴隸制度的支持者約翰・布朗所主導。 |
| The whale shark is a **sluggish** fish that feeds on plankton and is found only in tropical areas. | 鯨鯊是一種行動遲緩的魚類，以浮游生物為主食，並只出現在熱帶地區。 |
| If you say "clearly evident," it sounds rather **redundant**. | 如果你說「顯然明顯的」，聽起來會相當累贅。 |

| 單字 | 中文解釋 | 同義字 |
|---|---|---|
| □ **reckless** [`rɛklɪs] | 形 不顧危險的，魯莽的 | rash<br>thoughtless<br>careless<br>heedless |
| □ **wedge** [wɛdʒ] | 名 楔子 | pin |
| □ **boost** [bust] | 動 增加，促進，提高<br>◆ 很重要，務必記牢。另外，同義字很多，都常考。 | increase<br>augment<br>raise<br>enhance |
| □ **haunt** [hɔnt] | 動 經常出現於…腦中；（鬼魂）常出沒於<br>◆ a haunted mansion 的意思是「鬼屋」。 | obsess<br>beset<br>plague<br>torment |
| □ **plateau** [plæ`to] | 名 高原，高地 | highland<br>tableland<br>terrace |
| □ **infrastructure** [`ɪnfrə͵strʌktʃɚ] | 名 基礎建設；（團體等的）基層組織<br>◆ 在 Writing 中可能會用得到。 | basic systems |
| □ **tentative** [`tɛntətɪv] | 形 暫時性的，試探性的 | temporary |
| □ **esteem** [əs`tim] | 動 尊敬，珍重<br>◆ 在一般的同義字題型中常出現。 | respect<br>admire<br>value |
| □ **negligence** [`nɛglɪdʒəns] | 名 疏忽，忽視<br>◆ 動詞是 neglect（疏忽，忽視），發音為 [nɪg`lɛkt]，也可作名詞。 | neglect<br>carelessness |

| | |
|---|---|
| He has been arrested several times for **reckless** driving. | 他已數度因為**危險**駕駛而遭到逮捕。 |
| It is primarily the **wedge** shape of the block that gives the arch its stability. | 主要是石塊的**楔子**形狀讓橋拱保持穩定。 |
| Athletic shoes are continually improved to **boost** athletes' speed and endurance while providing comfort and protection from injury. | 運動鞋不斷改良，目的是**增強**運動員的速度和耐力，同時提供舒適，防止受傷。 |
| People in the United States during the nineteenth century were **haunted** by the prospect that unprecedented changes in the nation's economy would bring about social chaos. | 國家經濟空前的變化將帶來社會混亂，這種可能性在 19 世紀的美國人民**心中揮之不去**。 |
| The Anasazi occupied the high-**plateau** country of the Four Corners area. | 安納薩吉人占領了這個四角地帶的**高原**地方。<br>註解：左欄例句中的 Four Corners area（四角地帶）範圍涵蓋了 Arizona（亞歷桑納州）、Colorado（科羅拉多州）、New Mexico（新墨西哥州）和 Utah（猶他州）。 |
| Our city has to make the most use of its existing **infrastructure** for the time being because of financial difficulties. | 由於財政困難，本市暫時必須就既有的**基礎建設**做出最妥善的利用。 |
| We have made a **tentative** offer but have to confirm it as soon as possible. | 我們已提出**暫時性的**提案，但必須儘快確認。 |
| For years, I have held his work in the highest **esteem**. | 幾年下來我對他的作品一直有很高的**評價**。 |
| She was found guilty of **negligence** because she did not look after her children properly. | 由於沒有妥善照顧好小孩，她被以**疏忽**罪的罪名定罪。 |

| | | |
|---|---|---|
| □ **unambiguous** [ˌʌnæm`bɪɡjʊəs] | 形 不含糊的<br>◆ 反義字是 ambiguous（曖昧的）。 | clear<br>seeming<br>unequivocal |
| □ **dismiss** [dɪs`mɪs] | 動 解除…的職務；解散<br>◆ 比 fire（解雇）還嚴厲的字。 | fire<br>discharge<br>let go<br>disband |
| □ **cumbersome** [`kʌmbɚsəm] | 形 遲緩而缺乏效率的；麻煩的<br>◆ 因為字尾是 -some，所以可以判斷出 cumbersome 是個形容詞。 | troublesome<br>tiresome<br>annoying<br>burdensome |
| □ **latently** [`letəntlɪ] | 副 潛在地 | potentially |
| □ **recession** [rɪ`sɛʃən] | 名 經濟衰退，不景氣 | depression<br>slump<br>stagnation |
| □ **leukemia** [lu`kimɪə] | 名 白血病，血癌 | cancer of the blood |
| □ **intervene** [ˌɪntɚ`vin] | 動 介入，干涉，調停<br>◆ 為了方便記憶，請和 interfere 一起記。注意 intervene 也有正面的涵義。 | intrude<br>interfere<br>arbitrate |
| □ **ratify** [`rætəˌfaɪ] | 動 正式批准 | confirm<br>approve<br>acknowledge |
| □ **bureaucracy** [bjʊ`rakrəsɪ] | 名 文官政治，官僚體制；官僚 | official system of government<br>official<br>bureaucrat |

| | |
|---|---|
| No one has yet received an **unambiguous** signal from an extraterrestrial civilization. | 未曾有人接收到來自外太空文明的明確信號。 |
| My cousin was **dismissed** from his post for neglect of duty. | 我的表哥因為怠忽職守而遭到解職。 |
| The amendment process is time-consuming and **cumbersome**. | （憲法的）修正程序曠日費時而且效率不彰。 |
| Even though the F1 generation appears purple in color, it **latently** carries recessive white genes. | 儘管第一子代呈現紫色，但潛在中仍擁有白色隱性基因。 |
| By 1992, a **recession** had many Americans worried. | 到了 1992 年，一場經濟衰退使得許多美國人憂心忡忡。 |
| My nephew died of **leukemia** when he was sixteen years old. | 我姪子在 16 歲那年死於血癌。 |
| He tried to **intervene** between the two angry men. | 他試圖要介入調停兩位怒火中燒的男子。 |
| The Senate **ratified** the treaty, and Congress agreed to pay France for the territory. | 參議院正式批准條約，於是國會同意向法國買下這塊領土。 |
| Many people believe that **bureaucracy** is preferable to a dictatorship. | 許多人相信文官政治比獨裁政權好。 |

MP3 136

| | | |
|---|---|---|
| □ **thrive** [θraɪv] | 動 迅速繁衍，蓬勃發展，茁壯成長 | prosper<br>flourish<br>grow up |
| □ **dividend** [`dɪvə͵dɛnd] | 名 股利 | allotment<br>distribution |
| □ **meticulous** [mə`tɪkjələs] | 形 小心翼翼的 | fastidious<br>fussy<br>precise |
| □ **dump** [dʌmp] | 動 傾倒（垃圾）<br>◆ 請一併記住 dump truck（傾卸車）。 | drop<br>discharge<br>throw away<br>discard |
| □ **wharf** [hwɔrf] | 名 碼頭 | pier<br>quay |
| □ **strife** [straɪf] | 名 糾紛，鬥爭<br>◆ 動詞是 strive（努力奮鬥；鬥爭）。 | conflict<br>struggle<br>fight<br>quarrel |
| □ **delete** [dɪ`lit] | 動 刪除<br>◆ 對話題中應該會出現 cross out（刪掉）；若是選擇題，則會考 delete 這個字。 | eliminate<br>erase<br>cross out<br>cancel |
| □ **prone** [pron] | 形 有…傾向的<br>◆ 以動詞來說，tend（傾向）是同義字。 | likely<br>inclined<br>apt |
| □ **carnivore** [`kɑrnə͵vɔr] | 名 肉食性動物<br>◆ 單字延伸記憶：herbivore（草食性動物）、omnivore（雜食性動物）、insectivore（食蟲植物）。 | |

| | |
|---|---|
| The wolf population **thrived** in their new home. | 在新家園中狼群的數量迅速增加。 |
| Most companies turn over only about half of their earnings to stockholders as **dividends**. | 大部分的公司只將大約一半的收益轉成股利分配給股東。 |
| He paid **meticulous** attention to detail. | 他對每個細節都小心翼翼地留意著。 |
| Today, newly found sinkholes are often filled with soil or cement in an attempt to stop people from **dumping** their garbage in them. | 今日新發現的石灰阱往往被泥土或水泥填滿，企圖藉此阻止民眾將垃圾傾倒入內。 |
| Sea anemones often attach the lower part of their cylindrical bodies to rocks, shells, and **wharf pilings**. | 海葵常常將圓柱狀身體的下半部附著在岩石、貝殼或是碼頭樁柱上。 |
| The previous century was a time of widespread industrial **strife**. | 前一個世紀是個勞資糾紛四起的時代。 |
| We should **delete** his name from the list of applicants. | 我們應該將他的名字從申請者名單中刪除。 |
| He has discovered that his secretary is **prone** to forget to give him his messages if she is busy. | 他發現他的祕書在忙碌時容易忘記把留言交給他。 |
| **Carnivores** were usually more solitary and their fossils are therefore more rare. | 肉食性動物經常單獨行動，牠們的化石也因而比較罕見。 |

| | | |
|---|---|---|
| ☐ **harass** [hə`ræs, `hærəs] | 動 **騷擾，使困擾**<br>◆ 名詞是 harassment（騷擾，困擾）。 | **annoy**<br>**bother** |
| ☐ **reciprocal** [rɪ`sɪprəkḷ] | 形 **相互的，互惠的** | **mutual**<br>**interchangeable**<br>**interactive** |
| ☐ **entity** [`ɛntətɪ] | 名 **實體，存在**<br>◆ 較為嚴肅的單字，在 Reading 中常見。 | **thing**<br>**object**<br>**body**<br>**existence** |
| ☐ **imperative** [ɪm`pɛrətɪv] | 形 **必要的，強制的，命令的**<br>◆ 帶有強烈的意味。 | **absolutely necessary**<br>**urgent** |
| ☐ **precarious** [prɪ`kɛrɪəs] | 形 **不穩定的；碰碰運氣的**<br>◆ 同義字考題常考單字。請一併記住 precarious life（不穩定的生活）。 | **uncertain**<br>**unsure**<br>**unsteady**<br>**unstable** |
| ☐ **canine** [`kenaɪn] | 名 **犬科動物；犬**<br>◆ canine 通常簡稱為 K-9，因為讀音相似。 | **dog**<br>**hound** |
| ☐ **preamble** [`priæmbḷ] | 名 **前言，序言**<br>◆ 在一般的同義字題型中會出現。為方便記憶，請和 preface（序言）一起記。 | **introduction**<br>**preface**<br>**exordium**<br>**prologue** |
| ☐ **analogy** [ə`nælədʒɪ] | 名 **類比，類似**<br>◆ 為方便記憶，請和 comparison（類似，比喻）一起記。 | **comparison**<br>**parallel**<br>**similarity**<br>**resemblance** |
| ☐ **plausible** [`plɔzəbḷ] | 形 **似乎合理的，可信的**<br>◆ 在一般的同義字題型中會出現。 | **appropriate**<br>**reasonable** |

| | |
|---|---|
| He said that the police have been **harassing** him since he came out of prison. | 他表示自從他出獄後警方就一直騷擾他。 |
| During the summer, there is a **reciprocal** reinforcement between the higher nighttime temperatures of the city and the human-made heat that helped create them. | 夏季時城市裡較高的夜間溫度和人造高溫之間有著相互增強的作用。 |
| Man emerged with a new quality that differentiated him from animals: his awareness of himself as a separate **entity**. | 人類出現了，帶著使之異於其他動物的全新特質：人類覺察到自己是個獨立的實體。 |
| It is **imperative** that this assignment be finished by the end of this month. | 這項作業必須在本月底之前完成。 |
| Thousands of people abandoned their **precarious** lives on farms for more secure and better paying jobs in cities. | 為了城市裡更有保障、更高薪的工作，數以千計的人拋棄了不穩定的農場生活。 |
| Hunters would often poison the carcass of a downed elk in an attempt to decrease the wild **canine** population. | 獵人經常會在被射倒的麋鹿屍體裡下毒，企圖藉此減少野生犬科動物的數量。 |
| The **preamble** of the new Confederate constitution declared that each state was "acting in its sovereign and independent character." | 新的邦聯憲法前言聲明，各州「以自有主權和獨立的身分行動」。 |
| I'll answer your important question with an **analogy**. | 我將以一個類比來回答你這個重要的問題。 |
| His story sounded **plausible** enough for us to believe. | 他的話聽起來滿合理的，足以採信。 |

| | | |
|---|---|---|
| □ **assimilate**<br>[ə`sɪmə͵let] | 動 **吸收；同化；消化**<br>◆ 非常重要，請將上面三種字義及右欄的同義字全都記下來。 | **absorb**<br>**incorporate**<br>**digest** |
| □ **mediocre**<br>[`midɪ͵okɚ] | 形 **平庸的；二流的**<br>◆ 就是「還好」的感覺。 | **average**<br>**ordinary**<br>**so-so**<br>**undistinguished** |
| □ **brittle**<br>[`brɪtl̩] | 形 **硬而易碎的**<br>◆ 在同義字題型中出現過。 | **fragile**<br>**frail**<br>**breakable** |
| □ **coalesce**<br>[͵koə`lɛs] | 動 **結合；癒合**<br>◆ 同義字以 incorporate 最常考，但還是要把所有的同義字都記下來。 | **incorporate**<br>**unite**<br>**combine**<br>**integrate** |
| □ **transcend**<br>[træn`sɛnd] | 動 **超越，勝過**<br>◆ 也是「超越」字群的一員。 | **surpass**<br>**exceed**<br>**excel**<br>**outdo** |
| □ **emancipation**<br>[ɪ͵mænsə`peʃən] | 名 **（奴隸等的）解放**<br>◆ 美國林肯總統於 1863 年發布解放奴隸的 *Emancipation Proclamation*《解放宣言》法令。 | **liberation**<br>**release**<br>**freedom** |
| □ **deterrent**<br>[dɪ`tɝənt] | 名 **威懾物，制止物**<br>◆ 也有「遏止戰爭的力量」的意思。 | **impediment**<br>**obstacle**<br>**discouragement**<br>**restraint** |
| □ **piety**<br>[`paɪətɪ] | 名 **虔誠；孝順** | **piousness**<br>**devoutess**<br>**devotion**<br>**faith** |

| | |
|---|---|
| Plants **assimilate** nutrients from the Earth. | 植物從土壤中**吸收**養分。 |
| His novels are rather **mediocre** when compared to those of his elder brother. | 他的小說和他哥哥的小說相比之下略為**平庸**。 |
| Glass and dry twigs are **brittle**. | 玻璃和乾樹枝都是**硬而易碎的**東西。 |
| The small grains **coalesce** to form large interlocking crystals of ice. | 小顆粒**結合**在一起形成了一塊塊相互連結的大冰晶。 |
| John Lone's physical grace and his ability to **transcend** age, sex, and culture, make him an extraordinary performer. | 尊龍的優雅肢體和他**超越**年齡、性別和文化的能力，使他成為一位傑出的表演者。 |
| Lincoln Initially believed in gradual **emancipation**, with the federal government compensating the slaveholders for the loss of their "property." | 林肯起初的信念是逐步**解放**黑奴，由聯邦政府補償蓄奴者的「財產」損失。 |
| Electronic surveillance of exhibitions and historical monuments certainly would act as a **deterrent**. | 對展覽和歷史古蹟進行電子監視當然會是個**嚇阻力量**。 |
| The secular theater in the Middle Ages established itself as deliberate parody tolerated by the church as a safety valve to consistent **piety**. | 中世紀的世俗劇確立了其刻意諧仿的地位，以一貫的**虔誠**信仰作為安全閥而被教會所容忍。 |

| | | |
|---|---|---|
| □ **regime**<br>[rɪˋʒim] | 名 **政權，政府，政治制度** | system<br>administration<br>reign<br>government |
| □ **aboriginal**<br>[ˌæbəˋrɪdʒənl̩] | 形 **原住民的；原生的**<br>◆ 和 native（土生土長的；本地產的）一起記比較好記。 | native<br>indigenous |
| □ **confiscate**<br>[ˋkɑnfɪsˌket] | 動 **沒收** | seize<br>sequester<br>dispossess |
| □ **exclusively**<br>[ɪkˋsklusɪvlɪ] | 副 **獨占地，排外地；專門地**<br>◆ exclusive coverage 是「獨家播放」之意。 | solely<br>entirely<br>unsharedly |
| □ **seismic**<br>[ˋsaɪzmɪk] | 形 **地震的**<br>◆ seismic sea wave 和 tsunami 都是「海嘯」的意思。 | of an earthquake |
| □ **alien**<br>[ˋeljən] | 形 **陌生的；性質不同的**<br>◆ 當然也有「外國（人）的」之意。 | foreign |
| □ **speculate**<br>[ˋspɛkjəˌlet] | 動 **推測**<br>◆ 最常考的單字之一，也有「慎思；做投機買賣」之意。 | hypothesize |
| □ **alternative**<br>[ɔlˋtɜnətɪv] | 名 **（一個以上的）替代方案**<br>◆ 要「二擇一」時就可以使用這個字。 | option<br>choice |
| □ **financial**<br>[faɪˋnænʃəl, fəˋnænʃəl] | 形 **財政上的，金融上的** | monetary |
| □ **barren**<br>[ˋbærən] | 形 **貧瘠的；不結果實的**<br>◆ 在一般的同義字題型中會出現。 | infertile<br>sterile |

| | |
|---|---|
| Secretary of State Colin Powell led US efforts to build an international coalition against terrorism and to isolate the Taliban **regime**. | 美國國務卿科林・鮑爾統籌美方的努力，建立了一個反恐國際聯盟並孤立了塔利班政權。 |
| The first Europeans who arrived in North America found **aboriginal** cultures that were agriculturally oriented. | 第一批來到北美的歐洲人發現原住民的文化是以農業為主的。 |
| If you continue to evade taxes, your property will be **confiscated**. | 如果你繼續逃稅，你的財產將會被沒收。 |
| Monopolies are companies that **exclusively** own or control commercial enterprises with no competitors. | 獨占事業是指在沒有競爭者的情況下獨自擁有或控制商業企業的公司。 |
| Another name for **seismic** sea waves is tsunami. | 地震海浪的別名是海嘯。 |
| The conditions in the Earth's core make it a far more **alien** world than space. | 地核的環境使之成為一個遠比宇宙更讓人陌生的世界。 |
| Scientists can **speculate** about the nature of the Earth. | 科學家可以推測出地球的性質。 |
| Farmers could get better prices for their crops if the **alternative** of sending them directly eastward to market existed. | 將農作物直接向東送到市場的替代方案如果存在，那麼農夫的農作物就可以賣到較高的價錢。 |
| The Erie Canal quickly proved a **financial** success as well. | 伊利運河也同樣很快被證實是一項財政上的成就。 |
| The land proved **barren** after several samples of the soil were tested. | 這塊土地經過數個土壤樣本測試之後證實是貧瘠的。 |

| | | |
|---|---|---|
| ▢ **immune**<br>[ɪ`mjun] | 形 **不受…影響的，免疫的**<br>◆ 只要記熟這兩個意思就沒問題了。 | **insusceptible**<br>**unaffected**<br>**refractory** |
| ▢ **originally**<br>[ə`rɪdʒənəlɪ] | 副 **最初；獨創地**<br>◆ 其中以「最初」之意較常考。 | **initially**<br>**at first** |
| ▢ **undertake**<br>[ˏʌndɚ`tek] | 動 **承擔；著手從事；答應**<br>◆ 有可能是文章中出現 assume（採用；假定），然後從答案選項中選出 undertake。 | **assume**<br>**accept** |
| ▢ **predecessor**<br>[`prɛdɪˏsɛsɚ] | 名 **（被取代的）原有事物；前輩，前任者**<br>◆ 雖然會考字義，但是更常考的方式是要考生具體指出 predecessor 是指文章中的哪個部分。 | **forerunner**<br>**precursor**<br>**antecedent** |
| ▢ **trample**<br>[`træmpḷ] | 動 **踐踏**<br>◆ 注意，trample 是個大家較少知道的單字，請連同動詞 stamp（跺腳）一起記下來。 | **stamp**<br>**tread** |
| ▢ **grazing**<br>[`grezɪŋ] | 名 **牧場，放牧，牧草**<br>◆ 請一併記住 grazing lands（牧地）。 | **pasturage** |
| ▢ **drought**<br>[draʊt] | 名 **乾旱**<br>◆ 注意發音！ | **dryness**<br>**aridity** |
| ▢ **divergence**<br>[də`vɜdʒəns, daɪ`vɜdʒəns] | 名 **差異，分歧，背離**<br>◆ 字首 di- 表示「分離」。反義字為 convergence（集中，收斂），其字首 con- 表示「共同」。 | **difference**<br>**division** |
| ▢ **plaster**<br>[`plæstɚ] | 名 **灰泥** | **whitewash** |
| ▢ **trail**<br>[trel] | 動 **追蹤**<br>◆ 也可作名詞使用，意思是「蹤跡；道路」。 | **track**<br>**follow** |

| | |
|---|---|
| The grass was **immune** to drought. | 這種草不受乾旱影響。 |
| The land was not **originally** assumed to be a fertile area. | 這塊地一開始並不被認為是個肥沃的地區。 |
| Carpenters **undertook** the task of interpreting architectural manuals imported from England. | 木匠擔負起解說從英格蘭進口之建築手冊的任務。 |
| Eighteenth-century houses show great interior improvements over their **predecessors**. | 與其前身相比，18 世紀的房子顯現出內部的大幅改善。 |
| Unknowing Americans **trampled** the grass underfoot. | 不知情的美國人將草踩在腳底下。 |
| Those animals thrived on the dry **grazing** lands of the West. | 那些動物靠著西部的乾燥放牧地迅速繁衍。 |
| The familiar blue joint grass was often killed by **drought**. | 一般人熟悉的藍結草常死於乾旱。 |
| Most domestic architecture of the century displays a wide **divergence** of taste. | 本世紀大部分的國內建築展現了相當大的品味差異。 |
| Walls were made of **plaster** or wood. | 牆壁是以灰泥或木頭製成的。 |
| Greyhounds are trained to **trail** their prey. | 灰狗被訓練來追蹤獵物。 |

| | | |
|---|---|---|
| □ **shed**<br>[ʃɛd] | 動 **脫落；流出；散發**<br>◆ 常見的搭配組合包括 shed skin（蛻皮）、shed tears（流淚）、shed blood（流血）等。 | **pour**<br>**spill**<br>**cast** |
| □ **disperse**<br>[dɪ`spɝs] | 動 **(使）消散** | **scatter**<br>**spread**<br>**dissipate** |
| □ **adjacent**<br>[ə`dʒesənt] | 形 **鄰近的**<br>◆ 固定會和 neighboring（鄰近的）一起出現。 | **neighboring**<br>**bordering**<br>**next-door** |
| □ **receptor**<br>[rɪ`sɛptɚ] | 名 **感覺器官，感應器** | **sensory organ** |
| □ **turnpike**<br>[`tɝn͵paɪk] | 名 **收費高速公路** | **toll road** |
| □ **annihilate**<br>[ə`naɪə͵let] | 動 **完全摧毀，殲滅**<br>◆ 常考單字。注意發音，字中的 h 不發音。 | **ruin**<br>**destroy** |
| □ **integral**<br>[`ɪntəgrəl] | 形 **構成整體所必須的** | **essential** |
| □ **accommodation**<br>[ə͵kɑmə`deʃən] | 名 **住宿設施；(船等的）預定鋪位；適應**<br>◆ 在對話題中有可能會考「住宿設施」，而在 Reading 中則有可能會考「適應，調節」。 | **lodging**<br>**housing** |
| □ **acquisition**<br>[͵ækwə`zɪʃən] | 名 **習得，獲得**<br>◆ language acquisition 的意思是「語言習得」。 | **learning** |
| □ **avid**<br>[`ævɪd] | 形 **熱心的；渴望的**<br>◆ avid reader（熱心的讀者）此一搭配用法常考。 | **eager**<br>**thirsty** |

| | |
|---|---|
| The human body **sheds** skin at a rate of 50 million cells per day. | 人體的皮膚以一天五千萬個細胞的速率脫落著。 |
| These chemicals **disperse** in the lower atmosphere, where they linger for years before migrating to the stratosphere. | 這些化學物質在大氣底層消散開來，滯留數年後才移動到平流層。 |
| Only in Pennsylvania and **adjacent** areas were stone widely used in dwellings. | 只有在賓州及其鄰近的地區，石頭才被廣泛用於住宅上。 |
| There are apparently specific **receptors** for specific odors. | 顯然有特定的感覺器官在接收特定的氣味。 |
| A **turnpike** is a main road that you must pay a toll to use. | 收費高速公路是一種使用者付費的主要道路。 |
| The atomic bomb almost **annihilated** the city. | 原子彈幾乎摧毀了整座城市。 |
| When the era of talking movies began, it made music an **integral** part of filmmaking. | 當有聲電影的時代來臨，音樂成了電影製作不可或缺的一部分。 |
| The cost of the weekend, including **accommodations** and food, is three hundred dollars. | 週末的花費包含食宿總共是 300 元。 |
| Research on language **acquisition** has been strongly influenced by Chomsky's theory of generative grammar. | 語言習得的研究深受喬姆斯基生成語法理論的影響。 |
| Jack London was always an **avid** reader and studied the works of many writers in order to learn to become a writer himself. | 傑克・倫敦一直是個熱心的讀者，為了學習成為一位作家，他研究過許多作家的作品。 |

| | | |
|---|---|---|
| □ **balance** [ˋbæləns] | 名 **收支差額，餘額；平衡**<br>◆ 常出現在校園對話的考題中。 | **remainder** |
| □ **compatible** [kəmˋpætəbḷ] | 形 **符合的，一致的**<br>◆ compatible end 的意思是「共同目的」。 | **consistent**<br>**harmonious**<br>**agreeable** |
| □ **conduct** [kənˋdʌkt] | 動 **進行（實驗等），管理（業務等）**<br>◆ 常常和 experiment（實驗，試驗）、investigation（調查）一起出現。 | **carry out**<br>**perform**<br>**operate**<br>**manage** |
| □ **conquer** [ˋkaŋkɚ] | 動 **克服，擊敗**<br>◆ 注意和動詞 concur（同意；同時發生）的差別。 | **annihilate**<br>**overcome** |
| □ **consensus** [kənˋsɛnsəs] | 名 **共識，意見一致，輿論** | **agreement**<br>**unanimity** |
| □ **defer** [dɪˋfɝ] | 動 **延遲**<br>◆ 名詞是 deferment（延期，推遲），例如 deferment of study（延遲上課，休學）。 | **postpone**<br>**delay**<br>**put off** |
| □ **edit** [ˋɛdɪt] | 動 **（原稿、文章等的）編輯，校訂**<br>◆ edit 會出現在報告、散文等中，所以也收進 Part B 中。 | **castigate**<br>**compile** |
| □ **formulate** [ˋfɔrmjə͵let] | 動 **創立（理論）；明確敘述** | **define**<br>**specify** |
| □ **fry** [fraɪ] | 名 **小魚，魚苗** | **very young fish** |
| □ **fugitive** [ˋfjudʒətɪv] | 形 **逃亡的**<br>◆ 也可作名詞使用，意思是「逃亡者，亡命者」。 | **runaway**<br>**escape**<br>**refuge** |

| | |
|---|---|
| The **balance** should be paid by July 20. | 餘額必須在 7 月 20 日前付清。 |
| This aesthetic ideal was an attempt to make the living space more **compatible** with human proportions and living requirements. | 這個美學理想企圖使生活空間更符合人體比例和生活需求。 |
| Dr. Ris **conducted** many experiments to confirm his long-cherished hypothesis. | 為了證實長懷於心的假設，瑞斯博士進行了許多實驗。 |
| The drive to **conquer** difficulties underlies the greatest of human achievements. | 人類最輝煌的成就奠基在克服困難的衝動上。 |
| The general **consensus** now appears to be that there may have been a combination of factors that led to the abandonment of the city. | 目前普遍的共識似乎是，可能是各種綜合因素導致了該城市遭到廢棄。 |
| Today's profits can be increased at the expense of profits years away, by cutting maintenance, **deferring** investment, and exploiting staff. | 今日的獲利可以透過減少維修、延後投資和剝削職員而增加，但代價卻是犧牲了數年之後的獲利。 |
| The script for the telecommunication class is too long, so I'll **edit** it. | 電信學的課程講稿太長，我會把它編輯一下。 |
| Gregor J. Mendel **formulated** the first laws of heredity. | 格雷戈爾．孟德爾創立了最早的遺傳法則。 |
| As **fry**, Pacific salmon migrate downstream via rivers, and eventually to the ocean, where they require several years to mature. | 太平洋鮭魚在魚苗期順河流而下，最終抵達海洋，並在那裡待數年長成成魚。 |
| White Southerners were embittered by Northern defiance of the 1850 Federal **Fugitive** Slave Act. | 南方白人對於北方違抗 1850 年聯邦逃亡奴隸法的事懷恨在心。 |

| | | |
|---|---|---|
| □ **gene**<br>[dʒin] | 名 **基因** | |
| □ **heredity**<br>[hə`rɛdətɪ] | 名 **遺傳**<br>◆ 形容詞是 hereditary（遺傳的）。 | **inheritance**<br>**transmission** |
| □ **ingrain**<br>[ɪn`gren] | 動 **使（習慣、信念等）根深蒂固**<br>◆ 也就是所謂的「銘刻（腦中）」。 | **instill**<br>**impress**<br>**implant**<br>**imprint** |
| □ **inmate**<br>[`ɪnmet] | 名 **囚犯；（醫院、監獄等的）被收容者** | **prisoner** |
| □ **interactive**<br>[ˌɪntɚ`æktɪv] | 形 **互動式的，相互作用的**<br>◆ 常常聽到但卻是個很容易產生盲點的單字。 | **mutual**<br>**interchangeable**<br>**reciprocal** |
| □ **jot**<br>[dʒɑt] | 動 **匆匆記下**<br>◆ 在對話中常出現。 | **write**<br>**put** |
| □ **marsupial**<br>[mar`s(j)upɪəl] | 名 形 **有袋類動物（的）**<br>◆ 不妨想像成胸前縫有 pouch（小口袋）的動物。 | **pouched (animal)** |
| □ **obscene**<br>[əb`sin] | 形 **猥褻的，傷風敗俗的** | **dirty**<br>**filthy** |
| □ **output**<br>[`aʊtˌpʊt] | 名 **產量，輸出**<br>◆ 還不知道 output 的人請趕快記下來，可以利用 cotton output（棉花產量）來幫助記憶。 | **crop** |
| □ **overthrow**<br>[ˌovɚ`θro] | 動 **推翻（政府等）** | **subvert**<br>**overturn**<br>**defeat**<br>**dethrone** |
| □ **paddle**<br>[`pædl̩] | 動 **（以槳）划水；搖搖晃晃地走** | **row**<br>**pull** |

| | |
|---|---|
| **Genes** are the units within sex cells. | 基因是性細胞內的單位。 |
| Does a child's musical talent depend on **heredity**? | 小孩子的音樂才華是遺傳而來的嗎？ |
| An athlete has to repeat the motion literally thousands of times to **ingrain** its pattern into the subconscious memory of movement. | 運動員必須正確重複一個動作數千次，以便將動作模式深嵌入運動的潛意識記憶之中。 |
| Reformatories gave greater emphasis to education for their **inmates**. | 少年感化院較重視院生的教育。 |
| This is an **interactive** computer system that allows you to make critical health-care decisions without endangering patients' lives. | 這是個互動式的電腦系統，讓你能在不危及病患生命的情況下做出關鍵的健康照護決定。 |
| I can't remember all she said, but I **jotted** down the main points. | 我無法記住她所說的全部內容，但我迅速寫下了重點。 |
| The koala is a **marsupial** that happens to look a lot like a teddy bear. | 無尾熊是一種有袋類動物，恰巧長得很像泰迪熊。 |
| His pamphlet was censored because it was considered "**obscene** literature." | 他的小書因為被視為「猥褻文學」而遭到審查。 |
| By the 1850s, cotton **output** had soared to five million bales in the South. | 到了 1850 年代南方的棉花產量已經躍升到 500 萬大捆了。 |
| Nobody likes to pay taxes, and history has shown us that when taxes get too high, people eventually revolt and **overthrow** the offending government. | 沒有人喜歡繳稅，而歷史向我們證明，當賦稅太高，人民最終會群起反抗，推翻招惹事端的政府。 |
| Grebes swim underwater by **paddling** with their webbed feet. | 鸊鷉靠著划動蹼狀足在水中游泳。 |

| | | |
|---|---|---|
| □ **parole**<br>[pə`rol] | 名 **假釋；假釋期；釋放宣言** | **conditional permission to leave** |
| □ **plague**<br>[pleg] | 名 **瘟疫，鼠疫**<br>◆ 字義完全相同的同義字很少，所以也會出現在從上下文來判斷同義字的考題中。 | **epidemic**<br>**infection** |
| □ **probation**<br>[pro`beʃən] | 名 **試用（期），見習；緩刑**<br>◆ academic probation 為「學業觀察」之意。 | **suspended sentence**<br>**reprieve**<br>**respite** |
| □ **ration**<br>[`ræʃən] | 名 **（配給）食糧，配給量** | **provision**<br>**distribution** |
| □ **reliant**<br>[rɪ`laɪənt] | 形 **依賴的**<br>◆ 勿與 reliable（能夠信賴的）混淆。 | **dependent** |
| □ **repeal**<br>[rɪ`pil] | 動 **廢止，撤銷，放棄**<br>◆ 到目前為止 repeal 的字詞替換一直都很常考。 | **abolish**<br>**do away with**<br>**abrogate** |
| □ **sabbatical**<br>[sə`bætɪkl̩] | 名 形 **大學教師的休假（的）；安息日（的）**<br>◆ 除了 on sabbatical 外，也請一併將 on leave（軍人、公務員等的休假）記下來。 | **leave** |
| □ **secede**<br>[sɪ`sid] | 動 **脫離（組織）**<br>◆ secede from the Union 的意思是指「退出聯邦」。 | **withdraw** |
| □ **shoot**<br>[ʃut] | 名 **芽，嫩枝**<br>◆ bamboo shoot 是「竹筍」之意。 | **sprout** |

| | |
|---|---|
| Probably the most significant correctional developments of the late 19th century were probation and **parole**. | 19 世紀晚期意義最重大的矯治發展或許是緩刑和假釋。 |
| After all, the bubonic **plague** decimated the European population. | 結果淋巴腺鼠疫使得歐洲人口大量死亡。 |
| My roommate has been put on academic **probation**. | 我的室友被列為學業觀察的學生。 |
| Many slaves did what they could to improve their food **rations**. | 許多奴隸盡其所能來增加他們的食物配給量。 |
| Cotton and slavery became interdependent, and the South grew more **reliant** on both. | 棉花與蓄奴制度變得相互依賴，而南方對於這兩者也愈來愈依賴。 |
| In 1933, Prohibition was **repealed**, or withdrawn, by the 21st Amendment. | 禁酒令於 1933 年由第 21 條憲法修正案予以廢止或撤銷。 |
| Dr. Jones cannot participate in the seminar because he is on **sabbatical**. | 瓊斯教授無法參與研討會因為他在休假中。 |
| The Southern states **seceded** from the Union and formed the Confederacy. | 南方各州退出聯邦並組成邦聯。 |
| The Darwins observed that a grass seedling could bend toward light only if the tip of the **shoot** was present. | 達爾文父子注意到，草苗只在頂端有幼芽時才能向光彎曲。 |

| 單字 | 中文意思 | 同義字 |
| --- | --- | --- |
| □ **soul**<br>[sol] | 名 **人**<br>◆ 右頁例句很常用。 | **person** |
| □ **suffrage**<br>[ˋsʌfrɪdʒ] | 名 **參政權，選舉權**<br>◆ 很常考，但很容易拼錯字。 | **vote**<br>**franchise** |
| □ **tip**<br>[tɪp] | 名 **頂端，尖端**<br>◆ fingertip 是「指尖」之意。 | **point** |
| □ **undue**<br>[ʌnˋdju] | 形 **不適當的；過分的；未到期的**<br>◆ 請記住 undue risk(s)（不當的風險）這個用法。 | **unnecessary**<br>**undeserved**<br>**excessive** |
| □ **witness**<br>[ˋwɪtnɪs] | 動 **目擊；作證**<br>◆ eyewitness（目睹）也有相同的意思。 | **watch**<br>**testify** |
| □ **wreck**<br>[rɛk] | 動 **破壞**<br>◆ 用法可嚴肅也可輕鬆。這組單字群非常重要。 | **ruin**<br>**spoil**<br>**impair** |
| □ **yield**<br>[jild] | 動 **產出；結（果）**<br>◆ 也可作名詞，意思是「收穫量；收益」。 | **produce** |
| □ **perspective**<br>[pəˋspɛktɪv] | 名 **見解，觀點；遠景，展望**<br>◆ 也有「透視畫法，遠近畫法」的意思。 | **viewpoint** |

| | |
|---|---|
| There was not a single **soul** to ask for directions. | 沒有任何人可以問路。 |
| He used his fame to draw support for socialism, **suffrage** for women, and, later, prohibition of alcohol. | 他利用自己的名聲為社會主義、女性參政權和後來的禁酒令吸引支持者。 |
| The **tip** of a plant's stem produces a hormone that affects the stem's growth. | 植物莖部的頂端會產生一種荷爾蒙，影響莖部的生長。 |
| Mental preparation focuses on building self-image, maintaining motivation and discipline to train regularly, and avoiding **undue** risks. | 心理層面的準備集中於建立自我形象、維持定期訓練的動機和紀律，並且避免不當的風險。 |
| The spectators were thrilled by the dramatic stories of gods and heroes and had the added excitement of **witnessing** a contest. | 觀眾為諸神和英雄的生動故事慷慨激昂，且因目擊了一場競賽而分外興奮。 |
| Unfortunately, something always happens to **wreck** his plans. | 不幸的是每次都有某件事發生毀了他的計畫。 |
| Project Mohole was originally intended to **yield** more fossil discoveries than the Deep Sea Drilling Project. | 莫候計畫原先打算獲得比深海鑽探計畫更多的化石發現。 |
| These passages present information about the topic from more than one **perspective** or point of view. | 關於這個主題，這些段落提供了來自不同見解或觀點的訊息。 |

# Part C
# 進階單字

| | | |
|---|---|---|
| □ **hinterland** [ˋhɪntɚˏlænd] | 名 腹地，內陸；（河岸、海岸等的）後方地區 | inland |
| □ **demographic** [ˏdɛməˋgræfɪk] | 形 人口的；人口統計學的 | about population |
| □ **province** [ˋprɑvɪns] | 名 州，省；（首都以外的）地方 | state |
| □ **incubate** [ˋɪnkjəˏbet] | 動 使孵化，孵（蛋）；（計畫等）成形<br>◆ 會在一般同義字與從上下文來推測字義的題型中出現。 | hatch |
| □ **gradient** [ˋgredɪənt] | 名 梯度，傾斜度；坡度 | inclination<br>slope |
| □ **composite** [kəmˋpɑzɪt] | 形 組成的，混合的 | compound |
| □ **dampen** [ˋdæmpən] | 動 使潮溼<br>◆ 名詞是 dampness（溼氣）。 | moisturize |
| □ **sediment** [ˋsɛdəmənt] | 名 沉積物，沉澱物 | deposit |
| □ **pigment** [ˋpɪgmənt] | 名 顏料，色素<br>◆ 常考，但知道的人不多。請大聲唸出來以便牢記在腦中。 | color |
| □ **empathy** [ˋɛmpəθɪ] | 名 同理心，同感，移情作用 | affinity |
| □ **pretentious** [prɪˋtɛnʃəs] | 形 自命不凡的 | conceited<br>vain |

| | |
|---|---|
| Philadelphia became an increasingly important marketing center for a vast and growing agricultural **hinterland**. | 對成長中的廣大農業腹地而言，費城成了一個愈益重要的銷售中心。 |
| Philadelphia's merchants argued that the surrounding area was undergoing tremendous economic and **demographic** growth. | 費城的商人辯稱，周圍的地區正在經歷經濟和人口的大幅成長。 |
| They did their business in the **province's** capital city. | 他們在該州的首府從事貿易。 |
| When parrots **incubate** their eggs in the wild, the temperature and humidity of the nest are controlled naturally. | 鸚鵡在野外孵卵時，鳥巢的溫度和濕度受到自然調節。 |
| Careful attention to temperature **gradient** may be vital to a successful hatching. | 小心注意溫度梯度可能是成功孵化的關鍵。 |
| Texture is the term used to describe the **composite** sizes of particles in a soil sample. | 質地一詞是用來描述土壤樣本裡的組成顆粒大小。 |
| Clay particles are highly cohesive, and when **dampened** they behave as a plastic. | 黏粒的黏著力強，弄溼後具有塑膠的特性。 |
| Another method of determining soil texture involves the use of devices called "**sediment** sieves." | 另一種測定土壤質地的方法需要使用一種稱作「沉積物濾網」的器具。 |
| Its settling velocity is amazing when the **pigment** is suspended in water. | 當顏料懸浮於水中，其沉降速度十分驚人。 |
| The ability to create **empathy** will determine the success of artistic, political, and pedagogic communication. | 引發同理心的能力將決定藝術、政治或教學交流的成功。 |
| A tone of voice can be confident, **pretentious**, shy, aggressive, outgoing, or exuberant, to name only a few personality traits. | 說話的語氣可能是自信的、自負的、害羞的、積極的、外向的或活力充沛的，僅以這幾種人格特質為例。 |

| | | |
|---|---|---|
| □ **facade** [fə`sɑd] | 名（虛假的）表面；（建築物的）正面 ◆ 在建築學的考題中常考「（建築物的）正面」的意思。 | **front** |
| □ **expertise** [ˌɛkspɚ`tiz] | 名 專業知識，專業技術，專業能力 | **specialty** |
| □ **compulsory** [kəm`pʌlsərɪ] | 形 強制的；有義務的；必修的 ◆ 常考單字。日常中常用 Wearing a seatbelt while driving is compulsory.（開車時強制繫緊安全帶。）表達。 | **imperative**<br>**obligatory**<br>**mandatory** |
| □ **primate** [`praɪmet] | 名 靈長類動物 | |
| □ **glaze** [glez] | 名（瓷器上的）釉；光滑的表面 | **varnish**<br>**luster** |
| □ **kiln** [kɪln] | 名 窯，爐 | **furnace** |
| □ **apprentice** [ə`prɛntɪs] | 動 當學徒 | **place one on probation** |
| □ **tantalizing** [`tæntəˌlaɪzɪŋ] | 形 誘人的，使人乾著急的 ◆ 動詞是 tantalize（強烈誘惑，使乾著急），稍微帶有負面的涵義。 | **intriguing**<br>**teasing**<br>**irritating**<br>**frustrating** |
| □ **radiant** [`redɪənt] | 形 光芒四射的 | **bright** |

| | |
|---|---|
| The sound may give a clue to the **facade** or mask of that person, for example, a shy person hiding behind an overconfident front. | 關於那個人的虛假表面或假面具，聲音也許可以透露出一點端倪，舉例來說，一個害羞的人隱藏於一個過分自信的外表之下。 |
| A new emphasis upon credentials and **expertise** made schooling increasingly important for economic and social mobility. | 對認證和專業知識技能的重新重視，使得學校教育對經濟和社會流動而言愈來愈重要。 |
| By 1920, schooling to the age of fourteen or beyond was **compulsory** in most states. | 到了 1920 年，大部分的州都強制上學至少要上到 14 歲或更大。 |
| Of mammals, only humans and some **primates** enjoy color vision. | 哺乳類動物中只有人類和部分靈長類動物有色彩視覺。 |
| The more advanced the pottery in terms of decoration, materials, **glazes**, and manufacturing technique, the more advanced the culture itself. | 陶器的裝飾、材質、釉彩和製造技術愈進步，則文化本身也就愈進步。 |
| After a finished pot is dried of all its moisture in the open air, it is placed in a **kiln** and fired. | 待陶壺成品於室外將濕氣完全風乾後再放進窯內燒烤。 |
| Needy children, girls as well as boys, were indentured or **apprenticed**. | 貧困的孩童，不分男女，皆被簽以勞役契約或成為學徒。 |
| Beneath the deep oceans that cover two-thirds of the Earth are concealed some of the most **tantalizing** secrets of our planet. | 在覆蓋地球三分之二地區的深海底下，隱藏著一些關於我們這顆行星的誘人祕密。 |
| With its **radiant** color and plantlike shape, the sea anemone looks more like a flower than an animal. | 由於其亮眼的色彩和植物般的形狀，海葵看起來較像花而不像動物。 |

| | | |
|---|---|---|
| □ **cylindrical** [sɪˋlɪndrɪkḷ] | 形 **圓柱狀的，圓筒狀的**<br>◆ cylinder（圓柱）和 cone（圓錐）都是 geometry（幾何學）的重要用字。 | **tubular** |
| □ **improvise** [ˋɪmprə͵vaɪz] | 動 **即興創作**<br>◆ 名詞 improvisation（即興創作）也常在與音樂相關的考題中出現。 | **extemporize**<br>**ad-lib** |
| □ **filmy** [ˋfɪlmɪ] | 形 **朦朧的；(如) 薄膜的** | **dim**<br>**misty** |
| □ **amenable** [əˋmɛnəbḷ] | 形 **(法則等) 經得起檢驗的；順從的**<br>◆ 舉一個與理科相關的例句：Glass is amenable to heat-forming techniques.（玻璃製作是一種利用熱成形的技術。） | **obedient**<br>**equal** |
| □ **cipher** [ˋsaɪfɚ] | 動 **用暗號或密碼寫**<br>◆ 反義字是 decipher（辨讀；破解密碼）。 | **encode**<br>**code** |
| □ **deforestation** [͵difɔrɪsˋteʃən] | 名 **森林砍伐**<br>◆ Writing 時可以使用。 | **cutting down** |
| □ **appreciable** [əˋpriʃɪəbḷ] | 形 **相當可觀的，可察覺到的，可評估的** | **considerable** |
| □ **conifer** [ˋkonəfɚ] | 名 **針葉樹**<br>◆ hard wood 是「闊葉樹」之意。 | |
| □ **fabric** [ˋfæbrɪk] | 名 **結構，組織；織物，布料**<br>◆ 如右頁例句一樣，也會考 fabric 的衍生意思。 | **structure**<br>**organization** |

| | |
|---|---|
| The sea anemone can attach the lower part of their **cylindrical** bodies to rocks, shells, and wharf pilings. | 海葵常常將圓柱狀身體的下半部附著在岩石、貝殼和碼頭樁柱上。 |
| Until she brings in the lights, Miller cannot predict exactly what they will do to the image, so there is some **improvising** on the spot. | 在她把照明設備帶來之前，米勒無法確切預料他們會對影像做些什麼，所以當場會有些即興創作。 |
| The corona is a brilliant, pearly white, **filmy** light, about as bright as the full Moon. | 日冕是一種明亮的、珍珠白的朦朧光線，差不多和滿月一樣亮。 |
| People suspected that the ancient numeral systems were not **amenable** to even the simplest calculations. | 大家懷疑古代的數字系統連最簡單的計算都經不起檢驗。 |
| No memorization of number combinations is needed in a **ciphered** numeral system. | 在一個已暗號化的數字系統中，數字組合無須死記。 |
| The ancient **deforestation** and overgrazing of the Mediterranean region is a famous example. | 地中海地區遠古時期的森林砍伐和過度放牧是個著名的例子。 |
| The stems of plants in which all the cells are killed can still move water to **appreciable** heights. | 內部細胞全數死光的植物枝幹仍舊可以將水移動到可觀的高度。 |
| The **conifers**, which are among the tallest trees, have unusually low root pressures. | 針葉樹是長得最高的樹種之一，根壓卻超乎尋常地低。 |
| Mass transportation revised the social and economic **fabric** of the American city in three fundamental ways. | 大眾運輸在三個基本層面上改寫了美國城市的社會和經濟結構。 |

| | | |
|---|---|---|
| ☐ **jumble**<br>[ˋdʒʌmbl̩] | 動 **使混亂** | **mix**<br>**muddle**<br>**disorder**<br>**disorganize** |
| ☐ **tributary**<br>[ˋtrɪbjə͵tɛrɪ] | 名 **支流**<br>◆ 在一般的同義字題型中常出現。很常見的單字，請記下來。 | **branch** |
| ☐ **drainage**<br>[ˋdrenɪdʒ] | 名 **流域，排水系統** | **drain** |
| ☐ **speculation**<br>[͵spɛkjəˋleʃən] | 名 **推斷；思索；投機（買賣）**<br>◆ 動詞是 speculate（推測；慎思；做投機買賣），也會考出來。至於 speculation 則常在同義字題型中出現。 | **conjecture**<br>**supposition**<br>**hypothesis**<br>**reflection** |
| ☐ **save**<br>[sev] | 介 **除了…以外**<br>◆ 這裡的 save 是稍舊的用法，另可作動詞，有「拯救；保留；儲蓄」等意思。 | **except** |
| ☐ **recoil**<br>[rɪˋkɔɪl] | 動 **彈回，反彈** | **spring** |
| ☐ **mimetic**<br>[mɪˋmɛtɪk] | 形 **模仿的；虛有其表的**<br>◆ 名詞和動詞都是 mime，各為「啞劇」和「模仿；以啞劇表演」的意思。 | **imitative**<br>**mimic** |
| ☐ **voracious**<br>[voˋreʃəs] | 形 **食慾旺盛的，（對知識等）非常渴求的**<br>◆ voracious appetite（胃口極大）是固定用法。 | **insatiable**<br>**greedy** |
| ☐ **squirt**<br>[skwɝt] | 動 **噴出** | **shoot out**<br>**throw**<br>**jet** |

| | |
|---|---|
| Another factor that fossilization requires is a lack of swift currents and waves that may **jumble** up and carry away small bones. | 另一種化石作用所需要的要素是沒有快速的水流及波浪來**打亂**並帶走小骨頭。 |
| Selecting a **tributary** of the Columbia River, they continued westward until they reached the Pacific Ocean. | 選擇哥倫比亞河的一道**支流**，他們持續西進直到抵達太平洋為止。 |
| More specifically, they learned a good deal about river **drainages** and mountain barriers. | 更具體的是，他們學到了許多關於河流**流域**和高山屏障的知識。 |
| They ended **speculation** that an easy coast-to-coast route existed via the Missouri-Columbia river systems. | 他們停止了這樣的**推測**：透過密蘇里一哥倫比亞水系存在著一條通達東西岸的簡單路徑。 |
| The character of the tone could not be varied **save** by mechanical or structural devices. | **除了**藉助於機械或結構裝置，否則音色無法產生多樣性。 |
| The strings of a piano were struck by a **recoiling** hammer with a felt-padded head. | 鋼琴的弦在頂端以毛氈包裹的琴鎚**彈回**後被敲打。 |
| She seemed at times determinedly old-fashioned in her insistence on the essentially **mimetic** quality of her fiction. | 有時她似乎決意守舊，堅持她的小說在本質上必須具有**模仿**真實的特質。 |
| Sea cucumbers have **voracious** appetites, eating day and night. | 海參的**胃口極大**，日以繼夜地進食。 |
| When attacked, the sea cucumber **squirts** all its internal organs into the water. | 海參一旦遭到攻擊就會將所有的內臟**噴進**水中。 |

| | | |
|---|---|---|
| ▢ **humility** [hjuˋmɪlətɪ] | 名 謙遜 | modesty<br>humbleness |
| ▢ **heterogenous** [ˌhɛtəˋradʒənəs] | 形 異質的，由不同種類組成的<br>◆ 也可以寫成 heterogeneous。反義字是 homogenous（同質的，同種的）。 | foreign<br>alien |
| ▢ **meteorologist** [ˌmitɪəˋralədʒɪst] | 名 氣象學家 | weather forecaster |
| ▢ **tranquility** [træŋˋkwɪlətɪ] | 名 寧靜<br>◆ tranquilizer 是「鎮靜劑」。 | quietness<br>stillness |
| ▢ **ingenious** [ɪnˋdʒinjəs] | 形 精巧的，具有創造才能的 | clever<br>original |
| ▢ **discrete** [dɪˋskrit] | 形 獨立的，不同的<br>◆ 和 discreet（深思的，慎重的）的發音相同，故很容易混淆。 | separate<br>different |
| ▢ **despoiler** [dɪˋspɔɪlɚ] | 名 掠奪者 | looter |
| ▢ **unsung** [ʌnˋsʌŋ] | 形（人、功績等）未受到頌揚的<br>◆ 常考 unsung 的同義字。 | unrecognized<br>obscure |
| ▢ **glacial** [ˋgleʃəl] | 形 冰川的，冰河的 | icy |
| ▢ **eruption** [ɪˋrʌpʃən] | 名（火山的）爆發，（熔岩等的）噴出<br>◆ 在有關地質學方面的考題中常常出現。 | explosion<br>discharge |

| | |
|---|---|
| The Amish's central religious concept of Demut, "**humility**," clearly reflects the weakness of individualism. | 門諾教派的核心宗教觀「代摩」（意即「**謙遜**」），清楚反映了個人主義的不發達。 |
| A popular culture is a large **heterogenous** group, often highly individualistic and constantly changing. | 大衆文化是一個大型的**異質**群體，經常是高度個人主義而且不斷在變化。 |
| **Meteorologists** and computer scientists now work together to design special computer programs and video equipment. | **氣象學家**和電腦科學家目前正在合作設計特殊的電腦程式和錄影器材。 |
| The home came to serve as a haven of **tranquility** and order. | 家成為了一個**寧靜**與井然有序的避風港。 |
| By such **ingenious** adaptations to specific pollinators, orchids have avoided the hazards of rampant crossbreeding in the wild. | 藉由為了特定傳粉昆蟲而產生如此**精巧的**適應，蘭花得以避免野外猖獗的雜交育種風險。 |
| That practice assures the survival of species as **discrete** identities. | 那種作法確保了物種作為**個別**個體的存活。 |
| The railroad could be and was a **despoiler** of nature. | 鐵路可能是而且也是自然的**掠奪者**。 |
| The high-pressure engine was primarily the work of an **unsung** hero of American industrial progress, Oliver Evans. | 高壓引擎主要是美國工業發展中一位**無名**英雄的成就，他的名字是奧利弗・埃文斯。 |
| Volcanic fire and **glacial** ice are natural enemies. | 火山的火與**冰河的**冰互為天敵。 |
| **Eruptions** at glaciated volcanoes typically destroy ice fields. | 冰河覆蓋的火山一旦**爆發**通常會破壞冰原。 |

| | | |
|---|---|---|
| □ **labyrinth**<br>[ˋlæbə͵rɪnθ] | 名 **迷宮；迷路** | **maze** |
| □ **distribution**<br>[͵dɪstrəˋbjuʃən] | 名 **流通，分布，分配，配置**<br>◆ distribution center 是「物流中心」之意。 | **circulation**<br>**allotment**<br>**disposition** |
| □ **conspiracy**<br>[kənˋspɪrəsɪ] | 名 **陰謀；共謀** | **intrigue** |
| □ **tenement**<br>[ˋtɛnəmənt] | 名 **廉價公寓，貧民住宅**<br>◆ 也可寫成 tenement house。 | **apartment** |
| □ **turbulent**<br>[ˋtɝbjələnt] | 形 **狂暴的，擾亂的，洶湧的**<br>◆ 很常考，請記牢。 | **disturbed** |
| □ **imbibe**<br>[ɪmˋbaɪb] | 動 **喝，吸收** | **drink**<br>**swallow** |
| □ **stringent**<br>[ˋstrɪndʒənt] | 形 **嚴格的，必須遵守的**<br>◆ 在同義字題型中常出現，但是很難從上下文來判斷，意即很難知道這個單字的正確意思。 | **strict** |
| □ **self-contained**<br>[͵sɛlfkənˋtend] | 形 **自給自足的，設備齊全的** | **self-sufficient** |
| □ **portend**<br>[porˋtɛnd] | 動 **預告，成為…的前兆**<br>◆ 若有考，那麼會是一道難題，所以現在要趕快把這個字記牢。 | **predict**<br>**foretell** |
| □ **opaque**<br>[oˋpek] | 形 **不透明的**<br>◆ 務必記得和 transparent（透明的）、translucent（半透明的）做區別。 | **cloudy**<br>**hazy** |

| | |
|---|---|
| Located inside Rainier's two ice-filled summit craters, these caves form a **labyrinth** of tunnels. | 這些洞穴位於雷尼爾山兩個塞滿冰雪的山頂火山口內，形成了一個隧道**迷宮**。 |
| Some of the most dramatic increases occurred in the domains of transportation, manufacturing, and trade and **distribution**. | 某些最驚人的成長發生於運輸、製造，以及貿易和**流通**的領域。 |
| The appearance of the commodity exchange seemed to so many of the nation's farmers a visible sign of a vast **conspiracy** against them. | 對國內的許多農民而言，商品交易的出現明顯預示了有一個針對他們而來的巨大**陰謀**。 |
| There were the sweatshops in city **tenements**, where groups of men and women in household settings manufactured clothing or cigars on a piecework basis. | 都市的**廉價公寓**裡有血汗工廠，裡頭成群的男男女女在家中以按件計酬的方式製造衣服或雪茄。 |
| Stretching over distances greater than a million light-years, these radio-emitting regions resemble twin **turbulent** gas clouds. | 這些電波發射區域綿延距離超過一百萬光年，貌似**起伏洶湧**的成對氣體雲。 |
| Camels have been known to **imbibe** over 100 liters in a few minutes. | 目前已知駱駝能在幾分鐘內**喝下**超過一百公升的水。 |
| San Francisco has only a 1.6 percent vacancy rate but **stringent** rent control laws. | 舊金山只有 1.6% 的空屋率，卻有**嚴格的**房租管控法。 |
| Society transformed from one characterized by relatively isolated **self-contained** communities into an urban, industrial nation. | 社會特徵的轉變由一個相對孤立、**自給自足的**社區，轉型成為一個都市化、工業化的國家。 |
| One newspaper published the first photographic reproduction in a newspaper, **portending** a dramatic rise in readership. | 一家報社出版了報上最早的照片寫真報導，**預告了**讀者群將有戲劇化的成長。 |
| Glass can be colored or colorless, monochrome or polychrome, and translucent or **opaque**. | 玻璃可以是有色或無色、單色或彩色、半透明或**不透明**。 |

| 單字 | 中文 | 同義字 |
|---|---|---|
| ☐ **malleable** [`mælɪəbḷ] | 形 有延展性的；順從的 | pliable<br>flexible<br>plastic |
| ☐ **viscosity** [vɪs`kasətɪ] | 名 黏性 | stickiness |
| ☐ **bipedal** [ˏbaɪ`pidḷ] | 形 兩足動物的<br>◆ 字首 bi- 表示「二」，而 pedal 是「足的」之意。 | with two legs |
| ☐ **continuum** [kən`tɪnjʊəm] | 名（事件等的）連續<br>◆ 和動詞 continue（繼續）的字形和字義都很類似，很好聯想。 | continuity<br>gradual change |
| ☐ **feature** [`fitʃɚ] | 動 以…作為號召，以…為特色<br>◆ 注意不要和名詞 future（未來）搞混了。 | highlight<br>emphasize |
| ☐ **elusive** [ɪ`lusɪv] | 形 難以理解的<br>◆ 和動詞 elude（使困惑；躲避）一樣都很常考。 | intangible<br>equivocal |
| ☐ **vault** [vɔlt] | 名 拱頂 | arch |
| ☐ **trace** [tres] | 名 極微的量<br>◆ 原本是指「蹤跡，痕跡」，慣常用法為 a trace of...（微量的…）。 | bit |
| ☐ **embed** [ɪm`bɛd] | 動 使牢牢固定於<br>◆ bed 作動詞時有「將…嵌入」的意思。 | implant |
| ☐ **shy** [ʃaɪ] | 動 畏縮，迴避 | shrink<br>avoid |

| | |
| --- | --- |
| When heated, the mixture becomes soft and **malleable**. | 混合物加熱後會變得又柔軟又有延展性。 |
| An unusual feature of glass is the manner in which its **viscosity** changes. | 玻璃一項與眾不同的特點在於其黏性改變的方式。 |
| There were at least seven points of similarity with modern **bipedal** prints. | 與現代兩足動物的足跡之間至少有七個相似點。 |
| The development of jazz can be seen as part of a larger **continuum** of American popular music, especially dance music. | 爵士樂的發展可被視為是美國更大的流行音樂連續體（尤其是舞蹈音樂）之中的一部分。 |
| Even in the early twenties, some jazz bands **featured** soloists. | 即使是在 20 年代早期，有些爵士樂團就以獨奏者為號召。 |
| Phlogiston theory was awkward and **elusive** because there were no empirical data. | 燃素理論因為缺乏實證資料而生硬難懂。 |
| The poor quality of the iron restricted its use in architecture to items such as chains and tie bars for supporting arches, **vaults**, and walls. | 鐵的品質粗劣，在建築上僅侷限在做成鐵鍊，以及作為支撐拱門、拱頂和牆壁的繫筋等用品。 |
| Those meteorites are composed of iron and nickel along with sulfur, carbon, and **traces** of other elements. | 除了硫、碳和其他微量元素之外，那些隕石是由鐵和鎳所構成的。 |
| When meteorites fall on the continent, they are **embedded** in moving ice sheets. | 隕石墜落在大陸時會牢牢鑲進移動中的冰蓋當中。 |
| Many researchers have **shied** away from the notion of an "awoken" mind and consciousness in nonhuman animals. | 許多研究者避開了非人類的動物會有心智和意識的想法。 |

| | | |
|---|---|---|
| □ **irrevocable**<br>[ɪ`rɛvəkəbl̩] | 形 不可改變的，不能撤回的 | irretrievable<br>irrecoverable |
| □ **proliferation**<br>[prə,lɪfə`reʃən] | 名 繁衍，增殖，激增 | reproduction<br>multiplication<br>sharp increase |
| □ **constitute**<br>[`kɑnstə,tjut] | 動 構成；制定（法律等）<br>◆ 主要用於表示「構成」之意。名詞是 constitution，常表示「憲法」之意。 | compose<br>enact |
| □ **channel**<br>[`tʃænl̩] | 動 將…導向<br>◆ channel 的本意是「水道，溝渠」，動詞用法由此衍生而來。 | direct<br>guide<br>conduct |
| □ **hydrosphere**<br>[`haɪdrə,sfɪr] | 名 水圈，水文圈<br>◆ 即地球表層各種水體的總稱。 | |
| □ **ledge**<br>[lɛdʒ] | 名 岩石平台，水平的窄長突出物 | shelf<br>rack<br>bulge |
| □ **immunity**<br>[ɪ`mjunətɪ] | 名 免疫 | protection |
| □ **concert**<br>[kən`sɜt] | 動 一起計畫或安排，協調 | arrange<br>plan |
| □ **degradation**<br>[,dɛgrə`deʃən] | 名 墮落，退化 | corruption<br>lapse<br>decline |
| □ **ideology**<br>[,aɪdɪ`ɑlədʒɪ] | 名 意識形態 | ideas<br>creed<br>philosophy |

| | |
|---|---|
| In most situations, the result is **irrevocable**. | 在大部分的情況下結果是**無法改變的**。 |
| Life needs time for the **proliferation** of new genetic material and new species that may be able to survive in new environments. | 生命需要時間讓有機會在新環境下存活的新遺傳物質和新物種**繁衍增生**。 |
| The water **constitutes** what is called the hydrographic network. | 水**構成**了所謂的水道網。 |
| This immense polarized network **channels** water toward a single receptacle: an ocean. | 這個巨大的分化網絡**將**水**導向**唯一的一個儲存所：海洋。 |
| The residence time of water in the ocean shows its importance as the principal reservoir of the **hydrosphere**. | 水在海洋的停留時間顯示出海洋作為**水圈**之主要貯水庫的重要性。 |
| Of all the birds on these cliffs, the black-legged kittiwake gull is the best suited for nesting on narrow **ledges**. | 所有在這些峭壁上的鳥類之中，三趾鷗最適合在狹窄的**岩石平台**上築巢。 |
| The advantage of nesting on cliffs is the **immunity** it gives from foxes, ravens, and other species of gulls. | 在峭壁上築巢的好處在於它能提供保護，**免除**狐狸、渡鴉和別種海鷗的威脅。 |
| A colony of Bonaparte's gulls' alarm calls was followed by **concerted** mobbing. | 緊接在小黑頭鷗群的警戒喧囂聲之後是**集體**圍攻。 |
| Most people believed cities to be centers of corruption, crime, poverty, and moral **degradation**. | 大部分的人相信城市是墮落、犯罪、貧窮和道德**淪喪**的中心。 |
| Their distrust was caused by a national **ideology** that proclaimed farming the greatest occupation. | 他們的不信任起因於一個聲稱農業是最偉大職業的全國性**意識形態**。 |

| | | |
|---|---|---|
| ▢ **sewerage** [ˋs(j)uərɪʤ] | 名 汙水排放系統 | sewage<br>drainage |
| ▢ **consort** [kənˋsɔrt] | 動 與…往來，結交；一致<br>◆ 常會和同義字 associate 一起出現。 | associate<br>keep company |
| ▢ **engraving** [ɪnˋgrevɪŋ] | 名 版畫，雕刻 | print |
| ▢ **credence** [ˋkridəns] | 名 信用，信任 | credit<br>trust<br>belief |
| ▢ **congenial** [kənˋʤinjəl] | 形 協調的；適合的；同性質的 | compatible<br>suited<br>well-matched |
| ▢ **edifice** [ˋɛdəfɪs] | 名 大型建築物<br>◆ 注意，很常考，而且常在與建築相關的考題中出現。 | building<br>structure<br>construction |
| ▢ **deference** [ˋdɛfərəns] | 名 服從；敬意<br>◆ 小心別和名詞 difference（差異）搞混了。 | compliance<br>submission<br>respect<br>esteem |
| ▢ **exponential** [͵ɛkspoˋnɛnʃəl] | 形 指數的，冪數的；愈來愈快速的<br>◆ 請將 exponential leaps（如指數般躍進）的搭配用法記下來。 | acute rising |
| ▢ **crippling** [ˋkrɪplɪŋ] | 形 造成嚴重損害的；使人殘廢的 | ruinous<br>catastrophic<br>disastrous |
| ▢ **optimal** [ˋɑptəməl] | 形 最理想的，最佳的<br>◆ 名詞是 optimum（最佳條件），請一併記下來。 | best<br>optimum |

| | |
|---|---|
| Water and **sewerage** systems were usually operated by municipal governments. | 水和汙水排放系統通常是由地方政府控管。 |
| Some colonial urban portraitists, such as John Singleton Copley and Charles Peale, **consorted** with affluent patrons. | 諸如約翰・辛格勒頓・科普利、查爾斯・皮爾等某些殖民地的都市肖像畫家，會與富裕的贊助人交際往來。 |
| Although the colonists tended to favor portraits, they also accepted political **engravings** as appropriate artistic subjects. | 雖然殖民地居民傾向偏愛肖像畫，但他們也接受了政治版畫適合作為藝術主題的主張。 |
| The achievements of the colonial artists lent **credence** to the boast that the new nation was capable of encouraging genius. | 殖民地藝術家的成就讓「這個新國家能夠激勵天才」這句豪語變得可信。 |
| Those collectors believed political liberty was **congenial** to the development of taste. | 那些收藏者相信政治自由和審美能力的發展是協調相通的。 |
| People used those **edifices** as stages for many of everyday life's high emotions. | 人們利用那些大型建築物作為舞台，來表達許多日常生活中的高漲情緒。 |
| Capitalism encouraged open competition in place of social **deference** and hierarchy. | 資本主義鼓勵自由競爭，取代社會順從和階級制度。 |
| Except for Boston, cities grew by **exponential** leaps through the eighteenth century. | 除了波士頓外，都市在 18 世紀都如指數躍進般地成長。 |
| In England and southern Europe, **crippling** drought in the late 1760s created a whole new market. | 在英格蘭和南歐，1760 年代晚期的嚴重乾旱開創了一個全新的市場。 |
| Proponents of the worksheet procedure believe that it will yield **optimal**, that is, the best decisions. | 工作表程序的支持者相信，它會提供最理想的，也就是最好的決定。 |

MP3 155

| | | |
|---|---|---|
| □ **pertinent**<br>[ˋpɝtənənt] | 形 **恰當的；相關的**<br>◆ 請和形容詞 relevant（適切的；切中要點的）一起記下來。 | **appropriate**<br>**relevant** |
| □ **afflict**<br>[əˋflɪkt] | 動 **使…苦惱或疼痛**<br>◆ 是「因（疾病等）所苦」的意思。 | **trouble**<br>**distress**<br>**torment** |
| □ **senior**<br>[ˋsinjɚ] | 形 **資深的；上級的；先到任的；年長的**<br>◆ 請從上下文來判斷最確切的字義。 | **upper**<br>**superior**<br>**elder**<br>**older** |
| □ **culture**<br>[ˋkʌltʃɚ] | 名 **培養**<br>◆ 有「栽培，培養，養殖」的意思。 | **cultivation** |
| □ **clump**<br>[klʌmp] | 名 **一團，一叢** | **cluster**<br>**bunch** |
| □ **figural**<br>[ˋfɪgjərəl] | 形 **人物或動物像的** | **of a figure** |
| □ **sobriquet**<br>[ˋsobrɪˏke] | 名 **綽號** | **nickname**<br>**pseudonym** |
| □ **fidelity**<br>[fɪˋdɛlətɪ] | 名 **忠誠，忠實**<br>◆ 會直接考 fidelity 的同義字是什麼。 | **loyalty**<br>**faithfulness**<br>**devotion** |
| □ **disseminate**<br>[dɪˋsɛməˏnet] | 動 **傳播（資訊等）**<br>◆ 受詞常用 information（資訊，消息），是個很重要的單字。 | **spread** |
| □ **discourse**<br>[ˋdɪskors] | 名 **演講，論述** | **talk**<br>**lecture** |

| | |
|---|---|
| The **pertinent** considerations that will be affected by each decision are listed. | 所有將受到任一決定影響的適切考量事項全被列出來。 |
| Their work was stimulated by the wartime need to find a cure for the fungus infections that **afflicted** many military personnel. | 他們的工作受到戰時需求的刺激，即為許多受真菌感染所苦的軍事人員找到治癒的方法。 |
| To discover a fungicide without the double effect, the two **senior** microbiologists began a long-distance collaboration. | 為了找出沒有雙重效應的抗真菌劑，兩位資深微生物學家展開遠距合作。 |
| At Columbia University, she built an impressive collection of fungus **cultures**. | 她在哥倫比亞大學期間完成了一系列驚人的真菌培養。 |
| On a 1948 vacation, Hayden fortuitously collected a **clump** of soil from the edge of W. B. Nourse's cow pasture in Fauquier County, Virginia. | 在 1948 年的一個假期裡，海登偶然從維吉尼亞州福基爾郡的諾斯乳牛牧場邊緣採集了一團泥土。 |
| The young painters, returning home from training in Europe, worked more with **figural** subject matter. | 從歐洲受訓完返國的年輕畫家較常以人物或動物的主題作畫。 |
| The **sobriquet** was first applied around 1879. | 這個綽號大約在 1879 年首次被使用。 |
| Most important was that those painters had all maintained a certain **fidelity**. | 最重要的是那些畫家全都維持著某種程度的忠誠。 |
| Television has transformed politics in the United States by changing the way in which information is **disseminated**. | 電視藉由改變訊息傳播的方式改變了美國的政治。 |
| The stump speech characterized nineteenth-century political **discourse**. | 巡迴競選演說是 19 世紀政治演講的特色。 |

| | | |
|---|---|---|
| ☐ **abbreviate**<br>[ə`brivɪ,et] | 動 **將（文字等）縮短，省略**<br>◆ 名詞是 abbreviation（縮寫字；縮短，縮寫）。縮寫方面的單字還有 acronym（只取首字母的縮寫字）。 | **shorten**<br>**curtail**<br>**abridge** |
| ☐ **pseudo**<br>[`s(j)udo] | 形 **假的，冒充的**<br>◆ 單字延伸記憶：pseudonym（筆名，雅號）。 | **false**<br>**counterfeit** |
| ☐ **excite**<br>[ɪk`saɪt] | 動 **激發，刺激**<br>◆ 一般文章中常用「引起，喚起」之意。 | **stir**<br>**agitate** |
| ☐ **flare**<br>[flɛr] | 名 **搖曳的火焰，閃光** | **blaze**<br>**flash**<br>**gleam** |
| ☐ **feed**<br>[fid] | 動 **（組織等）變大；增長（憤怒等）**<br>◆ 由 feed on...（以…為食物）衍生而來的意思。 | **nourish**<br>**sustain**<br>**subsist** |
| ☐ **urbanization**<br>[,ɝbənə`zeʃən] | 名 **都市化** | **changing a place into a city** |
| ☐ **girder**<br>[`gɝdɚ] | 名 **（橋和大建築物的）主樑、大樑**<br>◆ 以 beam（樑）比較常考。 | **beam** |
| ☐ **morphology**<br>[mɔr`falədʒɪ] | 名 **形態學**<br>◆ 常考，請記下來。 | |
| ☐ **cardiac**<br>[`kardɪ,æk] | 形 **心臟的** | **connected with the heart** |

| | |
|---|---|
| In these **abbreviated** forms, much of what constituted the traditional political discourse of earlier ages has been lost. | 在這些縮減形式當中，構成早期傳統政治演講的衆多元素都已經消失了。 |
| Recognizing the power of television's pictures, politicians craft televisual, staged events, called **pseudo**-events, designed to attract media coverage. | 意識到電視影像的力量，政治人物精心製作電視演出的事件（稱為作假事件），專門用來吸引媒體的報導。 |
| In the polar regions, electrons from the solar wind ionize and **excite** the atoms and molecules of the upper atmosphere. | 在極區，太陽風的電子會游離化並激發原子和上層大氣的分子。 |
| Solar **flares** result in magnetic storms and aurora activity. | 日焰造成磁風暴和極光活動。 |
| The growth of cities and the process of industrialization **fed on each other**. | 都市的成長和工業化的過程相輔相成。 |
| Technological developments further stimulated the process of **urbanization**. | 科技發展進一步刺激了都市化的過程。 |
| The Bessemer converter provided steel **girders** for the construction of skyscrapers. | 柏塞麥轉爐為摩天大樓的建造提供了鋼樑。 |
| For any species, the study of the embryological development of the nervous system is indispensable for the understanding of adult **morphology**. | 對於任何物種來說，研究神經系統的胚胎發展對於了解成體形態是不可或缺的。 |
| The nervous system supplies and regulates the activity of the **cardiac** muscle, smooth muscle, and many glands. | 神經系統供給並調節心肌、平滑肌和許多腺體的活動。 |

| | | |
|---|---|---|
| □ **vessel**<br>[`vɛsl̩] | 名 **血管；容器；船**<br>◆ 這三種意思都要記下來。 | **vein**<br>**container**<br>**receptacle**<br>**boat = ship = craft** |
| □ **decipher**<br>[dɪ`saɪfɚ] | 動 **辨讀；破解（密碼）**<br>◆ 反義字是 cipher（用暗號或密碼寫）。 | **decode** |
| □ **mentor**<br>[`mɛntɚ] | 名 **顧問；導師**<br>◆ 有愈來愈常考的趨勢。 | **advisor** |
| □ **cramped**<br>[kræmpt] | 形 **狹小的，擠成一團的**<br>◆ 同義字 packed（塞滿…的）常考，用法如 a packed elevator（擠滿人的電梯）。 | **packed**<br>**crowded** |
| □ **gait**<br>[get] | 名 **步伐** | **step**<br>**walk**<br>**stride** |
| □ **typify**<br>[`tɪpə,faɪ] | 動 **代表，象徵** | **represent**<br>**exemplify**<br>**embody**<br>**symbolize** |
| □ **legislation**<br>[,lɛdʒɪs`leʃən] | 名 **立法**<br>◆ 是個比較嚴肅的單字，但是常考。 | **lawmaking**<br>**enactment** |
| □ **galvanize**<br>[`gælvə,naɪz] | 動 **電鍍，鍍鋅；通電，以電流刺激** | **charge** |
| □ **barb**<br>[bɑrb] | 名 **（箭、魚鉤等的）倒鉤**<br>◆ 常考，但很少出現在同義字考題中。 | **thorn**<br>**point**<br>**prickle** |

| | |
|---|---|
| The nervous system is composed of many millions of nerves and cells, together with blood **vessels** and a small amount of connective tissue. | 神經系統是由數百萬的神經和細胞，以及**血管**和少量的結締組織所構成的。 |
| Well, no one can ever **decipher** my handwriting. | 唉，從來沒有人可以**辨讀**我的筆跡。 |
| I didn't know how interesting psychology was until I got to talk to him in the **mentor** group. | 直到我有機會和**顧問**團的他談一談之前，我從不知道心理學那麼有趣。 |
| Before his time, factories were very **cramped** and inefficient. | 在他之前的時代，工廠非常**狹小**且效率低落。 |
| Lizards run with what is called a sprawling **gait**. | 蜥蜴以所謂四肢張開狀的**步伐**奔跑。 |
| Bessie Smith's songs **typify** the earthiness and realism of the Blues. | 貝西・史密斯的歌曲同時**代表**了藍調音樂的粗俗和寫實部分。 |
| These two pieces of **legislation** make it necessary for ranchers to limit the movement of their cattle instead of letting them roam freely. | 這兩項**立法**強制要求牧場主人必須限制其牛群的行動，不得讓牠們恣意漫遊。 |
| Smooth **galvanized** wire fences were another idea but they weren't strong enough. | 用平滑**鍍鋅**線做成的柵欄是另一個點子，但它不夠堅固。 |
| Inspired by the reaction of cattle to the sharp thorns on vegetation, a new type of fencing was invented; **barbed**, sharp, pointy thorns were twisted onto wire fencing. | 牛群對尖刺植物的反應啓發了新式柵欄的發明，**有刺**、鋒利及尖銳的刺纏繞在鐵絲柵欄上。 |

| | | |
|---|---|---|
| □ **enclosure**<br>[ɪn`kloʒɚ] | 名 被圈起來的土地；圍牆，籬；包圍 | pen<br>fence<br>siege |
| □ **asymmetrical**<br>[ˏesɪ`mɛtrɪkl̩] | 形 不對稱的，不均勻的<br>◆ 字首 a- 表示「非，無，欠缺」。 | disproportionate |
| □ **flick**<br>[flɪk] | 名 快而突然的動作<br>◆ action flick 是指電影類型中的「動作片」。 | flip<br>tap<br>snap |
| □ **pupa**<br>[`pjupə] | 名 蛹<br>◆ 請和有類似涵義的 larva（幼蟲）一起記。 | chrysalis<br>larva |
| □ **metamorphosis**<br>[ˏmɛtə`mɔrfəsɪs] | 名 變態，變形<br>◆ 字首 meta- 表示「變化」之意，而 morphosis 是「形態結構」之意。 | transformation<br>modification |
| □ **blast**<br>[blæst] | 動 發出響亮刺耳的聲音<br>◆ 原本的意思是「爆破，炸毀」。 | produce a loud noise |
| □ **squeamish**<br>[`skwimɪʃ] | 形 神經質的，易受驚的 | queasy<br>delicate |
| □ **rugged**<br>[`rʌgɪd] | 形 崎嶇多岩的，不平的<br>◆ 不好記，但常考，請盡力記下來。 | bumpy<br>rocky<br>rough |
| □ **diverse**<br>[daɪ`vɝs] | 形 多樣的，相異的<br>◆ 在一般的同義字題型中常出現。可以連同 different, various 一起記。 | various<br>miscellaneous<br>different<br>distinct |
| □ **airborne**<br>[`ɛrˏborn] | 形 以風為媒介的，空氣傳播的；空運的 | moving through the air |

| | |
|---|---|
| Untrusting spectators kept their distance as the cattle were driven into the **enclosure**. | 當牛群被趕進圍地時，有疑懼的觀衆與牠們保持了一段距離。 |
| **Asymmetrical** antlers often indicate that a male has lost a fight to another male and that he is therefore not the strongest. | 不對稱的鹿角通常顯示這隻雄鹿曾在決鬥中輸給另一隻雄鹿，因此牠不是最強壯的。 |
| With a **flick** of the wrist, Borg sent the ball into the opposite court. | 博格手腕迅速一扭就把球送到另一邊的球場。 |
| A larva in the cocoon is also called a **pupa**. | 繭裡面的幼蟲又叫作蛹。 |
| When an animal skips the pupal stage, it is called an incomplete **metamorphosis**. | 當動物略過蛹期，就被稱為不完全變態。 |
| The guy in the next apartment has been **blasting** his stereo all day. | 隔壁公寓的那個傢伙整天把音響開得震耳欲聾。 |
| I'm a bit **squeamish** myself, but Biology requires the least amount of math, which isn't my best subject. | 我本身有點神經質，但生物學需要一點點的數學知識，而那卻不是我最拿手的科目。 |
| Large parts of the heavily forested foothills and **rugged** mountains were unsuitable for human settlements. | 森林茂密的丘陵地和崎嶇多岩的山脈大部分都不適合於人類定居。 |
| Cities in Canada and the United States are ethnically **diverse**. | 加拿大和美國的城市有著多樣化的族群。 |
| The grains of sand became **airborne** for a moment. | 沙粒瞬時間被風吹送了一下。 |

| | | |
|---|---|---|
| □ **engulf**<br>[ɪn`gʌlf] | 動 吞噬，捲入 | swallow up<br>consume |
| □ **encroach**<br>[ɪn`krotʃ] | 動 侵略，侵蝕 | erode<br>intrude<br>trespass |
| □ **topography**<br>[tə`pagrəfɪ] | 名 地形（學），地勢 | terrain<br>landform<br>geography |
| □ **align**<br>[ə`laɪn] | 動 使排成一直線，把…排列<br>◆ aline（排成直線，排列）也有類似的意思。 | straighten<br>line up |
| □ **venomous**<br>[`vɛnəməs] | 形 有毒的，分泌毒液的<br>◆ 在一般的同義字題型中常出現，所以務必要記在腦中。 | poisonous<br>toxic |
| □ **hiss**<br>[hɪs] | 動 發出嘶嘶聲 | sibilate<br>whistle |
| □ **corpse**<br>[kɔrps] | 名 屍體<br>◆ 請勿與 corps（軍隊，團體）混淆，拼法、發音、字義皆不相同。 | body<br>carcass |
| □ **feign**<br>[fen] | 動 假裝<br>◆ 表示「假裝」的意思時，同義字 assume 和 pose 都很常考。 | pretend<br>assume<br>pose |
| □ **tripod**<br>[`traɪpad] | 名 三腳架；有三隻腳的東西 | an object with three legs |
| □ **avert**<br>[ə`vɝt] | 動 將（眼睛等）移開；避免（不幸等）<br>◆ 曾經考過。 | evade<br>divert<br>avoid |

| | |
|---|---|
| Sand dunes **engulf** everything in their path, including structures made by people. | 沙丘所經之處皆被**吞噬**，包括人類所蓋的建築物。 |
| Sand-dune migration near desert oases poses another serious problem, especially when this migration **encroaches** on villages. | 靠近沙漠綠洲的沙丘移動造成另一個嚴重的問題，特別是當其**入侵**村落時。 |
| Sand dunes generally have four basic shapes, determined by the **topography** of the land and patterns of wind flow. | 沙丘一般分成四種基本形狀，依陸地**地形**與風吹送的模式而定。 |
| Linear dunes **align** in roughly the same direction as strong prevailing winds. | 線狀沙丘大致沿著強烈盛行風的方向**排成一直線**。 |
| These fairly large, non-**venomous** or slightly **venomous** snakes dwell in sandy habitats in the eastern United States. | 這些相當大的無**毒**或微**毒**蛇類生存於美國東部的沙質棲息地。 |
| The hognose curls into an exaggerated s-shaped coil and **hisses**, occasionally making false strikes at its tormentor. | 豬鼻蛇捲成誇張的 S 型，然後**發出嘶嘶聲**，間或做假動作攻擊對手。 |
| If the predator loses interest in the "**corpse**" and moves away, the snake slowly rights itself and crawls off. | 如果掠食者對「**屍體**」失去興致而離開，蛇就會慢慢恢復正常然後爬走。 |
| The recovery from death-**feigning** of newly hatched snakes has been monitored under various conditions. | 新孵化的蛇在各種情況下由**假**死狀態恢復的過程已受到密切觀察。 |
| The recovery of snakes was monitored by way of a stuffed screech owl mounted on a **tripod** one meter from the overturned snake. | 鳴角鴞標本置於**三腳架**上，距離翻身的蛇為一公尺之遙，藉以監測蛇的恢復過程。 |
| When the human eyes were **averted**, the recovery time was immediate. | 當人類的目光**轉移**他處，恢復時間就在轉瞬間。 |

| | | |
|---|---|---|
| ☐ **transition**<br>[træn`zɪʃən] | 名 **轉變，變遷，過渡** | **switch**<br>**progress**<br>**change**<br>**shift** |
| ☐ **signature**<br>[`sɪgnətʃɚ] | 名 **特徵，標識，痕跡**<br>◆ 由「署名，簽名」衍生而來的意思。 | **identifying characteristics** |
| ☐ **terrain**<br>[`tɛren] | 名 **地形，地帶，地勢** | **topography**<br>**landform** |
| ☐ **aggregate**<br>[`ægrɪgɪt] | 名 **集合體；總計** | **sum**<br>**total**<br>**gross** |
| ☐ **coercive**<br>[ko`ɜsɪv] | 形 **強制的，強壓的**<br>◆ 動詞是 coerce（強制，強迫）。 | **forcible**<br>**compelling** |
| ☐ **recipient**<br>[rɪ`sɪpɪənt] | 名 **接收者** | **receiver**<br>**payee** |
| ☐ **advent**<br>[`ædvɛnt] | 名 **（重要事件、人物等的）出現，來臨，開始**<br>◆ 比較好記的方式是直接記 the advent of personal computers（個人電腦的出現）。 | **arrival**<br>**coming**<br>**appearance**<br>**onset** |
| ☐ **conduct**<br>[kən`dʌkt] | 動 **傳導（電、熱等）；引導（人等）；指揮（樂隊等）**<br>◆ conductor 除了是「指揮演奏家的人」，也可表示「車掌」或「避雷針」。 | **convey**<br>**propagate**<br>**guide** |
| ☐ **adjunct**<br>[`ædʒʌŋkt] | 名 **附屬品，附加物**<br>◆ adjunct professor 是「副教授」之意。 | **attachment**<br>**addition**<br>**accessory** |

| | |
|---|---|
| The **transition** from a rural to a predominantly urban nation was especially remarkable because of its speed. | 從一個鄉村國家轉變為一個以都市為主的國家，其轉變速度格外引人注目。 |
| Five cultural **signatures** enable archaeologists to determine who the Anasazi were. | 五種文化特徵讓考古學家得以確定安納薩吉人的身分。 |
| The houses of that religious sect were located far in the hilly **terrain**. | 那個教派的房屋位於崎嶇多山的地形之上。 |
| Sociologists refer to such a cluster of people as an **aggregate**. | 社會學家把這樣的一群人稱為一個集合體。 |
| Children frequently participate in a wide range of **coercive** organizations, most notably schools. | 孩童經常廣泛地參加各種強制性的組織，最明顯的就是學校。 |
| The advantage was that the **recipient** got an exact record of the sender's message. | 優點是接收者能得到發送者所傳送之訊息的準確紀錄。 |
| The paperless business office was anticipated well before the **advent** of personal computers and modems. | 在個人電腦和數據機出現之前，一般就預料到會有無紙化的商業辦公室了。 |
| Many people already know that most metals **conduct** electricity. | 很多人已經知道大部分的金屬會導電。 |
| The device that had begun as a complement to the telephone was now seen as an **adjunct** to the typewriter. | 一開始作為電話的搭配裝置，現在則被視為是打字機的附屬品了。 |

| | | |
|---|---|---|
| □ **equivocal** [ɪˋkwɪvəkḷ] | 形 **不確定的；歧義的** ◆ 連同同義字都記下來的話，考試就沒有問題了。 | **vague** **ambiguous** |
| □ **implement** [ˋɪmpləmənt] | 名 **工具** ◆ 也可作動詞，意思是「進行（計畫等），履行」，請記下來。 | **tool** **instrument** **apparatus** **utensil** |
| □ **pound** [paʊnd] | 動 **猛烈敲打，撞擊** | **beat** **hit** |
| □ **conducive** [kənˋdjusɪv] | 形 **有助益的，促成的** | **helpful** **useful** **instrumental** **contributory** |
| □ **convection** [kənˋvɛkʃən] | 名 **對流；傳達** | **conveyance** |
| □ **toxin** [ˋtaksɪn] | 名 **毒素，有毒物質** ◆ 形容詞是 toxic（有毒性的）。 | **poison** |
| □ **catalytic** [ˏkætəˋlɪtɪk] | 形 **觸媒的，起催化作用的** | **of catalysis** |
| □ **eerie** [ˋɪrɪ] | 形 **詭異的，恐怖的** | **bizarre** **strange** |
| □ **quantum** [ˋkwantəm] | 名〔物理〕**量子；特定量；量** | |

| | |
|---|---|
| The television's contribution to family life in the United States has been an **equivocal** one. | 電視對美國家庭生活的貢獻一直很**模糊**。 |
| A bout began when a capuchin placed an object in contact with a walnut and ended when the animal discarded the **implement**. | 有一個回合開始於僧帽猴拿東西觸碰核桃，結束於丟棄該**工具**。 |
| Capuchin monkeys cracked the walnuts by repeatedly **pounding** them with stones. | 僧帽猴用石頭反覆**敲打**核桃，使之裂開。 |
| The shelters create a microclimate **conducive** to the rapid growth and development of the resident caterpillar. | 這些遮蔽處創造了一個微氣候，**有助於**常駐在其中的毛毛蟲快速成長發育。 |
| These tube-like structures set up **convection** currents that draw fresh air through the shelters, preventing them from overheating on hot, sunny days. | 這些管狀構造造成氣流**對流**，引導新鮮的空氣通過遮蔽處，防止遮蔽處在炎熱的晴天裡變得過熱。 |
| The leaves of Saint-John's-wort contain hypericin, a **toxin** that is activated by sunlight. | 聖約翰草的葉子含有金絲桃素，一種會被陽光活化的**毒素**。 |
| Leaf rollers that feed on this plant can do so only because the walls of their shelters filter out the Sun's **catalytic** rays. | 以此植物為食的捲葉蟲能這麼做，全是因為巢穴的牆將**具有催化效果的**太陽光線濾除掉了。 |
| An **eerie** light casts long shadows upon the pristine snow. | **詭異的**光線將長長的影子投射在純淨的雪上。 |
| It is impossible in our macroscopic, everyday world, but in the realm of atoms, where **quantum** mechanics reigns, the rules are different. | 在我們每日的宏觀世界裡，這是不可能的，不過在由**量子**力學支配的原子界裡，法則可就不同了。 |

| | | |
|---|---|---|
| ☐ **circumvent**<br>[ˏsɝkəm`vɛnt] | 動 避開（障礙物等）；圍繞 | **bypass**<br>**get around**<br>**evade** |
| ☐ **uncanny**<br>[ʌn`kænɪ] | 形 超乎尋常的；怪異的<br>◆ 雖然 uncanny 是個強烈的單字，但還是要記牢。 | **amazing**<br>**extraordinary**<br>**strange**<br>**weird** |
| ☐ **diverge**<br>[daɪ`vɝdʒ] | 動 張裂，岔開 | **separate**<br>**divide**<br>**split**<br>**move apart** |
| ☐ **submerge**<br>[səb`mɝdʒ] | 動 淹沒；使陷入；覆蔽<br>◆ 曾考過同義字。 | **flood**<br>**inundate**<br>**sink**<br>**engulf** |
| ☐ **prop**<br>[prɑp] | 名 支柱，支撐物 | **post**<br>**support**<br>**pillar**<br>**brace** |
| ☐ **destitute**<br>[`dɛstəˏtjut] | 形 窮困的<br>◆ 可將注意力放在 very poor（非常窮困的）上。 | **very poor**<br>**poverty-stricken**<br>**impoverished** |
| ☐ **subterranean**<br>[ˏsʌbtə`renɪən] | 形 地下的；隱蔽的 | **underground** |
| ☐ **adobe**<br>[ə`dobɪ] | 名（未經燒過而以太陽晒乾的）泥磚 | **brick** |

| | |
|---|---|
| It is normal for an atomic particle to occupy two places at once, to tunnel through a barrier, or to **circumvent** an obstacle on both sides at once. | 同時占據兩個位置、通過障礙物前進、或是同時避開兩側的障礙物，這對原子粒子而言是常態。 |
| Scientific audiences respond instantly to the **uncanny** precision with which Adams has unintentionally captured the dilemma of quantum theory. | 亞當斯無意卻異常精準地捕捉到量子論的兩難困境一事，引發了科學界立即的迴響。 |
| If plates on Earth **diverge** in one place, they must and do converge somewhere else. | 如果地球的板塊在某處張裂，那麼必定會而且確實會在其他處聚合。 |
| Leaf litter that accumulates on the forest floor is regularly **submerged** by salt water and colonized by bacteria and fungi. | 堆積在森林地表的落葉經常性地遭到鹽水淹沒且有細菌和真菌聚生。 |
| The roots of some species of mangrove form **props** to the trunks of the trees. | 某些紅樹林種類的根部會形成支柱來支撐樹幹。 |
| Most became neither rich nor **destitute**, but earned a comfortable living between painting and engaging in related work. | 大部分變得既不富有也不貧窮，而是在介於繪畫和從事相關工作之間，維持生活無虞。 |
| The smaller and more **subterranean** the building the easier it was to heat. | 建築物愈小且愈靠近地底，愈容易使之暖和起來。 |
| Partitions of hanging mats broke up drafts in large structures, and split-plank, earthen, **adobe**, or snow-block windbreaks, were frequently built against doorways. | 懸吊的蓆子隔間阻斷了大型建築物內的氣流，出入口處則經常築起以劈開的厚板、泥土、泥磚或雪塊做成的擋風牆。 |

| | | |
|---|---|---|
| □ **thatch**<br>[θætʃ] | 動 以（茅草）做屋頂 | **roof**<br>**cover** |
| □ **fluctuate**<br>[ˋflʌktʃυˏet] | 動 起伏，波動<br>◆ 名詞是 fluctuation（起伏，波動）。 | **change**<br>**alter**<br>**undulate** |
| □ **diffusion**<br>[dɪˋfjuʒən] | 名 傳播，擴散，普及；冗長 | **dispersion**<br>**spread**<br>**dissemination**<br>**wordiness** |
| □ **scarcity**<br>[ˋskɛrsətɪ] | 名 稀少，不足<br>◆ 可由副詞 scarcely（幾乎沒有）來聯想。 | **shortage** |
| □ **lathe**<br>[leð] | 名 車床 | **potter's wheel** |
| □ **fault**<br>[fɔlt] | 動 產生斷層 | **dislocate**<br>**rift** |
| □ **dietary**<br>[ˋdaɪəˏtɛrɪ] | 形 飲食的 | **dietetic** |
| □ **expanse**<br>[ɪkˋspæns] | 名 廣闊的區域；寬闊 | **extent**<br>**stretch**<br>**area** |
| □ **acceleration**<br>[ækˏsɛləˋreʃən] | 名 加速，促進 | **speeding up**<br>**pickup**<br>**encouragement**<br>**promotion** |

| | |
|---|---|
| In the Southern Plains, the Kiowa and Wichita devised large bowed frames that they **thatched** with willow boughs to within a few feet of the ground. | 在南部平原區上，基奧瓦族和威奇塔族設計出大型的弧形結構，以柳樹枝**做屋頂**，高出地表僅數英尺。 |
| The raised floor protected the occupants from the **fluctuating** groundwater, insects, and snakes. | 提高的底部保護居住者免受**起伏不定的**地下水、昆蟲和蛇的侵擾。 |
| **Diffusion** occurs in three basic patterns: direct contact, intermediate contact, and stimulus **diffusion**. | **傳播**以三種基本形式發生：直接接觸、媒介接觸和激發**傳播**。 |
| The cost and **scarcity** of brass encouraged the production of clocks with wooden mechanisms. | 黃銅的價格與**稀有性**促進了木製機械裝置時鐘的生產。 |
| Their gears were cut on hand engines; their parts turned on foot-powered **lathes**. | 用手控馬達切割出它們的齒輪，用腳動**車床**車裁出它們的零件。 |
| Beds, or strata, of limestone or marble are commonly **faulted**, cracked, and fractured by the movements of the Earth's surface. | 石灰岩或大理石的岩床，或作岩層，通常因地表的運動而產生**斷層**、龜裂和碎裂。 |
| Most studies use an indirect method for determining **dietary** habits. | 大部分的研究使用間接的方法來判斷**飲食**習慣。 |
| Eagles require large, open **expanses** of water or land for foraging and feeding. | 老鷹需要廣大開放的水**域**或陸**域**來覓食和進食。 |
| In a sense, the Industrial Revolution in the United States as in Europe was merely an **acceleration** of technological changes that had no clear beginning. | 就某種意義而言，美國的工業革命和歐洲的相同，不過是一個沒有明確起始的科技變革**加速**發生。 |

| | | |
|---|---|---|
| ▢ **ignite**<br>[ɪg`naɪt] | 動 點火 | light<br>set off<br>fire<br>kindle |
| ▢ **extraterrestrial**<br>[ˏɛkstrətə`rɛstrɪl] | 形 宇宙的，地球外的 | cosmic |
| ▢ **perpetuate**<br>[pɚ`pɛtʃuˏet] | 動 使持續或永存<br>◆ 形容詞是 perpetual（永遠的）。 | continue<br>keep up<br>maintain<br>immortalize |
| ▢ **theorem**<br>[`θiərəm] | 名 定理，原理 | proposition<br>law<br>principle |
| ▢ **deductive**<br>[dɪ`dʌktɪv] | 形 演繹的，推論的 | discursive |
| ▢ **gravel**<br>[`grævl̩] | 名 礫石，碎石；砂礫層 | ballast<br>shingle |
| ▢ **refuse**<br>[`rɛfjus] | 名 垃圾，廢物<br>◆ 注意發音！ | trash<br>rubbish<br>junk |
| ▢ **protrude**<br>[pro`trud] | 動 伸出，突出 | project<br>stick out<br>push |
| ▢ **venture**<br>[`vɛntʃɚ] | 動 敢做；冒…之險<br>◆ 和 adventure（冒險）在字形、字義上都相似。可以挑個同義字一起記，較記得牢。 | dare<br>tempt<br>endanger<br>risk |

| | |
|---|---|
| When filled with gasoline and **ignited**, the canals would signal the presence of life on Earth to neighboring worlds. | 當注滿汽油並放火點燃，運河將向鄰近的行星發送地球上有生命的信號。 |
| That astronomer performed one of the first serious searches for **extraterrestrial** life, called Project Ozma. | 那位天文學家進行了其中一項最早且重大的宇宙生物搜尋任務，稱為奧茲瑪計畫。 |
| This belief is **perpetuated** because of the way mathematics is presented in many textbooks. | 這個信念因為數學在許多教科書上的呈現方式而存留了下來。 |
| Mathematics is often reduced to a series of definitions, methods to solve various types of problems, and **theorems**. | 數學常被簡化為一系列的定義、解決不同類型問題的方法，以及定理。 |
| Theorems are statements whose truth can be established by means of **deductive** reasoning and proofs. | 定理是真實性能藉由演繹推論和證據確立的陳述。 |
| Their tools are found in profusion in the **gravel** of riverbeds that were subsequently jumbled and resorted by floodwater. | 河床的礫石隨後被洪水打亂並重新分類，他們的工具在其中被大量發現。 |
| In many areas, farming sites were occupied time after time over several thousand years, forming deep mounds of **refuse**, housing foundations, and other debris from human habitation. | 許多地區的農耕地歷經數千年來反覆遭到占領，形成了深深的垃圾堆、房屋地基和其他人類居住的殘骸。 |
| As she lowers her flukes again to a horizontal position, the calf's snout **protrudes** from her belly. | 當牠再度將尾鰭下降成水平姿勢，從牠的腹部伸出了幼鯨的口鼻。 |
| Two other female whales with young calves passed within one hundred fifty feet of her but **ventured** no closer. | 另外兩隻帶著幼鯨的母鯨在離牠 150 英尺處通過，而不敢更靠近。 |

| | | |
|---|---|---|
| □ **wobble**<br>[ˋwɑbḷ] | 動 **擺動，搖晃**<br>◆ 這個單字不好記，可將發音和字義大聲唸出來幫助記憶。 | **shake**<br>**stagger**<br>**totter** |
| □ **cursory**<br>[ˋkɝsərɪ] | 形 **草率的，倉促的** | **superficial**<br>**hasty**<br>**hurried** |
| □ **intact**<br>[ɪnˋtækt] | 形 **毫髮無傷的，完整無缺的**<br>◆ 比較好記的方式是直接記 remain intact（毫髮無傷的）。 | **unhurt**<br>**unwounded**<br>**complete**<br>**perfect** |
| □ **blueprint**<br>[ˋbluˌprɪnt] | 名 **藍圖，詳細的計畫** | **plan**<br>**project**<br>**scheme** |
| □ **siege**<br>[sidʒ] | 名 **圍城，圍攻，包圍** | **enclosure** |
| □ **hamper**<br>[ˋhæmpɚ] | 動 **妨礙，阻止**<br>◆ hamper 的同義字都要記下來。 | **impede**<br>**hinder**<br>**restrict** |
| □ **plot**<br>[plɑt] | 動 **在圖上標出（船等的）位置；將（土地）分成小塊** | **draw**<br>**lot** |
| □ **rogue**<br>[rog] | 形 **游離的，離群的** | **independent** |
| □ **disrupt**<br>[dɪsˋrʌpt] | 動 **使分裂；使擾亂；使中斷**<br>◆ 常考的用法是 disrupt the balance（擾亂平衡）。 | **disturb**<br>**upset**<br>**disorder**<br>**interrupt** |

| | |
|---|---|
| Now halfway out, the newborn **wobbles** as the mother whale again sinks beneath the surface. | 在母鯨再度潛下水面之際，已露出半截的新生幼鯨**擺動**了幾下。 |
| Most of the shareholders present were unhappy with the **cursory** explanation given by the executives. | 對於經營者給的**草率**解釋，在場大部分的股東都不太高興。 |
| Spaceships are small and fragile in the depths of space, prey to meteorites and radiation, and are able to support life only so long as they remain **intact**. | 在太空深處的人空船是渺小而脆弱的，它是隕石和輻射攻擊的對象，而且只能在其保持**毫髮無傷的**情況下維持生命。 |
| Life is an evolved system, not a designed one, and it cannot be treated as though a quick look at the **blueprints** and a couple of nails can cobble it up and make it run again. | 生命是一種演化而來系統，不是設計出來的，因此生命不能被當作是，快速看過**藍圖**然後用幾個釘子就能修補完成並讓它再度運轉。 |
| The earliest census was taken in Nuremberg, Germany, in 1449, when the town was threatened by a **siege**. | 最早的人口普查始於 1440 年的德國紐倫堡，當時該鎮正受到**圍城**的威脅。 |
| The Moon was nearly full, further **hampering** observations. | 月亮接近滿月，進一步**妨礙**了觀察。 |
| The asteroid's course was **plotted** accurately, so its orbit could be determined precisely. | 由於小行星的行進路徑已被精準地**繪製**出來，所以它的軌道也可以精確地測定出來。 |
| The **rogue** asteroid might be nudged out of its Earth-bound trajectory by the use of explosive devices. | 藉由爆炸裝置的使用，**游離**小行星可能會被推離開撞向地球的軌道。 |
| The rock in the anticline is so **disrupted**, cracked, and distorted in the folding process that it may be readily eroded away. | 背斜層的岩石在褶曲過程中因為嚴重的**崩壞**、破裂並扭曲，以致於很容易就遭到侵蝕。 |

| | | |
|---|---|---|
| □ **per capita** [pɚ ˋkæpɪtə] | 形 每人的，照人數分配的<br>◆ 常考。 | **per person**<br>**per head** |
| □ **seam** [sim] | 名（兩地質間的）薄礦層<br>◆ 常出現在地質學方面的考題中，而同義字也常出現在 Reading 中。 | **layer**<br>**bed** |
| □ **haphazard** [ˌhæpˋhæzɚd] | 形 無秩序的，無計畫的<br>◆ 帶有負面涵義。 | **random**<br>**arbitrary**<br>**careless** |
| □ **delineate** [dɪˋlɪnɪˌet] | 動 畫出…的輪廓 | **outline** |
| □ **aquatic** [əˋkwatɪk] | 形 水生的，水棲的；水上的 | **living or growing in water** |
| □ **marvel** [ˋmarvl̩] | 名 奇蹟，令人驚喜的人事物 | **surprise**<br>**wonder** |
| □ **crouch** [kraʊtʃ] | 動 蹲伏，屈膝縮身 | **squat** |
| □ **prospector** [ˋprɑspɛktɚ] | 名 採礦者，探勘者<br>◆ forty-niner 是指那些「在 1849 年因為 gold rush（淘金）而前往加州的人」，也就是指「狂熱的 prospector」。 | **borer**<br>**gold digger** |
| □ **divert** [daɪˋvɝt] | 動 使改變方向，轉移 | **avert**<br>**veer**<br>**evade** |
| □ **cetacean** [sɪˋteʃən] | 名 鯨類動物 | **whale** |

| | |
|---|---|
| **Per capita** income of the town has risen by 30% in the past three years. | 鎮民的每人平均所得過去三年來增加了 30%。 |
| Coal-bearing **seams** are generally the same age and were laid down during times of abundant plant life. | 含煤層通常屬於同一年代，而且蓄積於植物豐富的時期。 |
| When fossils are arranged according to their age, they do not present a random or **haphazard** picture, but instead show progressive changes from simple to complex forms. | 當化石按照時代排列整齊，它們就不會呈現出隨意或雜亂無章的面貌，而是顯現出由簡單到複雜的進步性變化。 |
| Because there was no means of actually dating rocks, the entire geologic record was **delineated** using relative dating techniques. | 因為沒有任何方法能確實為岩石定年，整個地質紀錄是透過相對定年技術的運用勾勒而成的。 |
| Penguins are almost wholly **aquatic**, except for during their breeding season. | 除了繁殖季節外，企鵝幾乎完全生活在水中。 |
| The movement of a flock of dunlins is a **marvel** of coordinated precision flying. | 濱鷸群的移動是協同精確飛行的奇蹟。 |
| As each bird prepares to take off, it **crouches** slightly, then leaps into the air and flies away. | 每隻鳥在準備起飛時會先微微蹲伏，然後跳入空中飛走。 |
| The **prospectors** who flocked to Sutter's Mill found gold nuggets or gold dust in the rivers and streams. | 蜂擁至薩特鋸木廠的採礦者在河流和溪流中發現金塊或金粉。 |
| The prospectors **diverted** water from the creeks through the sluice, and the flowing water carried away the dirt and sand dumped into the sluice by the miners. | 探礦者透過採礦槽將水引出溪流，而流動的水則帶走礦工倒進採礦槽的泥沙。 |
| It is in search of adequate food supplies that **cetaceans**, marine mammals such as whales and dolphins, travel the oceans. | 就是為了找尋充足的食物來源，鯨魚、海豚等海洋鯨類動物才會在海中旅行。 |

| | | |
|---|---|---|
| ▢ **deflect**<br>[dɪ`flɛkt] | 動 (使)轉向,(使)偏斜 | **veer**<br>**diverge** |
| ▢ **gale**<br>[gel] | 名 強風 | **wind**<br>**blast**<br>**hurricane** |
| ▢ **dislodge**<br>[dɪs`lɑdʒ] | 動 使移動,離開原位 | **remove**<br>**displace**<br>**expel**<br>**eject** |
| ▢ **secrete**<br>[sɪ`krit] | 動 分泌<br>◆ 還有「隱匿,隱藏」的意思。 | **discharge**<br>**emit**<br>**give off** |
| ▢ **abdomen**<br>[`æbdəmən] | 名 腹部<br>◆ 日常生活中較常用 belly(肚子)。 | **belly**<br>**pouch**<br>**stomach** |
| ▢ **waggle**<br>[`wægl̩] | 動 搖擺,扭動<br>◆ 打高爾夫球時,在揮打之前先試揮幾次,waggle 指的就是這個動作。 | **wag**<br>**wiggle** |
| ▢ **leaven**<br>[`lɛvən] | 動 使發酵 | **ferment** |
| ▢ **ferment**<br>[fɝ`mɛnt] | 動 使發酵 | **leaven** |
| ▢ **adorn**<br>[ə`dɔrn] | 動 裝飾,裝扮,使增色 | **decorate**<br>**ornament**<br>**embellish** |

| | |
|---|---|
| Warmed by its passage through the tropics, the wind-driven water is **deflected** against the westward continents. | 受風驅動的海水行經熱帶地區時增溫，碰撞到西方大陸後**轉向**。 |
| Here the current is driven eastward unimpeded by land before the almost incessant westerly **gales** of this zone. | 順著本區域幾乎不曾止息的**強大西風**，這裡的洋流在不受陸地阻礙的情況下被推向東方。 |
| There are many forces in nature that can **dislodge** an electron and cause it to become what is known as a free electron. | 自然界中有許多種力量能讓電子**移位**，使其變成所謂的自由電子。 |
| Those female bees gather nectar and pollen, **secrete** beeswax, build combs, feed the larvae, and, in general, keep the hive operational. | 那些雌蜂採集花蜜和花粉、**分泌**蜂蠟、建造蜂巢、餵養幼蟲，並且大致上維持蜂房的運作。 |
| After a week or two, the wax glands in their **abdomens** develop rapidly and begin to secrete beeswax. | 一到兩個禮拜後，牠們**腹部**的蠟腺會快速發育並且開始分泌蜂蠟。 |
| A worker returning from a longer distance does a "**waggle** dance." | 從遠處歸來的工蜂會跳「**擺尾**舞」。 |
| According to one theory, **leavening** bread so that it will rise was discovered when some yeast spores drifted onto dough that had been set aside for a while before baking. | 根據一個理論，當一些酵母孢子飄到烘焙前被擱置一旁一陣子的生麵團上，人們發現了讓麵包**發酵**膨脹這件事。 |
| An alternative and even more likely theory proposes that on some occasion, a **fermented** beverage was used instead of water to mix the dough. | 另一種更有可能的理論則提出，**發酵**飲料在某種情況下被用以取代水來和生麵團。 |
| To **adorn** themselves and their clothing, Native Americans in the Southwest produced innumerable types of accessories. | 為了**裝飾**自己和自己的衣服，西南部的美洲原住民製作出無數種的配件。 |

| | | |
|---|---|---|
| ☐ **pinnacle**<br>[ˋpɪnəkl̩] | 名 **高峰；山頂；小尖塔**<br>◆ 經常出現在從上下文來判斷同義字的題型中。 | **peak**<br>**summit**<br>**top** |
| ☐ **recur**<br>[rɪˋkɝ] | 動 **（念頭等）重新浮現；（事件等）再發生**<br>◆ 和動詞 occur（發生，出現）的外形很像，所以可以從 occur 來聯想。 | **reappear**<br>**repeat**<br>**happen again** |
| ☐ **indigenous**<br>[ɪnˋdɪdʒɪnəs] | 形 **固有的，當地的**<br>◆ 曾經考過。請一併將同義字記熟。 | **native**<br>**aboriginal**<br>**innate**<br>**inherent** |
| ☐ **crash**<br>[kræʃ] | 形 **速成的，應急的**<br>◆ 請將 crash course（速成課程）這個用法記下來。 | **first-aid**<br>**intensive** |
| ☐ **concession**<br>[kənˋsɛʃən] | 名 **場內商場、商店等；特許權** | **stand**<br>**license** |
| ☐ **prodigy**<br>[ˋprɑdədʒɪ] | 名 **天才；驚人的事物**<br>◆ 和形容詞 prodigious（驚人的，奇妙的）都很常考。 | **wonder**<br>**genius** |
| ☐ **collateral**<br>[kəˋlætərəl] | 名 **抵押品，擔保品** | **security**<br>**deposit**<br>**pledge** |
| ☐ **contagious**<br>[kənˋtedʒəs] | 形 **接觸傳染性的**<br>◆ 一定要連同同義字 infectious 一起記在腦中。 | **infectious**<br>**epidemic** |
| ☐ **trafficking**<br>[ˋtræfɪkɪŋ] | 名 **非法交易** | **deal**<br>**trade** |

| | |
|---|---|
| These cultures all reached the **pinnacle** of their artistic expression during approximately the same period, between A.D. 900 and 1200. | 這些文化約在同一時期，介於西元 900 年到 1200 年之間，到達了藝術表現的高峰。 |
| In spite of England's disapproval of American manufacturing, an interest in glassmaking **recurred** periodically during the entire colonial era. | 儘管英格蘭反對美洲的製造業，但在整個殖民時期，對製造玻璃的興趣每隔一段時間就會重現一次。 |
| The descendants of the **indigenous** people from this area still claim these colonists as their ancestors. | 本區原住民的後代子孫仍舊聲稱這些殖民者是他們的祖先。 |
| She signed up for a **crash** course in French. | 她報名參加一個法文速成課程。 |
| They are always looking for people to work at the **concession** stands during university sporting events. | 在大學運動會期間，他們一直都在找人來販賣部工作。 |
| The drama was produced by a twenty-three-year-old theatrical **prodigy** named George Orson Welles. | 這齣戲劇是由一位 23 歲、名為喬治・奧森・威爾斯的戲劇天才所製作。 |
| The scheme enabled poor people to borrow small amounts of money without the necessity of providing **collateral**. | 該機制讓窮人能夠在不需提供抵押品的情況下借到少量的錢。 |
| Many people in Africa are suffering from **contagious** diseases. | 非洲有許多人深受接觸傳染性疾病所苦。 |
| Several organizations are combating this illicit **trafficking**. | 有幾個組織正在打擊這起非法交易。 |

| | | |
|---|---|---|
| □ **surveillance**<br>[sɚ`veləns] | 名 **監視，監督**<br>◆ 常考。請將全部同義字都記下來。 | **monitor**<br>**supervision**<br>**watch** |
| □ **hoard**<br>[hord] | 動 **囤積** | **save**<br>**store**<br>**set aside**<br>**stock** |
| □ **lenticular**<br>[lɛn`tɪkjəlɚ] | 形 **凸透鏡狀的** | |
| □ **pillar**<br>[`pɪlɚ] | 名 **柱子，柱狀物** | **column** |
| □ **acuity**<br>[ə`kjuətɪ] | 名 **（感官）敏銳** | **sharpness** |
| □ **outing**<br>[`aʊtɪŋ] | 名 **遠足，短程旅行**<br>◆ 可能會出現在對話題型中。 | **field trip** |
| □ **delicacy**<br>[`dɛləkəsɪ] | 名 **佳餚** | **dainty** |
| □ **frigid**<br>[`frɪdʒɪd] | 形 **嚴寒的；冷淡的** | **cold**<br>**icy**<br>**aloof**<br>**unfriendly** |
| □ **thwart**<br>[θwɔrt] | 動 **阻撓，使受挫折**<br>◆ 若要理解英文文意，thwart 是個很重要的單字；另外也常考同義字。 | **wreck**<br>**frustrate** |
| □ **decode**<br>[di`kod] | 動 **譯解（密碼）**<br>◆ 反義字是 encode（譯成密碼）。 | **decipher**<br>**break** |
| □ **jurisdiction**<br>[ˌdʒʊrɪs`dɪkʃən] | 名 **管轄權；司法權**<br>◆ 此為難字，但很常考。「管轄權」之意比「司法權」之意更常考。 | **control**<br>**authority**<br>**domination** |

| | |
|---|---|
| Electronic **surveillance** of exhibitions and historical monuments would act as a deterrent. | 對展覽和歷史古蹟進行電子**監視**會有一股嚇阻力量。 |
| The Roman people realized that their money was being debased and they responded by **hoarding** gold coins. | 羅馬人意識到他們的貨幣正在劣質化當中，他們的因應方式是**囤積**金幣。 |
| This cloud type is called **lenticular** because it resembles a lens in shape. | 這種雲的種類屬於**凸透鏡狀**，因為它貌似透鏡。 |
| Mesa Verde kivas usually have six stone **pillars** built into their walls. | 維德台地的「印地安人祭壇」經常有六支石**柱**嵌進牆中。 |
| The test of counting the stars in the constellation determined the **acuity** of the soldiers' vision. | 數算星座星星的測試確定了士兵視覺的**敏銳度**。 |
| He said that the **outing** wasn't his cup of tea. | 他說**遠足**不是他的興趣。 |
| The puffer fish is a **delicacy** in certain cultures. | 對某些文化而言，河豚肉是**佳餚**。 |
| The first Europeans who arrived in what is now Massachusetts suffered in the **frigid** temperatures. | 最早抵達今日麻薩諸塞州的歐洲人深為**嚴寒的**氣溫所苦。 |
| Sara tried to **thwart** the ghosts she believed were haunting her family. | 莎拉試圖**阻撓**那些她認為纏住她家人不放的鬼魂。 |
| The students had to **decode** some words that were written in Morse code. | 學生必須**解開**一些以摩斯密碼寫成的字詞。 |
| A colony is a group of people living in a distant land but remaining under the **jurisdiction** of their native land. | 僑民是指一群住在遠方土地卻仍受母國**管轄**的人。 |

| | | |
|---|---|---|
| □ **brush** [brʌʃ] | 動 **漠視，不理會** | **ignore**<br>**refuse to listen** |
| □ **indict** [ɪn`daɪt] | 動 **起訴，控告**<br>◆ 注意拼字和發音。 | **prosecute**<br>**accusc** |
| □ **nook** [nʊk] | 名 **角落，隱蔽處** | **corner**<br>**cranny**<br>**retreat** |
| □ **covert** [`kovɚt] | 形 **祕密的，不公開的** | **secret**<br>**unobtrusive**<br>**hidden**<br>**concealed** |
| □ **demise** [dɪ`maɪz] | 名 **死亡**<br>◆ 在從上下文來判斷同義字的考題中常出現，大致上都可以推測出它的意思。 | **death**<br>**decease**<br>**passing** |
| □ **scallop** [`skɑləp] | 名 **扇貝**<br>◆ 關於貝類的單字，將右頁例句中出現的單字都記下來就足夠了。 | |
| □ **bask** [bæsk] | 動 **晒（太陽），取暖；享受** | **bathe**<br>**indulge oneself** |
| □ **condolence** [kən`doləns] | 名 **弔慰** | **pity**<br>**compassion**<br>**sympathy** |
| □ **estuary** [`ɛstʃʊ,ɛrɪ] | 名 **河口** | **mouth**<br>**entry** |
| □ **propulsion** [prə`pʌlʃən] | 名 **推進（力）**<br>◆ 請將 jet propulsion（噴射推進）這個用法記下來。 | **impulsion**<br>**drive** |

| | |
|---|---|
| The actor **brushed** off their questions about his divorce. | 這位演員漠視他們關於他離婚的提問。 |
| He was **indicted** on charges of attempted murder and fraud. | 他被以謀殺未遂和詐欺罪名起訴。 |
| An octopus is much more comfortable hiding out in undersea **nooks** and crannies or burrowing into the sandy bottom than in seeking out conflict. | 藏身海底小角落和裂縫或是鑽進沙質海底中，遠比尋求衝突更讓章魚感到舒適自在。 |
| The name of the agency is derived from its original **covert** duty to protect the economy of the young United States from counterfeiters. | 該機構的名稱源自於它最初的祕密職責——保護年輕的美國經濟，使之免受偽鈔製造者的危害。 |
| O'Neil was noted and well regarded during his lifetime; however, it was after his **demise** that his works took their position of proominence in the theater. | 歐尼爾在有生之年就已享有名氣並受人尊敬，然而一直要到他過世之後作品才在劇場獲得卓越的地位。 |
| There are many kinds of bivalves: clams, oysters, mussels, and **scallops**. | 雙殼貝類有很多種：蛤蜊、牡蠣、貽貝和扇貝。 |
| I'll be thinking of you as I **bask** in the sun. | 當我沐浴在陽光下時，我會想起你。 |
| Let me offer my sincerest **condolences** to you and your family. | 請容我向您與您的家人致上我最真誠的慰問之意。 |
| Sediment finds its way into lakes, **estuaries**, or seas, sinking to the bottom. | 沉積物逕自流入湖泊、河口或海洋，然後下沉到底部。 |
| Squids and octopuses use a type of jet **propulsion**—shooting water out through a nozzle to force them along. | 烏賊和章魚使用一種噴射推進，即從一個噴嘴中射出水，驅之向前。 |

| | | |
|---|---|---|
| ☐ **deposition** [ˌdɛpəˋzɪʃən] | 名 **沉積，堆積**<br>◆ 注意，常考，所以務必要記熟。 | **sedimentation** |
| ☐ **optometrist** [ɑpˋtɑmətrɪst] | 名 **眼科驗光師**<br>◆ 形容詞是 optic（眼睛的；視力的；光學的）。 | |
| ☐ **molar** [ˋmolɚ] | 名 **臼齒** | **back tooth**<br>**grinder** |
| ☐ **gorge** [gɔrdʒ] | 動 **貪婪地吃** | **devour**<br>**eat** |
| ☐ **lurk** [lɝk] | 動 **埋伏，潛伏** | **lie in wait**<br>**sneak**<br>**hide** |
| ☐ **dermal** [ˋdɝməl] | 形 **皮膚的，表皮的** | **of the skin** |
| ☐ **vascular** [ˋvæskjəlɚ] | 形 **血管的，維管的**<br>◆ 不太好聯想，但是可以將 vascular system（血管系統）這個搭配用法記在腦中。無論是血管或是脈管，都是管。 | **relating to vessels** |
| ☐ **crack** [kræk] | 動 **解開（難題等）** | **solve**<br>**decipher** |
| ☐ **intrusive** [ɪnˋtrusɪv] | 形 **侵入的；冒失的**<br>◆ 請將動詞 intrude（闖入；干涉）記在腦中。 | **obtrusive**<br>**pushy** |
| ☐ **blight** [blaɪt] | 名 **（都市的）荒廢，無秩序化**<br>◆ urban blight（城市荒廢）是典型的表達方式。 | **affliction**<br>**scourge**<br>**chaos** |
| ☐ **capillary** [ˋkæpəˌlɛrɪ] | 形 **毛細管的** | **of a very small tube** |

| | |
|---|---|
| Igneous rocks are transformed into sedimentary rocks in four stages: weathering, transportation, **deposition**, and diagenesis. | 火成岩轉變成沉積岩歷經四個階段：風化作用、搬運作用、**沉積**作用和成岩作用。 |
| If you have another headache resulting from spending too much time looking at computer screens, I can recommend a good **optometrist**. | 如果你又因為花太多時間看電腦螢幕而頭痛，我可以推薦你一位不錯的**眼科驗光師**。 |
| The **molars** of carnivores are modified for crushing and shredding. | 肉食性動物的**臼齒**為咬碎與撕裂而改變。 |
| The eagles would **gorge** themselves on salmon that had just spawned. | 老鷹會**狼吞虎嚥地吃**剛產卵的鮭魚。 |
| When the troops had left, British ships **lurked** in the harbors and continued to disrupt trade. | 當軍隊離去，英國船隻便**埋伏**在港口處，繼續阻礙貿易。 |
| The **dermal** tissue system is the "skin" of the plant. | **表皮**組織系統是植物的「皮膚」。 |
| The **vascular** system is the system of transportation for water and nutrients. | **維管**系統是水和養分的運輸系統。 |
| I guess I need to **crack** these books open. | 我想我該把這些書研究**鑽研**透澈了。 |
| By today's standards of journalistic etiquette, Wagner was very **intrusive**. | 就現今新聞規範的標準看來，華格納是非常**具有侵略性的**。 |
| He became New York's chief reporter of urban **blight**. | 他成了報導紐約城市**荒廢**的主要記者。 |
| The tongue holds the nectar by **capillary** action while rapidly moving in and out. | 快速進出的同時，舌頭透過**毛細**作用吸住花蜜。 |

| | | |
|---|---|---|
| ▢ **kernel**<br>[ˋkɝnl] | 名 核仁，核心 | core<br>heart<br>crux |
| ▢ **pounce**<br>[paʊns] | 動 猛撲，突然襲擊<br>◆ 像右頁的例句一樣，後面接介系詞 on。 | swoop<br>attack |
| ▢ **epicenter**<br>[ˋɛpɪˏsɛntɚ] | 名 震央 | the seismic center<br>hypocenter |
| ▢ **repellent**<br>[rɪˋpɛlənt] | 形 有驅趕效果的；令人厭惡的<br>◆ 務必要與動詞 repel（拒絕，驅除）一起記。 | repulsing |
| ▢ **levy**<br>[ˋlɛvɪ] | 動 徵收（稅金等） | charge<br>impose<br>tax |
| ▢ **curator**<br>[kjʊˋretɚ] | 名（美術館、博物館等的）館長 | director |
| ▢ **inscribe**<br>[ɪnˋskraɪb] | 動 鐫刻，題字<br>◆ 在一般的同義字題型中會出現，而 Writing 時也有機會用到這個字。 | engrave<br>curve<br>imprint |
| ▢ **revenue**<br>[ˋrɛvəˏnju] | 名 稅收，收入<br>◆ 在一般的同義字題型中會出現。另外也可以用在自己所寫的文章上。 | income<br>return<br>profit |
| ▢ **relic**<br>[ˋrɛlɪk] | 名 遺跡，遺物 | remains<br>token<br>remnant |
| ▢ **attest**<br>[əˋtɛst] | 動 證明（真實性等），作…的見證 | prove<br>testify<br>demonstrate |

| | |
|---|---|
| The edible **kernel** of a seed is protected by a husk, or shell. | 可食用的種子核仁受到外殼的保護。 |
| Some tsunamis **pounce** on coastal settlements like large breakers. | 有些海嘯會像大浪一樣撲向沿海聚落。 |
| Large earthquakes with **epicenters** under or near the ocean are the cause of most tsunamis. | 震央位於海底下或接近海洋的大地震是大部分海嘯的成因。 |
| Some caterpillars have a **repellent** poison in their tissues. | 有些毛毛蟲的組織裡含有具驅敵效果的毒性。 |
| That country **levied** an outrageous tariff on those products. | 那個國家對那些產品課徵高得嚇人的關稅。 |
| Some museum **curators** cannot furnish an accurate description of their stolen property and thus cannot prove their ownership. | 有些博物館的館長無法精確描述失竊的館藏，因而無法證明他們的所有權。 |
| The front side of the coin contained a side view of Anthony's face and was **inscribed** across the top with the word "liberty." | 硬幣的正面有安東尼的臉部側像，上方則刻有「自由」兩字。 |
| It is not the **revenue** but the population that decides the number of representatives for each state in the House of Representatives. | 不是稅收而是人口數決定了眾議院裡各州代表的人數多寡。 |
| The arch is one of the most important **relics** from the Roman period. | 拱門是羅馬時期最重要的遺跡之一。 |
| The existence of Winchester House **attests** to Sarah's belief in ghosts. | 溫徹斯特宅的存在證明了莎拉對鬼魂堅信不移一事。 |

MP3 173

| | | |
|---|---|---|
| ▢ **deputy** [ˋdɛpjətɪ] | 名 副手，代理人 | agent<br>delegate<br>lieutenant<br>assistant |
| ▢ **tract** [trækt] | 名（天空、海面等的）廣闊 | stretch<br>expanse<br>area<br>region |
| ▢ **rebellion** [rɪˋbɛljən] | 名 叛亂，叛變 | revolt<br>mutiny |
| ▢ **rhetoric** [ˋrɛtərɪk] | 名 修辭學；雄辯術；浮誇的語言或文章；華麗的文體<br>◆ 可以使用在眾多的領域上，所以字義很多。 | eloquence<br>flowery words<br>exaggeration |
| ▢ **equity** [ˋɛkwətɪ] | 名（無固定利息的）普通股；公平；公正的行為 | stock<br>share |
| ▢ **ascertain** [ˏæsɚˋten] | 動 確認，查明<br>◆ 由於重音在第三音節，所以不太容易聽出來。 | confirm<br>verify<br>make sure |
| ▢ **compliance** [kəmˋplaɪəns] | 名 遵守，服從 | obedience<br>assent<br>yielding |
| ▢ **conceit** [kənˋsit] | 名 自負，驕傲 | vanity<br>self-esteem<br>ego |
| ▢ **concur** [kənˋkɝ] | 動 同意，意見一致<br>◆ 不要和動詞 conquer（征服）搞混了。 | agree<br>assent<br>consent<br>approve |

| | |
|---|---|
| In the movie, he acted as the **deputy** chief of police. | 他在電影裡飾演一位警察局**副**局長。 |
| The US purchased the Louisiana Territory for $15 million from France and gained a huge **tract** of land. | 美國用 1500 萬美元向法國買下路易斯安納地區，因而得到了一塊**廣闊**的土地。 |
| Lincoln declared that all slaves residing in states in **rebellion** against the United States as of January 1, 1863, were to be set free. | 林肯宣布，從 1863 年 1 月 1 日起，所有居住於**反**美各州的奴隸將獲得自由。 |
| **Rhetoric** is the art of speaking or writing effectively. | **修辭學**是一種有效說話或寫作的藝術。 |
| Stocks are also called **equities**, or claims of ownership, in a corporation. | 股票又稱作**普通股**，或是對一家企業之所有權的要求。 |
| The police are trying to **ascertain** whether or not he was not at home when the incident occurred. | 警方正在試圖**確認**他在事件發生當時是否不在家。 |
| **Compliance** with the law is essential for every citizen. | **遵守**法律對每一位公民而言都是一件很重要的事。 |
| When he entered college, he was full of **conceit** based on nothing. | 他進入大學就讀時，莫名所以地充滿驕矜**自負**。 |
| Most investigators **concur** that certain facial expressions suggest the same emotions in all people. | 大部分的研究者**同意**，某些臉部表情在所有人身上都意味著相同的情緒。 |

| | | |
|---|---|---|
| □ **allot** [ə`lɑt] | 動 **分配，撥給（時間、金錢等）** | **assign** **appropriate** **distribute** |
| □ **seclusion** [sɪ`kluʒən] | 名 **隱居，孤立** ◆ 雖為進階單字，但仍希望讀者能記下來。 | **Isolation** **quarantine** **retirement** |
| □ **glossary** [`glɑsərɪ] | 名 **詞彙表，（術語等的）小辭典** ◆ 小心不要跟名詞 grocery（食品雜貨）搞混了。 | **index** **dictionary** **lexicon** |
| □ **rally** [`rælɪ] | 動 **聚集；恢復** ◆ 考的機率很大，記得挑個同義字一起記。 | **assemble** **reassemble** **regroup** **recuperate** |
| □ **appendix** [ə`pɛndɪks] | 名 **附錄** ◆「盲腸；突起」也是 appendix；「盲腸炎」是 appendicitis。 | **addition** **supplement** **postscript** |
| □ **thorn** [θɔrn] | 名 **刺，荊棘** ◆ 必出單字之一，請連同同義字一起記。 | **prickle** **spine** **needle** |
| □ **scapegoating** [`skep,gotɪŋ] | 名 **將責任轉嫁給別人，遷怒** ◆ 原為宗教用語，意思是「代人受過錯」。 | **imputation** **transferring** |
| □ **consolidate** [kən`sɑlə,det] | 動 **鞏固，加強；合併** | **strengthen** **reinforce** **merge** **integrate** |
| □ **extort** [ɪk`stɔrt] | 動 **勒索，強奪** | **blackmail** **coerce** |

| | |
|---|---|
| Good responses generally use all or most of the time **allotted**. | 令人滿意的答覆通常會用掉全部或大部分已分配好的時間。 |
| Thoreau lived in **seclusion** at his small cabin after graduating from college. | 大學畢業後梭羅在他的小木屋裡過著隱居生活。 |
| In order to save time, she consulted the **glossary** at the end of the textbook. | 為了節省時間，她查閱了教科書最後面的詞彙表。 |
| Young people **rallied** in front of the country's embassy to protest against the use of nuclear weapons. | 年輕人聚集在該國大使館前面，抗議核子武器的使用。 |
| Please consult the **appendix** first to install and launch the program. | 安裝和啟動程式前請先查閱附錄。 |
| Inspired by the reaction of cattle to the sharp **thorns** on vegetation, a new type of fencing was invented. | 牛群對尖刺植物的反應啟發了新式柵欄的發明。 |
| **Scapegoating** is blaming someone unrelated to an event for misfortunes, often as a way of distracting attention from the real cause. | 遷怒是指因為不幸事件而責怪不相干的人，常常是一種將注意力從真正起因轉移開的方式。 |
| The two leaders concurred that both countries would make the strongest effort to **consolidate** a closer bilateral relationship. | 兩位領袖同意兩國將盡其最大努力鞏固更緊密的雙邊關係。 |
| He was suspended from school for three months for **extorting** money from some of his classmates. | 他因為向其他同學勒索錢財而遭到停學三個月。 |

| 單字 | 中文意思 | 同義字 |
|---|---|---|
| ☐ **deploy**<br>[dɪ`plɔɪ] | 動 **布署（軍隊等）** | **station**<br>**arrange**<br>**mobilize** |
| ☐ **endorse**<br>[ɪn`dɔrs] | 動 **支持；（在支票等上）背書**<br>◆ 對話題型可能會考「（在支票等上）背書」的意思。 | **approve**<br>**back** |
| ☐ **frown**<br>[fraʊn] | 動 **皺眉；不贊成**<br>◆ frown on... 是「對…皺眉；不承認」之意。 | **grimace**<br>**disapprove** |
| ☐ **fiscal**<br>[`fɪskḷ] | 形 **財政的；會計的；國庫的**<br>◆ fiscal year 是「會計年度」之意。 | **financial** |
| ☐ **unfold**<br>[ʌn`fold] | 動 **揭露，打開**<br>◆ 是由動詞 fold（摺疊）加上字首 un-，所以很容易推斷出字義。會在從上下文來判斷同義字的題型中出現。 | **open**<br>**unfurl**<br>**spread**<br>**reveal** |
| ☐ **premise**<br>[`prɛmɪs] | 名 **前提，假定**<br>◆ 字尾加上 s 變成 premises 之後，意思變成是「（連同土地、附屬建築物等的）房子」。 | **proposition**<br>**hypothesis** |
| ☐ **infringe**<br>[ɪn`frɪndʒ] | 動 **侵犯，違反（法律、契約等）**<br>◆ 對於理解英文文意而言是個很重要的單字。另外別忘了後面接介系詞 on。 | **break**<br>**violate** |
| ☐ **contempt**<br>[kən`tɛmpt] | 名 **藐視** | **scorn** |
| ☐ **manifest**<br>[`mænə͵fɛst] | 動 **顯現，表現**<br>◆ 選舉的聲明用的是 manifesto（聲明文，宣言）。 | **show**<br>**demonstrate**<br>**reveal** |

| | |
|---|---|
| A multinational force was **deployed** in the country after the incident. | 事件發生後多國部隊便在該國境內**布署**。 |
| South Carolina then organized a "States' Rights Party," **endorsing** the principle, called "nullification." | 那時南卡羅萊納州組成了一個「州權擁護黨」，**支持**所謂的「否認原則」。 |
| When they are caused to **frown**, participants rate cartoons as being more aggressive. | 使受試者**皺眉**時，他們會將漫畫評為較具攻擊性。 |
| The major area of government regulation of economic activity is through **fiscal** and monetary policy. | 政府對經濟活動的管制大部分是透過**財政**和貨幣政策。 |
| As the play **unfolded**, dance music was interrupted a number of times by fake news bulletins. | 當廣播劇**揭開**序幕，舞蹈音樂數度因為假的新聞快報而中斷。 |
| The basic **premise** resides in the realization that neither theism nor deism can adequately answer the burning question of man's relationship with God. | 基本的**前提**是意識到有神論或自然神論都不能充分回答人神關係這個棘手的問題。 |
| I suspect that the new law concerning press coverage **infringes** on our basic rights to freedom of speech and press. | 我懷疑那個涉及媒體報導的新法律，**侵犯**了我們言論和新聞自由的基本權利。 |
| His **contempt** for Native Americans and African Americans was well known. | 他對美國原住民和非裔美國人的**鄙視**眾所周知。 |
| People in diverse cultures recognize the emotions **manifested** by facial expressions. | 不同文化的人能夠辨認出臉部表情所**顯現**出的情緒。 |

| | | |
|---|---|---|
| ▢ **allure**<br>[ə`lʊr] | 動 誘惑，吸引 | attract<br>tempt<br>lure |
| ▢ **augment**<br>[ɔg`mɛnt] | 動 增加，增大 | increase<br>boost |
| ▢ **benign**<br>[bɪ`naɪn] | 形 良性的，（氣候）溫和的 | merciful<br>humane |
| ▢ **enzyme**<br>[`ɛnzaɪm] | 名 酶，酵素 | ferment |
| ▢ **affirmative**<br>[ə`fɝmətɪv] | 形 積極的，肯定的 | positive<br>favorable |
| ▢ **assassinate**<br>[ə`sæsə͵net] | 動 暗殺 | kill<br>slay<br>murder |
| ▢ **ardor**<br>[`ardɚ] | 名 熱忱，熱情 | passion<br>eagerness<br>enthusiasm<br>zeal |
| ▢ **dismantle**<br>[dɪs`mæntl̩] | 動 廢除，拆解 | disassemble<br>demolish |
| ▢ **apathy**<br>[`æpəθɪ] | 名 漠不關心<br>◆ 形容詞 apathetic（無動於衷的）也常出現在同義字考題中。 | indifference<br>unconcern<br>insensibility |
| ▢ **narcotic**<br>[nar`katɪk] | 名 形 毒品（的），麻醉劑（的） | drug |

| | |
|---|---|
| Promises of quick profits often **allure** the unwary investor. | 快速獲利的保證常常會誘惑到糊塗的投資人。 |
| For growing firms in competitive markets, a major indicator of executive competence is the ability to **augment** company earnings. | 對競爭激烈市場裡的成長中企業而言，執行力的一個重要指標就是幫公司增加獲利的能力。 |
| He underwent an operation on his intestine for polyps, which turned out to be **benign**. | 他因腸部息肉而動了手術，最後證明息肉是良性的。 |
| The pancreas produces digestive **enzymes** that flow into the intestine during the process of digestion. | 胰腺會分泌消化酶，在消化過程中流進腸道。 |
| **Affirmative** action is a measure to correct inequality resulting from discrimination in society. | 積極行動是一種措施，目的在匡正社會歧視所導致的不平等。 |
| During that year, then President William McKinley was **assassinated** in Buffalo, New York. | 在那年，當時的總統威廉．麥金利在紐約州水牛城遇刺。 |
| Though they were not regarded as artists, some of the artisans in the colonial period did have an **ardor** for art. | 雖然不被視為藝術家，殖民時期的部分工匠確實對藝術充滿熱忱。 |
| His concern is that critics of the juvenile justice system are trying to **dismantle** it and will start to treat young offenders as adults. | 他擔心的是，批評青少年司法制度的人正試圖廢除它，並將開始把青少年犯視作成人罪犯。 |
| Political **apathy** is prevailing among young people all over the nation. | 政治冷感普遍存在於全國各地的年輕人之間。 |
| The son of a prominent politician was arrested last night for the possession of **narcotics**. | 一位顯赫政要的兒子昨晚因持有毒品而遭到逮捕。 |

| | | |
|---|---|---|
| □ **admonish** [əd`manɪʃ] | 動（溫和而鄭重的）告誡，責備 | warn<br>caution<br>advise |
| □ **convene** [kən`vin] | 動 召集（民衆），召開（會議）<br>◆ 不太受到注目的單字，請挑個同義字一起記下來。 | gather<br>congregate<br>assemble<br>summon |
| □ **captivity** [kæp`tɪvətɪ] | 名 囚禁 | confinement<br>imprisonment<br>restraint<br>custody |
| □ **detain** [dɪ`ten] | 動 拘留，扣押 | hold back<br>keep wait<br>confine |
| □ **curtail** [kɜ`tel] | 動 縮短，減少 | shorten<br>abridge<br>reduce |
| □ **agenda** [ə`dʒɛndə] | 名 議程，會議裡要討論的事項單 | list<br>schedule<br>timetable |
| □ **antipathy** [æn`tɪpəθɪ] | 名 反感，憎惡 | disgust<br>hatred<br>hostility<br>opposition |
| □ **smuggle** [`smʌgl̩] | 動 走私 | bootleg |
| □ **aggravate** [`ægrə͵vet] | 動 使（病情、情況）惡化；激怒 | worsen<br>provoke<br>exasperate |

| | |
|---|---|
| He was **admonished** by his boss for his misconduct. | 他因為失職而遭到老闆**告誡**。 |
| The committee was **convened** to discuss humanitarian assistance to refugees. | 委員會**召集**起來討論對難民提供人道救援。 |
| The last survivor of the passenger pigeon that had once numbered 5 billion died in **captivity** in 1914. | 數量一度達到 50 億隻的旅鴿，最後的倖存者在 1914 年死於**籠中**。 |
| The campus police have **detained** three students on suspicion of arson in the dorm fire case. | 校園警察已**拘留**了三位涉嫌宿舍縱火的學生。 |
| Professor Brown **curtailed** his lecture because of the family emergency. | 布朗教授因為家裡有要事，所以**縮短**了講課時間。 |
| What's on the **agenda** this morning? | 今天上午**議程表**上排了什麼？ |
| The speaker's tone can consciously or unconsciously reflect intuitive sympathy or **antipathy**. | 說話者的語氣可能有意或無意地反映出直覺的同感或**反感**。 |
| Today, in economic terms, illegal trading in cultural property falls alongside **smuggling** weapons and drugs. | 今日就經濟層面而言，文化資產的非法交易與武器、毒品**走私**並列為同一等級。 |
| His bad temper **aggravated** the situation. | 他的壞脾氣使情況**惡化**。 |

| | | |
|---|---|---|
| □ **jeopardy** [ˋdʒɛpɚdɪ] | 名 危險<br>◆ 同義字很多，所以常考同義字的問題。 | danger<br>risk<br>hazard<br>peril |
| □ **constraint** [kənˋstrent] | 名 強制，約束 | restraint<br>compulsion |
| □ **elapse** [ɪˋlæps] | 動（時間）過去；消逝 | pass<br>lapse<br>go by |
| □ **appease** [əˋpiz] | 動 使滿足；使緩和或平息 | calm<br>satisfy |
| □ **besiege** [bɪˋsidʒ] | 動（以質問等）圍困或困擾；包圍，圍攻 | surround<br>encompass<br>harass |
| □ **ambivalence** [æmˋbɪvələns] | 名 矛盾心態；兩面價值 | contradiction<br>discrepancy<br>incoherence |
| □ **veterinarian** [ˏvɛtərəˋnɛrɪən] | 名 獸醫<br>◆ 注意發音！ | vet |
| □ **arbitrate** [ˋɑrbəˏtret] | 動 仲裁，調停 | reconcile<br>intercede<br>mediate |
| □ **dissertation** [ˏdɪsɚˋteʃən] | 名 博士論文 | thesis<br>treatise |
| □ **retrieve** [rɪˋtriv] | 動 取回；檢索<br>◆ 同義字很多，建議都記下來。 | regain<br>recover<br>access |

| | |
|---|---|
| This strike has put many jobs in **jeopardy**. | 這次的罷工讓很多人的工作岌岌可危。 |
| He agreed to go to the police station under **constraint**. | 他被迫同意前往警局。 |
| Two months have **elapsed** since our last meeting. | 從我們上次見面至今已過了兩個月。 |
| He **appeased** her curiosity by explaining the situation to her. | 他藉由將情況解釋給她聽來滿足她的好奇心。 |
| The reporters **besieged** the politician with questions about the bill concerning privatization of the nation's postal service. | 記者連番提出了關於國家郵政服務民營化法案的問題，讓政治人物應接不暇。 |
| Jack London exhibited an **ambivalence** toward the suffrage of women. | 傑克・倫敦對婦女參政權顯現出一種矛盾心理。 |
| Contrary to popular belief, the cat cannot heal its own wounds by licking it. It is better to consult a **veterinarian** as soon as possible. | 與一般人認定的剛好相反，貓咪無法靠著舔拭傷口來使之癒合，最好儘早找獸醫診治。 |
| The governor **arbitrated** the dispute about the move of the military base. | 有關軍事基地遷移的爭議由軍事總督進行調停。 |
| How long has John been writing his **dissertation**? | 約翰寫博士論文寫了多久了？ |
| The capuchins that did not use tools obtained food by climbing pedestals to **retrieve** walnuts. | 沒有使用工具的僧帽猴靠著爬上基柱取下核桃來獲取食物。 |

| | | |
|---|---|---|
| ▢ **lapse**<br>[læps] | 名（時間）間隔；失誤；衰退 | passage<br>mistake<br>error<br>corruption |
| ▢ **relentless**<br>[rɪˋlɛntlɪs] | 形 無情的<br>◆ 在一般的同義字題型中常出現。 | cruel<br>ruthless |
| ▢ **inexorable**<br>[ɪnˋɛksərəbḷ] | 形 毫不寬容的<br>◆ 請一併將 inexorable doom（劫數）這個用法記下來。 | relentless<br>cruel |
| ▢ **introvert**<br>[ˋɪntrə͵vɜt] | 名 內向的人<br>◆ 反義字是 extrovert（外向的人）。 | a shy or bashful person |
| ▢ **subdue**<br>[səbˋdju] | 動 鎮壓，制伏，抑制<br>◆ 挑個同義字一起背，務必要記牢。 | conquer<br>overcome |
| ▢ **asthma**<br>[ˋæzmə] | 名 氣喘 | a respiratory illness |
| ▢ **hierarchy**<br>[ˋhaɪə͵rarkɪ] | 名 階級組織，階級制度；統治集團 | stratum<br>rank<br>establishment |
| ▢ **scavenger**<br>[ˋskævɪndʒɚ] | 名 食腐動物<br>◆ 屬於 scavenger 的動物包括 hyena（土狼）、vulture（禿鷹）、jackal（胡狼）、beetle（甲蟲）、crab（螃蟹）、ant（螞蟻）等。 | any animal which feeds on carcasses |
| ▢ **breach**<br>[britʃ] | 動 觸犯（協定、法規等）；突破<br>◆ 也可用於寄生生物「突破植物的防護」上。 | violate<br>infringe<br>break |
| ▢ **assent**<br>[əˋsɛnt] | 動 同意，贊成 | agree<br>consent<br>approve |

| | |
|---|---|
| The time **lapse** between images in most cameras is normally 1/24 of a second. | 對大部分的相機來說，影像和影像間的時間間隔一般是 1/24 秒。 |
| The police fought a **relentless** battle against crime. | 警方打擊犯罪絕不手軟。 |
| Does history spell out for us an **inexorable** doom, which we can merely await with folded hands? | 難道歷史為我們清楚揭示的是一個我們只能袖手旁觀卻無情的厄運嗎？ |
| He is such an **introvert** that he hardly ever talks to anyone. | 他是一個非常內向的人，幾乎不曾跟任何人講話。 |
| After months of fighting, the rebels were **subdued**. | 經過幾個月的戰爭之後造反者被制伏了。 |
| A severe fit of **asthma** made his breathing very difficult. | 一陣嚴重的氣喘發作讓他呼吸非常困難。 |
| The pyramid structure defines the chain of command, and everyone knows his or her place in the **hierarchy**. | 金字塔結構清楚界定了指揮鏈，每個人都知道自己在階級組織下的位置。 |
| Animals that die on the plains or in the mountains are soon found by **scavengers**, such as hyenas, and rapidly reduced to bone scraps. | 死在平原上或山裡的動物很快就被土狼這類的食腐動物發現，然後瞬間只剩骨頭碎屑。 |
| John was ejected from his apartment because he **breached** an agreement with the landlord three times. | 約翰被逐出他的公寓，因為他三度違反和房東之間的協定。 |
| The committee members **assented** to the proposal to recognize his long contribution to the university. | 委員們同意這項表彰他對大學長久奉獻的提議。 |

| | | |
|---|---|---|
| □ **stalemate**<br>[`stel,met] | 名 僵局，膠著狀況<br>◆ 從玩西洋棋的雙方反覆走相同的棋路而來。 | deadlock |
| □ **bestow**<br>[bɪ`sto] | 動 授予，贈與 | confer<br>give<br>grant<br>award |
| □ **pivotal**<br>[`pɪvətl̩] | 形 中樞的，關鍵的<br>◆ 由 pivot（樞紐，中心）衍生而來的意思。要從上下文來判斷字義的單字。 | very important<br>central<br>main |
| □ **conflicting**<br>[kən`flɪktɪŋ] | 形 相互衝突的，矛盾的 | contradictory<br>opposing |
| □ **dwelling**<br>[`dwɛlɪŋ] | 名 住宅，住處 | house |
| □ **impetus**<br>[`ɪmpətəs] | 名 促進，刺激，推動力 | momentum<br>spur<br>incentive<br>motivation |
| □ **incandescent**<br>[,ɪnkæn`dɛsənt] | 形 發白熱光的；光亮的 | white-hot |
| □ **scruple**<br>[`skrupl̩] | 名 顧慮，顧忌<br>◆ 雖然是個難字，但還是要記下來。 | hesitation<br>uneasiness<br>doubt |
| □ **fend**<br>[fɛnd] | 動 照顧，供養 | support<br>look after<br>take care of |

| | |
|---|---|
| Though the deadline approached, the peace negotiations remained at a **stalemate**. | 儘管期限將至，和平談判仍舊陷於僵局。 |
| The Queen **bestowed** knighthood on him. | 女王授予他騎士爵位。 |
| Many writers of **pivotal** importance were busily recording their world at the time: Emerson, Thoreau, Melville, Hawthorne, and others. | 許多具有關鍵重要性的作家都忙著記錄他們當時的世界：愛默生、梭羅、梅爾維爾、霍桑和其他人。 |
| There were many **conflicting** theories about the nature of the Earth's interior. | 關於地球的內部性質有很多**互相衝突的**理論。 |
| Wood remained the most popular material in **dwellings**. | 木材仍是**住宅**最受歡迎的材質。 |
| The danger of fire gave an **impetus** to the use of more durable material. | 火的危險性**促進**了更耐久材質的使用。 |
| Some geologists believed that the Earth contained a highly compressed ball of **incandescent** gas. | 有些地質學家相信，地球含有一顆高度壓縮的**白熾**氣團。 |
| Constitutional **scruples** stood in the way of action by the federal government. | 憲法上的**顧慮**阻礙了聯邦政府的行動。 |
| Cattle left outdoors to **fend** for themselves thrived on this hay. | 被放到野外**自由覓食**的牛群靠著這些乾草茁壯成長。 |

| | | |
|---|---|---|
| ▢ **volatile**<br>[`vɑlətl̩] | 形 揮發性的；(事物）易變的；（人）輕快的 | **changeable**<br>**unstable**<br>**capricious** |
| ▢ **euthanasia**<br>[ˌjuθə`neʒɪə] | 名 安樂死 | **mercy killing** |
| ▢ **contingency**<br>[kən`tɪnʤənsɪ] | 名 偶然，偶發事件 | **fortuity**<br>**happening**<br>**incident** |
| ▢ **saline**<br>[`selaɪn] | 形 含鹽分的<br>◆ 請連同同義字一起記下來。 | **salty** |
| ▢ **basin**<br>[`besn̩] | 名 流域；洗臉盆；盛水池 | **pool**<br>**bowl**<br>**tub**<br>**valley** |
| ▢ **clinch**<br>[klɪntʃ] | 動（問題等）做最終的決定<br>◆ 這裡的字義用於較輕鬆的對話場合中。一般來說，clinch 表示「固定」或「用手臂鉗住對方」之意。 | **settle**<br>**decide**<br>**conclude** |
| ▢ **crustacean**<br>[krʌs`teʃən] | 名（螃蟹、蝦子等的）甲殼類動物 | |
| ▢ **embellish**<br>[ɪm`bɛlɪʃ] | 動 裝飾，美化 | **adorn**<br>**ornament**<br>**decorate** |
| ▢ **excrete**<br>[ɛk`skrit] | 動 排泄或分泌（廢物、汗水等） | **discharge**<br>**defecate**<br>**urinate** |
| ▢ **geyser**<br>[`gaɪzɚ] | 名 間歇泉<br>◆ 很常考，所以對 geyser 要有印象。 | **intermittent spring** |

| | |
|---|---|
| These bacteria release **volatile** substances. | 這些細菌釋放出**揮發性**物質。 |
| The issue of **euthanasia** is a crucial one in medical science. | **安樂死**的議題在醫學界是一個至關緊要的議題。 |
| The first death was inevitable; a second death is a **contingency**. | 第一個死亡是無可避免，第二個則屬**偶然**。 |
| A **saline** solution is sometimes used for sterilization. | **鹽水**溶液有時被用來殺菌。 |
| About 80 percent of rain-forested area is in central Africa, in the vast **basin** of the great Congo River. | 大約 80% 的雨林區位於非洲中部，也就是在廣大的剛果河**流域**內。 |
| My decision to which university I would attend was **clinched** once I heard that professor's speech. | 當我還在游移要讀哪間大學之際，那位教授的演講讓我**拿定了主意**。 |
| Invertebrates are creatures lacking a spinal column, including **crustaceans**, insects, and many different types of worms. | 無脊椎動物是缺少脊柱的動物，包括**甲殼類**、昆蟲和許多不同種類的蠕蟲。 |
| The costumes of those female figures were **embellished** with silver threads. | 那些女性人物的服飾被**裝點**上銀色的線。 |
| Around six months postpartum, the mother koala **excretes** a substance called pap. | 大約產後六個月，無尾熊媽媽會**排泄**出一種叫做「軟糞」的物質。 |
| More than 200 **geysers** erupt each year in Yellowstone. | 黃石公園每年噴發超過兩百口**間歇泉**。 |

| | | |
|---|---|---|
| □ **integrity**<br>[ɪn`tɛgrətɪ] | 名 **完整性，整體**<br>◆ 在同義字題型中常出現。 | **completeness**<br>**wholeness**<br>**unity** |
| □ **menial**<br>[`minɪəl] | 形 **做卑微工作的（非技術性的，通常無聊且低薪）** | **mean**<br>**boring**<br>**simple** |
| □ **novelty**<br>[`nɑvəltɪ] | 名 **新奇的人事物；新穎**<br>◆ 形容詞是 novel（新奇的）。 | **freshness**<br>**newness**<br>**innovation** |
| □ **crumple**<br>[`krʌmpl̩] | 動 **(使) 皺，起皺**<br>◆ 就字義來看，常在與地質學相關的考題中出現。 | **twist**<br>**rumple**<br>**wrinkle** |

| | |
|---|---|
| Smaller stone or wooden carvings are simply cut or chopped away from a wall or base, thus destroying the **integrity** of the work that had contained them. | 較小的寶石或木雕被輕易地從牆壁或底座切下或砍下帶走，因而破壞了作品曾包含那些東西的完整性。 |
| As a very young man, Jack worked at various jobs—some **menial**, but some adventurous. | 非常年輕的時候，傑克從事各式各樣的工作，有些卑賤，但有些則具冒險性。 |
| Over 200 years later, white cheddar is still a **novelty** in American stores. | 兩百多年後白巧達起士在美國的商店裡仍屬新奇之物。 |
| The edge of the overriding plate is **crumpled** and uplifted to form a mountain chain roughly parallel to the trench. | 上衝板塊的邊緣遭到揉皺然後抬高，形成了大致與海溝平行的山鏈。 |

Smaller stone or wooden carvings are simply cut or chopped away from a wall or base, thus destroying the integrity of the work that had contained them.

As [illegible] worked at various [illegible] but more adventurous.

[illegible]

[illegible]

# Index
# 索引

## A

## D

## E

## F

## T

## W



## Y

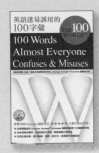

國家圖書館出版品預行編目資料

TOEFL® iBT托福關鍵字彙 / 林功著 ; 鄭襄憶, 高靖敏譯.
-- 初版. -- 臺北市 : 衆文圖書, 民 98.02
面 ; 公分
含索引
ISBN 978-957-532-362-2（平裝附光碟片）

1. 托福考試 2. 詞彙

805.1894 97021716

定價 480 元

# TOEFL® iBT 托福關鍵字彙

2014 年 1 月 初版六刷

| | |
|---|---|
| 作　者 | 林　功 |
| 譯　者 | 鄭襄憶．高靖敏 |
| 英文校閱 | D. Corey Sanderson |
| 主　編 | 陳瑠琍 |
| 資深編輯 | 黃炯睿 |
| 編　輯 | 黃琬婷 |
| 美術設計 | 嚴國綸 |
| 行銷企劃 | 李皖萍．吳思瑩 |
| 發行人 | 黃建和 |
| 發行所 | 眾文圖書股份有限公司<br>台北市重慶南路一段 9 號 |
| 網路書店 | http://www.jwbooks.com.tw |
| 電　話 | (02) 2311-8168 |
| 傳　真 | (02) 2311-9683 |
| 劃撥帳號 | 01048805 |




局版台業字第 1593 號